轻松过关® 1

2022 年会计专业技术资格考试
应试指导及全真模拟测试

中级财务管理

（中册）

闫华红　主编
东奥会计在线　编

北京科学技术出版社

目录 CONTENTS

第二部分　考点精讲及同步训练

第五章　筹资管理（下）

CHAPTER-5

本章学习指南

一、考情分析

本章主要阐述了资金需要量的预测、资本成本的确定、杠杆效应以及资本结构优化等内容。从近 3 年的考试来看平均分为 13 分左右。题型可以出客观题，也可以出计算分析题，甚至综合题。

最近 3 年题型、题量分析表

题型	2019 年		2020 年			2021 年		
	试卷Ⅰ	试卷Ⅱ	试卷Ⅰ	试卷Ⅱ	试卷Ⅲ	试卷Ⅰ	试卷Ⅱ	试卷Ⅲ
单项选择题	3 题 3 分	1 题 1 分	2 题 3 分	2 题 3 分	1 题 1.5 分	2 题 3 分	2 题 3 分	2 题 3 分
多项选择题	3 题 6 分	1 题 2 分	2 题 4 分	1 题 2 分	3 题 6 分	1 题 2 分	—	1 题 2 分
判断题	—	1 题 1 分	1 题 1 分	—	1 题 1 分	1 题 1 分	1 题 1 分	2 题 2 分
计算分析题	—	2 题 10 分	—	1 题 5 分	—	—	1 题 5 分	—
综合题	0.3 题 3.9 分	0.4 题 5.2 分	0.5 题 6 分	0.25 题 3 分	—	0.5 题 6 分	0.39 题 5 分	0.25 题 3 分
合计	6.3 题 12.9 分	5.4 题 19.2 分	5.5 题 14 分	4.25 题 13 分	5 题 8.5 分	4.5 题 12 分	4.39 题 14 分	5.25 题 10 分

二、教材变化

本章与 2021 年的教材相比，主要变化有：（1）增加了“投资项目资本成本确定”的相关内容；（2）增加了“金融工具价值评估”的相关内容；（3）增加了“双重股权结构”的相关内容。

核心考点精讲

第一节 资金需要量预测

使用“会计云课堂”App 或“微信”扫码查看本节视频，快速 GET 知识点。

一、因素分析法★★

含义	又称分析调整法，是以有关项目基期年度的平均资金需要量为基础，根据预测年度的生产经营任务和资金周转加速的要求，进行分析调整，来预测资金需要量的一种方法
计算公式	资金需要量 =（基期资金平均占用额 – 不合理资金占用额）×（1+ 预测期销售增长率）/（1+ 预测期资金周转速度增长率）
特点	计算简便，容易掌握，预测结果不太精确
适用范围	品种繁多、规格复杂、资金用量较小的项目

要点小贴士：资金需要量与预测期资金周转速度增长率反向变动，与预测期销售增长率同向变动。

经典题解

【真题 1·单选题】某公司 2016 年度资金平均占用额为 4500 万元，其中不合理部分占 15%，预计 2017 年销售增长率为 20%，资金周转速度不变，采用因素分析法预测的 2017 年度资金需求量为（ ）万元。（2017 年卷Ⅰ）

A. 4590 B. 4500 C. 5400 D. 3825

【解析】资金需要量 =（基期资金平均占用额 – 不合理资金占用额）×（1 + 预测期销售增长率）/（1 + 预测期资金周转速度增长率）=（4500–4500×15%）×（1+20%）/（1+0）=4590（万元），因此选项 A 正确。

【答案】A

【例题 2·单选题】甲企业上年度资金平均占用额为 10000 万元，经分析，其中不合理部分为 900 万元，由于经济萎缩，预计本年度销售下降 5%，资金周转放缓 1%。则预测本年度资金需要量为（ ）万元。

解题攻略：资金周转放缓意味着资金周转速度增长率为负数。

A. 8732.32 B. 8731.45 C. 8559.41 D. 8558.55

【解析】按照因素分析法，资金需要量 =（基期资金平均占用额 – 不合理资金占用额）×（1+ 预测期销售增长率）/（1+ 预测期资金周转速度增长率），因此，预测本年度资金需要量 =（10000–900）×（1–5%）/（1–1%）=8732.32（万元）。

【答案】A

二、销售百分比法★★★

原理	假设某些资产与销售额存在稳定的百分比关系，根据销售与资产的比例关系预计资产额，根据资产额预计相应的负债和所有者权益，进而确定筹资需求量	
需要增加的资金量	需要增加的资金量 = 增加的资产 − 增加的敏感负债 其中： （1）增加的资产 = 增加的敏感资产 + 非敏感资产的调整数 = 增量销售收入 × 基期敏感资产占基期销售额的百分比 + 非敏感资产的调整数 或：= 基期敏感资产 × 预计销售收入增长率 + 非敏感资产的调整数 （2）增加的敏感负债 = 增量销售收入 × 基期敏感负债占基期销售额的百分比 或：= 基期敏感负债 × 预计销售收入增长率	
对外筹资需要量	分步法	对外筹资需要量 = 需要增加的资金量 − 增加的留存收益 其中：增加的留存收益 = 预计销售收入 × 预计销售净利率 × 预计利润留存率
	公式法	对外筹资需要量 = 增加的资产 − 增加的敏感负债 − 增加的留存收益

要点小贴士

股利支付率 = 股利 / 净利润；利润留存率 =1− 股利支付率。

【提示】

（1）敏感资产与敏感负债的差额通常与销售额保持稳定的比例关系。这里，敏感资产项目一般包括现金、应收账款、存货等项目。而敏感负债项目一般包括应付票据、应付账款等项目，不包括短期借款、短期融资券、长期负债等筹资性负债。

要点小贴士

敏感负债是生产经营自然形成的负债，也称为经营负债，通常是无息流动负债；而筹资性负债是要做专门筹资安排，通常是有息负债。

（2）如果生产能力有剩余，通常表明固定资产规模不变；如果现有的生产能力已经饱和且固定资产随销售收入同比例变动，则固定资产也是敏感资产，按照销售额的增长比例增加固定资产投资；如果现有的生产能力已经饱和且给出已知固定资产增加的具体数额，该数额即为非敏感资产的调整数。

经典题解

【真题 3 · 单选题】某公司敏感性资产和敏感性负债占销售额的比重分别为 50% 和 10%，并保持稳定不变。2020 年销售额为 1000 万元，预计 2021 年销售额增长 20%，销售净利率为 10%，利润留存率为 30%。不考虑其他因素，则根据销售百分比法，2021 年的外部融资需求量为（　　）。（2021 年卷Ⅰ）

A. 80 万元　　B. 64 万元　　C. 44 万元　　D. 74 万元

【解析】外部融资需求量 =1000×20%×（50%−10%）−1000×（1+20%）×10%×30%=44（万元）。

【答案】C

【真题 4 · 判断题】采用销售百分比法预测筹资需求量的前提条件是公司所有资产及负债与销售额保持稳定百分比关系。（　　）（2020 年卷Ⅲ）

【解析】销售百分比法是假设某些资产和负债与销售额存在稳定的百分比关系，根据这个假设预计外部资金需要量的方法。

【答案】×

【真题5·单选题】根据资金需要量预测的销售百分比法，下列负债项目中，通常会随销售额变动而成正比变动的是（ ）。（2016年）

A. 短期融资券 B. 短期借款

C. 长期负债 D. 应付票据

【解析】根据销售百分比法，经营负债是随销售收入变动而变动的项目，选项D正确。选项A、B、C属于筹资性负债。

【答案】D

【例题6·计算分析题】某企业2021年销售收入为5000万元。假设经营性流动资产销售百分比为60%，经营负债销售百分比为15%，且两者保持不变，预计销售净利率为5%，预计股利支付率为30%，企业目前生产能力已经饱和。预计2022年销售收入增长率为15.5%，由于销售规模扩大企业需要购买一台价值50万元的设备。

解题攻略

非敏感资产考试通常指的是长期资产，非敏感资产的调整数即长期资产的增加额。考试会给出已知条件，如果考试没有特指要增加非敏感资产，则无需考虑。

要求：

（1）预计2022年企业增加的资金需要量；

（2）预计2022年企业需要从外部融资额。

【答案】

（1）企业增加的资金需要量 = 非敏感资产的调整数 + 增加的敏感资产 − 增加的敏感负债 =50+5000×15.5%×（60%−15%）=398.75（万元）

（2）企业需要从外部融资额 = 增加的资金需要量 − 增加的留存收益 =398.75−5000×（1+15.5%）×5%×（1−30%）=196.63（万元）。

三、资金习性预测法★★★

相关链接

与第2章成本习性的特点类似。在相关范围内，不变资金总额a不变，单位变动资金b不变。

（一）按资金习性对资金的分类

分类	特点	教材举例
不变资金	在一定范围内与产销量无关 Y=a	（1）最低储备的流动资产占用的资金（如为维持营业而占用的最低数额的现金、原材料的保险储备、必要的成品储备） （2）固定资产占用的资金（如厂房、设备等占用的资金）
变动资金	在一定范围内与产销量成同比例变动 Y=bX	（1）直接构成产品实体的原材料、外购件等占用的资金 （2）在最低储备以外的流动资产占用的资金（如最低储备以外的现金、存货、应收账款等）
半变动资金	随产销量变动而变动，但不成同比例变动	辅助材料占用的资金

要点小贴士

（1）总资金Y的含义：Y=总资产−经营性负债=筹资性负债+所有者权益。

（2）业务量X是广义的，可以是产量、销量等，考试时多用营业收入作为业务量。

（二）总资金与业务量直线方程：Y=a+bX

式中，Y表示资金占用量；X表示业务量；a表示不变资金；b表示单位业务量所需变动资金。

（三）估计参数 a 和 b 的方法

方法	公式
回归直线法	$a=\dfrac{\sum X^2\times\sum Y-\sum X\times\sum XY}{n\sum X^2-(\sum X)^2}$ $b=\dfrac{n\sum XY-\sum X\times\sum Y}{n\sum X^2-(\sum X)^2}$ 【提示】使用时应注意的问题： （1）假定资金需要量与业务量之间呈线性关系，且应与实际情况相符 （2）应使用连续若干年的历史数据，一般至少应有 3 年的资料 （3）应考虑价格等因素的变动情况
高低点法	选择业务量最高、最低的两点资料： $b=\dfrac{最高业务量期的资金占用量-最低业务量期的资金占用量}{最高业务量-最低业务量}$ a= 最高业务量期的资金占用量 −b × 最高业务量 或：= 最低业务量期的资金占用量 −b × 最低业务量 【提示】 （1）高低点以业务量为基准，有时在题目给定的资料中，高点业务量最大，而资金占用量不一定最大；低点业务量最小，而资金占用量不一定最小 （2）采用逐项分析法预测时，应根据业务量和某项资金总额的历史资料，先估计出各项不变资金 a_i 和各项单位变动资金 b_i，再计算全部的不变资金 a 和全部的单位变动资金 b，再将预测期业务量代入 Y=a+bX，预测出资金总额。这里，a 和 b 用如下公式得到： $a=(a_1+a_2+\cdots+a_m)-(a_{m+1}+\cdots+a_n)$ $b=(b_1+b_2+\cdots+b_m)-(b_{m+1}+\cdots+b_n)$ 式中，a_1，$a_2\cdots a_m$ 分别代表各项资产项目的不变资金，$a_{m+1}\cdots a_n$ 分别代表各项自发性负债（通常为无息流动负债）项目的不变资金。b_1，$b_2\cdots b_m$ 分别代表各项资产项目的单位变动资金，$b_{m+1}\cdots b_n$ 分别代表各项自发性负债项目的单位变动资金

相关链接

与第 2 章混合成本分解的回归直线法的原理一致，都是利用数学的最小二乘法原理。

相关链接

与第 2 章混合成本分解的高低点法的原理一致。选择高点和低点的依据是业务量，而非资金占用量。

经典题解

【真题 7·单选题】某公司 2013~2016 年度营业收入和资金占用的历史数据《单位：万元》分别为（800，18），（760，19），（1000，22），（1100，21），运用高低点法分离资金占用中的不变资金与变动资金时，应采用的两组数据是(　　)。（2017 年卷Ⅰ）

A.（760，19）和（1000，22）　B.（760，19）和（1100，21）

C.（800，18）和（1000，22）　D.（800，18）和（1100，21）

【解析】采用高低点法来计算资金占用项目中不变资金和变动资金的数额，应该采用营业收入的最大值和最小值作为最高点和最低点，故应该选择（760，19）和（1100，21），选项 B 正确。

【答案】B

要点小贴士

销售百分比法的预测结果是增加的资金需要量，而资金习性预测法的预测结果是总资金需要量。

【易错易混点】销售百分比法和资金习性预测法的比较。

项目	销售百分比法	资金习性预测法
总资金需要量	—	Y=a+bX
增加的资金需要量	增加的资产－增加的经营负债	$\Delta Y=Y_{预}-Y_{基}$ 其中：$Y_{预}=a+bX_{预}$ $Y_{基}$=基期的资产－基期的经营负债
外部融资需要量	增加的资产－增加的经营负债－增加的留存收益	ΔY－增加的留存收益

经典题解

【例题 8 · 计算分析题】某企业 2017~2021 年度的年营业收入与有关情况如下。

单位：万元

年度	营业收入	现金	应收账款	存货	固定资产	资产合计	流动负债	长期借款	所有者权益
2017 年	600	1400	2100	3500	6500	13500	1080	4000	8420
2018 年	500	1200	1900	3100	6500	12700	930	4500	7270
2019 年	650	1500	2460	4000	6500	14460	1200	4300	8960
2020 年	700	1600	2500	4100	6500	14700	1230	4200	9270
2021 年	690	1620	2510	4080	6500	14710	1210	4100	9400
合计	3140	7320	11470	18780	32500	70070	5650	21100	43320

假设企业的流动负债均为经营负债。

要求：

解题攻略

采用先分项后汇总的方法时，各个分项的高低点的业务量是相同的，找到业务量最高和最低的那两期的资料作为计算依据。

（1）采用高低点法分项建立现金、应收账款、存货、固定资产及流动负债的资金预测模型，并建立总资金预测模型，预测当 2022 年营业收入为 800 万元时企业的总资金需要量。

（2）计算 2022 年比 2021 年增加的资金数量。

（3）若该企业 2022 年营业净利率为 10%，利润留存率为 50%，计算企业需从外部筹集的资金。

【答案】

（1）高低点法是选择业务量最高、最低的两点资料进行计算，因此本题应以 2018 年和 2020 年的资料为准。

现金的模型：

单位变动资金 b_1=（1600−1200）/（700−500）=2

不变资金 a_1=1600−2×700=200（万元）

Y=200+2X

应收账款的模型：

单位变动资金 b_2=（2500−1900）/（700−500）=3

不变资金 a_2=2500−3×700=400（万元）

Y=400+3X

存货的模型：

单位变动资金 b_3=（4100−3100）/（700−500）=5

不变资金 a_3=4100−5×700=600（万元）

Y=600+5X

固定资产的模型：

不变资金 a_4=6500 万元

Y=6500

流动负债的模型：

单位变动资金 b_5=（1230−930）/（700−500）=1.5

不变资金 a_5=1230−1.5×700=180（万元）

Y=180+1.5X

因此总资金预测模型为：

不变总资金 a=200+400+600+6500−180=7520（万元）

单位变动资金 b=2+3+5−1.5=8.5

因此总资金需要量模型为：Y=7520+8.5X

2022 年企业的总资金需要量 =7520+8.5×800=14320（万元）

（2）2021 年企业实际资金需要总量 = 总资产 − 经营负债 =14710−1210=13500（万元）

2022 年需增加的资金数量 =14320−13500=820（万元）

（3）2022 年预计增加的留存收益 =800×10%×50%=40（万元）

则 2022 年需从外部筹集的资金 =820−40=780（万元）。

第二节　资本成本

使用"会计云课堂"App 或"微信"扫码查看本节视频，快速 GET 知识点。

一、资本成本的含义与作用★

（一）资本成本的含义

资本成本是指企业为筹集和使用资本而付出的代价，包括筹资费用和占用费用。

要点小贴士

这是从筹资人角度理解的资本成本的概念。如果从投资人角度考虑，资本成本是投资人要求的必要收益率。

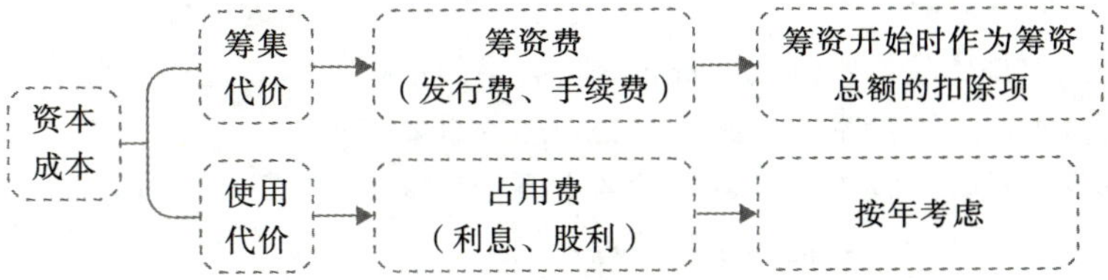

【提示】资本成本概念的两个方面：

对出资者而言，资本成本是资本所有权和资本使用权分离的结果，由于让渡资本使用权，必须要取得的投资收益；对筹资者而言，由于取得了资本使用权，必须支付一定的代价。

经典题解

【真题9·多选题】资本成本一般包括筹资费用和占用费用，下列属于占用费用的有（　　）。（2021年卷Ⅰ）

A. 向债权人支付的利息　　B. 发行股票支付的佣金

C. 发行债券支付的手续费　　D. 向股东支付的现金股利

【解析】占用费用是指企业在资本使用过程中因占用资本而付出的代价，如向银行等债权人支付的利息，向股东支付的股利等。选项B、C属于筹资费用。

【答案】AD

【提示】2018年卷Ⅱ与此题的考查角度一致。

【真题10·多选题】下列各项中，属于资本成本中筹资费用的有（　　）。（2020年卷Ⅲ）

A. 股票发行费　　B. 借款手续费

C. 证券印刷费　　D. 股利支出

【解析】在资金筹集过程中，要发生股票发行费、借款手续费、证券印刷费、公证费、律师费等费用，这些属于筹资费用。选项D属于占用费用。

【答案】ABC

【真题11·判断题】企业向银行借款发生的利息支出属于资本成本中的筹资费用部分。（　　）（2020年卷Ⅰ）

【解析】利息支出属于资本成本中的占用费。

【答案】×

【真题12·单选题】下列各种筹资方式中，企业无须支付资金占用费的是（　　）。（2015年）

A. 发行债券　　B. 发行优先股

C. 发行短期票据　　D. 发行认股权证

【解析】发行债券、发行短期票据需要支付利息费用，发行优先股需要支付优先股股利，这些都会产生资金的占用费，发行认股权证不需要资金的占用费。因此选项D是正确的。

【答案】D

（二）资本成本的作用

（1）资本成本是比较筹资方式、选择筹资方案的依据；

（2）平均资本成本是衡量资本结构是否合理的重要依据；

（3）资本成本是评价投资项目可行性的主要标准；

（4）资本成本是评价企业整体业绩的重要依据。

经典题解

【真题13·多选题】关于资本成本，下列说法正确的有（ ）。（2020年卷Ⅱ）

A. 资本成本是衡量资本结构是否合理的重要依据

B. 资本成本一般是投资所应获得收益的最低要求

C. 资本成本是取得资本所有权所付出的代价

D. 资本成本是比较筹资方式、选择筹资方案的依据

【解析】选项A、B、D属于资本成本的作用。对筹资者而言，由于取得了资本使用权，必须支付一定代价，资本成本表现为取得资本使用权所付出的代价。所以选项C错误。

【答案】ABD

真题点拨

投资人拥有资金的所有权，筹资人只能获得使用权。

二、影响资本成本的因素★★

要点小贴士

资本成本也可以理解为投资人要求的必要收益率，而投资人要求的必要收益率＝无风险收益率＋风险收益率。根据公式可以推出，无风险收益率高或风险大（即风险收益率高），相应的投资人要求的必要收益率高，则资本成本就高。

因素	影响
总体经济环境	如果国民经济保持健康、稳定、持续增长，整个社会经济的资金供给和需求相对均衡且通货膨胀水平低，资本成本相应就比较低；反之，则资本成本高
资本市场条件	如果资本市场缺乏效率，证券的市场流动性低，投资者投资风险大，资本成本就比较高
企业经营状况和融资状况	如果企业经营风险高，财务风险大，则企业总体风险水平高，投资者要求的预期收益率大，企业筹资的资本成本相应就大
企业对筹资规模和时限的需求	企业一次性需要筹集的资金规模大、占用资金时限长，资本成本就高

经典题解

【真题14·单选题】下列各项中，通常会引起资本成本上升的情形是（ ）。（2019年卷Ⅰ）

A. 预期通货膨胀率呈下降趋势

B. 投资者要求的预期收益率下降

C. 证券市场流动性呈恶化趋势

D. 企业总体风险水平得到改善

【解析】选项A、B、D的表述会使风险降低，从而降低资本成本，选项C的表述会使风险提高，从而提高资本成本。

【答案】C

真题点拨

在理解影响因素的影响方向时关键看是否增大或降低风险，从而推出是否增大或降低资本成本。

【真题15·多选题】下列因素中，一般会导致企业借款资本成本上升的有（ ）。（2018年卷Ⅱ）

A. 资本市场流动性增强　　B. 企业经营风险加大

C. 通货膨胀水平提高　　D. 企业盈利能力上升

【解析】资本市场流动性增强，投资者投资风险小，因此会导致借款资本成本下降，选项A错误；企业经营风险大，债权人投资面临的投资风险就比较大，因此会导致借款资本成本上升，选项B正确；通货膨胀水平提高，无风险利率上升，利息率会上升，因此会导致借款资本成本上升，选项C正确；企业盈利能力上升，企业的经营风险下降，投资者投资风险小，因此会导致借款资本成本下降，选项D错误。

【答案】BC

三、个别资本成本的计算★★★

> 要点小贴士
>
> 个别资本成本的计算是用来比较个别筹资方式资本成本的。
>
> 对同一家企业，个别资本成本从低到高的排序：
>
> 长期借款＜公司债券＜租赁＜优先股＜留存收益＜普通股。

1. 资本成本率计算的基本模式

（1）一般模式。

为了便于分析比较，资本成本通常用不考虑货币时间价值的一般通用模型计算，用相对数，即资本成本率表达。

$$资本成本率=\frac{年资金占用费}{筹资总额-筹资费用}=\frac{年资金占用费}{筹资总额\times(1-筹资费用率)}$$

（2）贴现模式。

对于金额大、时间超过1年的长期资本，更为准确一些的资本成本计算方式是采用贴现模式，即将债务未来还本付息或股权未来股利分红的贴现值与目前筹资净额相等时的贴现率作为资本成本率。即：

由：筹资净额现值－未来资本清偿额现金流量现值=0

得：资本成本率=所采用的贴现率

2. 债务资本成本率的计算

模式	资本成本计算
一般模式	$资本成本率=\frac{年利息\times(1-所得税税率)}{债务筹资总额\times(1-债务筹资费率)}\times100\%$ 若债券溢价或折价发行，为更精确地计算资本成本，应以实际发行价格作为债券筹资总额 【提示】在一般模式下，借款没有溢价折价之说，一般可简化为： $K_b=年利率\times\frac{1-所得税税率}{1-借款手续费率}=i\times\frac{1-T}{1-f}$
贴现模式	贴现模式 ——→ 考虑货币时间价值 现金流入 筹资额×（1－筹资费率） 现金流出 I×（1－T） I×（1－T） I×（1－T） I×（1－T） 本金 $P_0\times(1-f)=\sum_{t=1}^{n}\frac{I_t(1-T)}{(1+K_b)^t}+\frac{M}{(1+K_b)^n}$ 逐步测试结合插值法求贴现率，即找到使得未来现金流出的现值等于现金流入现值的那一个折现率

> 要点小贴士
>
> 若考试说明不考虑筹资费，则借款和平价发行债券的资本成本=i×（1－T）。

> 要点小贴士
>
> 若年内付息多次（m次）：
>
> （1）逐步测试结合插值法求出每期折现率$r_{期}$；
>
> （2）换算为实际年折现率即为债务资本成本：
>
> 债务资本成本=$(1+r_{期})^m-1$。

经典题解

【真题 16 · 单选题】某公司取得 5 年期长期借款 200 万元，年利率 8%，每年付息一次，到期一次还本，筹资费用率为 0.5%，企业所得税税率为 25%。不考虑货币时间价值，该借款的资本成本率为（ ）。（2021 年卷Ⅰ）

A. 6.03%　　B. 7.5%　　C. 6.5%　　D. 8.5%

【解析】资本成本率 =8%×（1−25%）/（1−0.5%）=6.03%。

【答案】A

【真题 17 · 单选题】某公司发行债券的面值为 100 元，期限为 5 年，票面利率为 8%，每年付息一次，到期一次还本，发行价格为 90 元，发行费用为发行价格的 5%，企业所得税税率为 25%。采用不考虑时间价值的一般模式计算的该债券的资本成本率为（ ）。（2020 年卷Ⅰ）

A. 8%　　B. 6%　　C. 7.02%　　D. 6.67%

【解析】债券的资本成本率 = 面值 × 票面利率 ×（1−T）/［发行价格 ×（1−f）］=100×8%×（1−25%）/［90×（1−5%）］=7.02%。

【答案】C

【真题 18 · 多选题】下列各项中，影响债券资本成本的有（ ）。（2020 年卷Ⅰ）

真题点拨

计算债务资本成本时，一般不特指均按一般模式计算，但是在考查债务资本成本影响因素时，通常要按照贴现模式考虑。

A. 债券发行费用　　B. 债券票面利率

C. 债券发行价格　　D. 利息支付频率

【解析】选项 A 和 C 会影响筹资净额，选项 B 会影响未来的利息支出数额，贴现模式下，若年内计息多次，应先计算每个计息期折现率，再计算年实际折现率作为债券资本成本。付息频率越快，年实际折现率越高，资本成本也会越高。所以，选项 A、B、C、D 均影响债券资本成本。

【答案】ABCD

【真题 19 · 多选题】关于银行借款筹资的资本成本，下列说法错误的有（ ）。（2019 年卷Ⅰ）

A. 银行借款手续费会影响银行借款的资本成本

B. 银行借款的资本成本仅包括银行借款利息支出

C. 银行借款的资本成本率一般等于无风险利率

D. 银行借款的资本成本与还本付息方式无关

【解析】资本成本是指企业为筹集和使用资本而付出的代价，包括筹资费用和占用费用，选项 A 正确、选项 B 错误。无风险收益率也称无风险利率，它是指无风险资产的收益率，它的大小由纯粹利率（资金的时间价值）和通货膨胀补贴两部分组成。纯利率是指在没有通货膨胀、无风险情况下资金市场的平均利率，而银行借款的资本成本是存在风险的，所以选项 C 错误。在考虑时间价值的贴现模式下，还本付息方式会影响银行借款的资本成本，所以选项 D 错误。

【答案】BCD

3. 股权资本成本的计算

方式		资本成本计算
普通股	股利增长模型	$K_s=\frac{D_0(1+g)}{P_0(1-f)}+g=\frac{D_1}{P_0(1-f)}+g$
	资本资产定价模型	$K_s=R_f+\beta(R_m-R_f)$
留存收益		计算方法与普通股资本成本相同，也分为股利增长模型和资本资产定价模型，不同点在于留存收益不考虑筹资费用
优先股		$K_s=\frac{D}{P_n(1-f)}$ 式中，K_s 为优先股资本成本率；D 为优先股年固定股息；P_n 为优先股发行价格；f 为筹资费用率

要点小贴士

股利增长模型下：

$K_s=\frac{D_0(1+g)}{P_0}+g$

$=\frac{D_1}{P_0}+g$。

名师点拨

考试时：

（1）上一期的股利是指 D_0；

（2）下一期的股利是指 D_1；

（3）本期的股利要看前缀：要看是否有“期望”“预期”这样的前缀，如果有是指 D_1，如果没有指 D_0。

【提示】区分 D_0 和 D_1：D_0 是估价时点已经支付的股利，它与 P_0 在同一期，D_1 是估价时点后第一期的股利。

经典题解

【真题 20·单选题】某公司发行普通股的筹资费率为 6%，当前股价为 10 元 / 股，本期已支付的现金股利为 2 元 / 股，未来各期股利按 2% 的速度持续增长。则该公司留存收益的资本成本率为（　　）。（2021 年卷Ⅱ）

A. 23.70%　　B. 22.4%　　C. 21.2%　　D. 20.4%

【解析】留存收益的资本成本率 =2×（1+2%）/10+2%=22.4%。

【答案】B

【真题 21·单选题】某公司当前股票市价为 30 元，筹资费用率为 3%，每年股利增长率均为 5%，预计下一年度的股利为 6 元 / 股，该股票的资本成本率为（　　）。（2021 年卷Ⅲ）

A. 25%　　B. 20.62%　　C. 26.65%　　D. 25.62%

【解析】该股票的资本成本率 =6/［30×（1−3%）］+5%=25.62%。

【答案】D

【真题 22·单选题】公司在计算优先股的资本成本时，不需要考虑的因素是（　　）。（2021 年卷Ⅲ）

A. 企业所得税税率　　B. 优先股的发行费用

C. 优先股的发行价格　　D. 优先股的股息支付方式

【解析】如果各期股利是相等的，优先股资本成本率 = 优先股年固定股息 /［优先股发行价格 ×（1− 筹资费用率）］；如果是浮动股息率优先股，其资本成本率只能按照贴现模式计算。计算优先股资本成本时，选项 A 企业所得税税率不需要考虑。

【答案】A

【真题 23·判断题】其他条件不变时，优先股的发行价格越高，其资本成本率也越高。（　　）（2021 年卷Ⅰ）

【解析】优先股资本成本 = $\frac{D}{P_n(1-f)}$，发行价格 P_n 在分母上，因此优先股的发行价格越高，其资本成本率越低。

【答案】×

【真题 24·单选题】某公司发行优先股，面值总额为 8000 万元，年股息率为 8%，股息不可税前抵扣。发行价格为 10000 万元，发行费用占发行价格的 2%，则该优先股的资本成本率为（　　）。（2020 年卷Ⅱ）

A. 8.16%　　B. 6.4%　　C. 8%　　D. 6.53%

【解析】该优先股的资本成本率 =8000×8%/［10000×（1-2%）］=6.53%。

【答案】D

【真题 25·单选题】计算下列筹资方式的资本成本时需要考虑企业所得税因素影响的是（　　）。（2018 年卷Ⅰ）

A. 留存收益资本成本　　B. 债务资本成本

C. 普通股资本成本　　D. 优先股资本成本

【解析】利息费用在税前支付，可以起到抵税作用，因此需要考虑所得税税率计算税后债务资本成本。而普通股股利和优先股股利都是用税后净利润支付的，留存收益资本成本计算与普通股相同，只是不考虑筹资费，因此选项 A、C、D 不考虑企业所得税因素。

【答案】B

四、平均资本成本的计算★★★

含义		是以各项个别资本在企业总资本中的比重为权数，对各项个别资本成本率进行加权平均而得到的总资本成本率
计算公式		$K_w=\sum_{j=1}^{n}K_jW_j$ 式中，K_w 为平均资本成本；K_j 为第 j 种个别资本成本率；W_j 为第 j 种个别资本在全部资本中的比重
权数 W 的确定	账面价值权数	确定依据：以个别资本的会计报表账面价值为基础 优点：资料容易取得，且计算结果比较稳定 缺点：当债券和股票的市价与账面价值差距较大时，导致按账面价值计算出的资本成本不能反映目前从资本市场上筹集资本的现时机会成本，不适合评价现时的资本结构
	市场价值权数	确定依据：以个别资本的现行市价为基础 优点：能够反映现时的资本成本水平，有利于进行资本结构决策 缺点：现行市价处于经常变动之中，不容易取得；而且现行市价反映的只是现时的资本结构，不适用未来的筹资决策
	目标价值权数	确定依据：以个别资本预计的未来价值为基础 优点：能体现期望的资本结构，据此计算的加权平均资本成本更适用于未来的筹资决策 缺点：很难客观、合理地确定目标价值

要点小贴士

可以选择未来的市场价值，也可以选择未来的账面价值。

经典题解

【真题26·多选题】平均资本成本计算涉及到对个别资本的权重选择问题，对于有关价值权数，下列说法正确的有（　　）。（2019年卷Ⅰ）

A. 账面价值权数不适合评价现时的资本结构合理性

B. 目标价值权数一般以历史账面价值为依据

C. 目标价值权数更适用于企业未来的筹资决策

D. 市场价值权数能够反映现时的资本成本水平

【解析】目标价值权数的确定，可以选择未来的市场价值，也可以选择未来的账面价值而不能选择历史的账面价值。选项B错误。

【答案】ACD

【真题27·判断题】相对于采用目标价值权数，采用市场价值权数计算的平均资本成本更适用于未来的筹资决策。（　　）（2018年卷Ⅱ）

【解析】现行市价处于经常变动之中，不容易取得，而且现行市价反映的只是现时的资本结构，不适用未来的筹资决策。对于公司筹措新资金，需要反映期望的资本结构来说，目标价值是有益的，因此采用目标价值权数计算的平均资本成本更适用于未来的筹资决策。

【答案】×

要点小贴士：筹措新资金的加权平均资本成本。

五、边际资本成本的计算★★

含义	是企业追加筹资的成本，是企业进行追加筹资的决策依据
计算方法	加权平均法
权数确定	目标价值权数

经典题解

【真题28·判断题】边际资本成本作为企业进行追加筹资决策的依据，计算筹资组合的边际资本成本一般应选择目标价值作为权数。（　　）（2021年卷Ⅲ）

【解析】边际资本成本，是企业进行追加筹资的决策依据。筹资方案组合时，边际资本成本的权数采用目标价值权数。

【答案】√

六、项目资本成本★★★

（一）含义

项目资本成本是指项目本身所需投资资本的机会成本，即将资本用于本项目投资所放弃的其他投资机会的收益。也可称为项目最低可接受的报酬率。

（二）使用企业当前综合资本成本作为投资项目资本成本应同时具备两个条件

（1）项目的经营风险与企业当前资产的平均经营风险相同；

（2）公司继续采用相同的资本结构为项目筹资。

【提示】满足等风险假设（经营风险和财务风险都没有变化）。

（三）运用可比公司法估计投资项目资本成本

1. β 的分类

β
- $\beta_{资产}$ ⟶ 不含负债（财务杠杆）的 β 值
- $\beta_{权益}$ ⟶ 含有负债（财务杠杆）的 β 值

2. 如果新项目的经营风险与现有资产的平均经营风险显著不同（不满足等经营风险假设）

调整方法	采用可比公司法，寻找一个经营业务与待估计的投资项目类似的上市公司，以该上市公司的 β 值替代待评估项目的系统风险，这种方法也称为“替代公司法”	
计算步骤	（1）卸载可比公司财务杠杆	$\beta_{资产}=\dfrac{可比公司的\ \beta_{权益}}{1+（1-T_{可比}）\times 可比公司负债权益比}$
	（2）加载待估计的投资项目财务杠杆	投资项目的 $\beta_{权益}=\beta_{资产}\times［1+（1-T_{项目}）\times 投资项目的负债权益比］$
	（3）根据得出的投资项目 $\beta_{权益}$ 计算股东权益成本	股东权益成本 = 无风险报酬率 + $\beta_{权益}$ × 市场风险溢价
	（4）计算投资项目的资本成本	综合资本成本 = 税前债务成本 ×（1- 所得税税率）× 负债比重 + 股东权益成本 × 权益比重

相关链接

负债权益比，即第10章的产权比率，或严谨来说是长期负债和所有者权益的比。

【扩展】如果新项目的经营风险与公司原有经营风险一致，但资本结构与公司原有资本结构不一致（满足等经营风险假设，但不满足等资本结构假设）

调整方法	以本公司的原有 β 值替代待估计项目的 β 值	
计算步骤	（1）卸载公司原有财务杠杆	$\beta_{资产}=\dfrac{公司原有的\ \beta_{权益}}{1+（1-T_{原}）\times 公司原有的负债权益比}$
	（2）加载待估计的投资项目财务杠杆	公司新的 $\beta_{权益}=\beta_{资产}\times［1+（1-T_{新}）\times 公司新的负债权益比］$
	（3）根据得出的投资项目 $\beta_{权益}$ 计算股东权益成本	股东权益成本 = 无风险报酬率 + $\beta_{权益}$ × 市场风险溢价
	（4）计算投资项目的资本成本	综合资本成本 = 税前债务成本 ×（1- 所得税税率）× 新负债比重 + 股东权益成本 × 新权益比重

经典题解

【例题29·单选题】某公司主营业务是家用电器，目前准备投资汽车项目。汽车行业上市公司的β值为1.7，行业平均资产负债率为60%，所得税税率为25%。投资汽车项目后，公司将继续保持目前的权益乘数1.5，公司所得税税率为25%。本项目含有负债的股东权益β值是（　　）。

A. 0.8　　B. 0.95　　C. 1.1　　D. 1.7

【解析】替代的上市公司产权比率=60%/40%=1.5，目标公司的产权比率=1.5-1=0.5，$\beta_{资产}$=1.7/[1+1.5×(1-25%)]=0.8，本项目含有负债的$\beta_{权益}$=0.8×[1+0.5×(1-25%)]=1.1，因此选项C正确。

【答案】C

七、金融工具价值评估★★★

金融工具（financial instruments）是指在金融市场中可交易的金融资产，用来证明债权债务关系和产权的法律凭证，故称有价证券。

（一）债券价值评估

1. 债券要素

要点小贴士：面值提示的是到期还本金额；票面利率提示的是利息确定依据，利息＝面值×票面利率；到期日提示债券的期限；付息方式提示付息的时点。

（1）债券面值：指债券设定的票面金额。它代表发行人承诺于未来某一特定日偿付债券持有人的金额。

（2）债券票面利率：指债券发行者预计一年内向持有者支付的利息占票面金额的比率。

（3）债券到期日：指偿还债券本金的日期。

（4）计息方式：复利计息方式、单利计息方式。

（5）付息方式：分期付息（每月付息、每半年付息、每年付息）、到期一次还本付息。

2. 债券价值的含义

未来债券现金流入的现值，称为债券的价值或债券的内在价值，也可称为债券的理论价格。

3. 债券价值计算

要点小贴士：到期一次还本付息债券价值＝到期本利和×（P/F，i，n）

基本公式：债券价值＝未来各期利息收入的现值合计＋未来到期本金的现值

模型	含义	基本公式
典型债券	指固定利率、每年计算并支付利息、到期归还本金的债券	V＝利息×（P/A，i，n）＋本金×（P/F，i，n）
纯贴现债券	指到期按面值兑付的债券	V＝本金×（P/F，i，n）
永续债券	又称无期债券，没有到期日	V＝利息/i

【提示】贴现率 i 一般采用当时的市场利率或投资人要求的最低（必要）报酬率。

经典题解

【例题 30·单选题】有一债券面值为 1000 元，票面利率为 8%，每半年支付一次利息，5 年到期，假设等风险债券的名义市场利率为 10%，则债券价值为（　　）。

A. 80×（P/A，10%，5）+1000×（P/F，10%，5）

B. 80×（P/A，10%，5）+1000×（P/F，5%，10）

C. 40×（P/A，5%，10）+1000×（P/F，5%，10）

D. 40×（P/A，5%，10）+1000×（P/F，10%，5）

【解析】由于每半年付息，所以每期票面利率为 4%，每期市场利率为 5%，所以债券价值 =40×（P/A，5%，10）+1000×（P/F，5%，10）。

【答案】C

（二）普通股价值评估

1. 含义

普通股价值是指普通股投资者预期的未来现金流入的现值。其未来现金流入包括股利和将来出售股票时的售价。

2. 估值模型

模式	状态	计算公式
零成长股票的估值	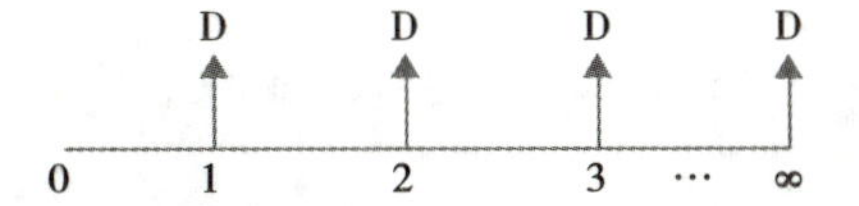 假设未来股利不变，其支付过程是永续年金	$V_s=\frac{D}{R_s}$
固定成长股票	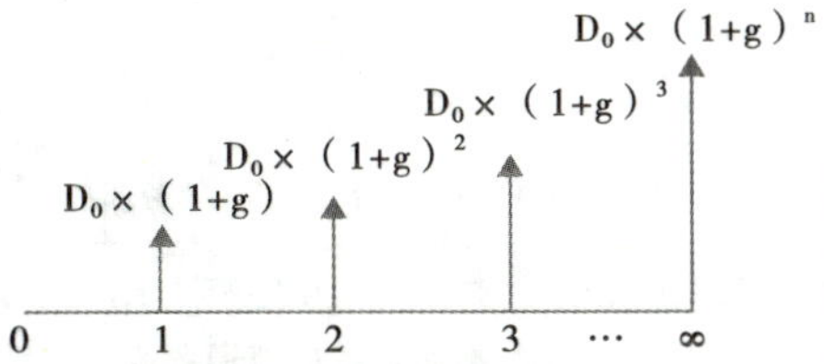 假设股利按固定的增长率 g 增长	$V_s=\frac{D_0\times(1+g)}{R_s-g}=\frac{D_1}{R_s-g}$ 式中，D_0 为最近刚支付的股利；D_1 为预计第一年的股利

【提示】注意区分 D_0 和 D_1。D_0 是当前的股利，它与 V_s 在同一会计期，D_1 是增长一期以后的股利。

要点小贴士

如果永久持有，未来的现金流量就只有股利，所以股票的价值就是未来股利的现值。

要点小贴士

永续年金现值公式的运用。

相关链接

与本节用股利增长模型计算普通股资本成本时区分的方式一致。

（1）上一期的股利是指 D_0；

（2）下一期的股利是指 D_1；

（3）本期的股利要看前缀：要看是否有"期望""预期"这样的前缀，如果有是指 D_1，如果没有是指 D_0。

经典题解

【真题 31·单选题】假设投资者要求达到 10% 的收益率，某公司当期每股股利（D_0）为 0.5 元，预计股利增长率为 5%，则该公司每股股票的价值为（　　）元。（2020 年卷Ⅲ）

A. 10　　　　B. 10.5

C. 5　　　　D. 5.25

【解析】该公司每股股票的价值 =0.5×（1+5%）/（10%−5%）=10.5（元）。

【答案】B

【真题32·单选题】某公司当期每股股利为3.30元，预计未来每年以3%的速度增长，假设投资者的必要收益率为8%，则该公司每股股票的价值为（　　）元。（2017年卷Ⅱ）

A. 41.25　　B. 67.98

C. 66.00　　D. 110.00

【解析】该公司每股股票的价值 =3.30×（1+3%）/（8%−3%）=67.98（元）。

【答案】B

（三）优先股价值评估

含义	优先股投资者预期的未来现金流入的现值
优先股的估值公式	当优先股存续期内采用相同的固定股息率时，优先股则相当于永续债券 其估值公式如下：$V_p=\frac{D_p}{R}$ 式中：V_p 为优先股的价值，D_p 为每年的股息，R 一般采用该股票的资本成本率或投资该股票的必要报酬率

第三节　杠杆效应

使用“会计云课堂”App或“微信”扫码查看本节视频，快速GET知识点。

一、经营风险与财务风险★★

项目	经营风险	财务风险
含义	指企业由于生产经营上的原因而导致的资产收益波动的风险	指企业由于筹资原因产生的资本成本负担而导致的普通股收益波动的风险
致险因素	生产经营的不确定性（市场需求和生产成本等因素的不确定性）	资产收益的不利变化和资本成本的固定负担

二、杠杆效应★★★

1. 经营杠杆效应

经营杠杆的含义	指由于固定性经营成本的存在，而使得企业的资产收益（息税前利润）变动率大于业务量变动率的现象

经营杠杆效应的度量（指标：经营杠杆系数）	定义公式	$DOL=\frac{\Delta EBIT/EBIT_0}{\Delta Q/Q_0}=\frac{息税前利润变动率}{产销业务量变动率}$
	计算公式	$DOL=\frac{M_0}{M_0-F_0}=\frac{EBIT_0+F_0}{EBIT_0}=\frac{基期边际贡献}{基期息税前利润}$ =1+ 基期固定成本 / 基期息税前利润
结论		（1）只要有固定性经营成本的存在，就会存在经营杠杆效应 （2）在息税前利润为正的前提下，经营杠杆系数最低为 1，不会为负数；只要有固定性经营成本存在，经营杠杆系数总是大于 1
经营杠杆与经营风险		经营杠杆放大了市场和生产等因素变化对利润波动的影响。经营杠杆系数越高，表明息税前利润受产销量变动的影响程度越大，经营风险也就越大
影响经营杠杆的因素		（1）固定成本比重（正向） （2）成本水平（正向） （3）产品销售数量（反向） （4）产品销售价格（反向）

相关链接

按销售量变化百分比计算经营杠杆系数也是第 8 章销量的敏感系数计算的方法。

名师点拨

考试按照习惯性表述，固定成本是指经营性固定成本，是不含利息费用的。

【提示】经营杠杆系数计算公式推导：

基期：$EBIT_0=(P-V)Q_0-F$ ①

预计期：$EBIT=(P-V)Q-F$ ②

② - ① = $\Delta EBIT=(P-V)\Delta Q$

$DOL=(\Delta EBIT/EBIT_0)/(\Delta Q/Q_0)=[(P-V)\Delta Q/EBIT_0]/(\Delta Q/Q_0)=(P-V)Q_0/EBIT_0$

根据上面的公式推导，可以发现在计算本年的经营杠杆系数时，必须使用上一年的数据。

经典题解

【真题 33 · 多选题】在息税前利润为正的前提下，下列因素中与经营杠杆系数保持同向变化的有（　　）。（2021 年卷Ⅲ）

A. 单位变动成本　B. 销售量　C. 单价　D. 固定成本

【解析】影响经营杠杆的因素包括：企业成本结构中的固定成本比重；息税前利润水平。其中，息税前利润水平又受产品销售数量、销售价格、成本水平（单位变动成本和固定成本总额）高低的影响。固定成本、单位变动成本越高，经营杠杆系数越大。产品销售量和销售价格越高，经营杠杆系数越小。

【答案】AD

【提示】2019 年卷 II 试题与此题的考查角度一致。

真题点拨

（1）按照经营杠杆系数的计算公式把握影响因素：

$DOL=(P-V)Q/[(P-V)Q-F]$

（2）杠杆系数是衡量风险的，按常识把握变动方向：

①其他因素不变时，收入高则风险小；

②其他因素不变时，成本高则风险大。

【真题 34 · 多选题】下列各项中，影响经营杠杆的因素有（　　）。（2020 年卷Ⅰ）

A. 债务利息　　B. 销售量

C. 所得税　　D. 固定性经营成本

【解析】经营杠杆系数 = 边际贡献 / 息税前利润，息税前利润 = 边际贡献 − 固定性经营成本 =（单价 − 单位变动成本）× 销售量 − 固定性经营成本，所以选项 B、D 正确。选项 A、C 影响财务杠杆，不影响经营杠杆。

【答案】BD

2. 财务杠杆效应

财务杠杆的含义		指由于固定性资本成本的存在，而使得企业的普通股收益（或每股收益）变动率大于息税前利润变动率的现象
财务杠杆效应的度量（指标：财务杠杆系数）	**定义公式**	$DFL=\dfrac{\Delta EPS/EPS_0}{\Delta EBIT/EBIT_0}=\dfrac{普通股收益变动率}{息税前利润变动率}$
	计算公式	在不存在优先股股息的情况下： $DFL=\dfrac{EBIT_0}{EBIT_0-I_0}=\dfrac{基期息税前利润}{基期利润总额}$ $=1+\dfrac{基期利息}{基期息税前利润-基期利息}$ 在存在优先股股息的情况下： $DFL=\dfrac{EBIT_0}{EBIT_0-I_0-\dfrac{D_P}{1-T}}$ $=1+\dfrac{基期利息+基期税前优先股股利}{基期息税前利润-基期利息-基期税前优先股股利}$
结论		（1）只要有固定利息、优先股股息等固定性资本成本的存在，就会产生财务杠杆效应 （2）在企业有正的税后利润的前提下，财务杠杆系数最低为 1，不会为负数；只要有固定性资本成本存在，财务杠杆系数总是大于 1
财务杠杆与财务风险		财务杠杆放大了资产收益变化对普通股收益的影响，财务杠杆系数越高，表明普通股收益的波动程度越大，财务风险也就越大
影响财务杠杆的因素		（1）债务成本比重（正向） （2）固定的资本成本支付额（正向） （3）息税前利润（反向） （4）所得税税率（正向）

要点小贴士

分子是企业筹资产生的固定性资本成本负担，分母是归属于普通股股东的税前利润。

要点小贴士

只有存在优先股时，才考虑所得税税率的影响。

【提示】财务杠杆系数计算公式推导：

基期：$EPS_0=[(EBIT_0-I)\times(1-T)-D_P]/N$ ①

预计期：$EPS=[(EBIT-I)\times(1-T)-D_P]/N$ ②

② − ① = $\Delta EPS=\Delta EBIT\times(1-T)/N$

$DFL=(\Delta EPS/EPS_0)/(\Delta EBIT/EBIT_0)$

$=\{[\Delta EBIT(1-T)/N]/EPS_0\}/(\Delta EBIT/EBIT_0)$

$=[EBIT_0(1-T)/N]/EPS_0$

$=[EBIT_0(1-T)/N]/\{[(EBIT_0-I)(1-T)-D_P]/N\}$

$=EBIT_0/[EBIT_0-I-D_P/(1-T)]$

根据上面的公式推导，可以发现在计算本年的财务杠杆系数时，必须使用上一年的数据。

经典题解

【真题 35·判断题】如果公司存在固定股息优先股，优先股股息越高，财务杠杆系数越大。(　　)（2021 年卷Ⅲ）

【解析】财务杠杆系数 = 息税前利润 /［息税前利润 − 利息 − 优先股股息 /（1−所得税税率）］，优先股股息与财务杠杆系数同向变动，所以优先股股息越高，财务杠杆系数越大。

【答案】√

【真题 36·单选题】下列筹资方式中，能给企业带来财务杠杆效应的是（　　）。（2018 年卷Ⅰ）

A. 发行普通股　　B. 认股权证

C. 租赁　　D. 留存收益

【解析】租赁属于债务筹资，可以带来财务杠杆效应。

【答案】C

【真题 37·多选题】下列各项中，影响财务杠杆系数的有(　　)。（2017 年卷Ⅱ）

A. 息税前利润　　B. 普通股股利

C. 优先股股息　　D. 借款利息

【解析】财务杠杆系数 = 息税前利润 /［息税前利润 − 利息费用 − 优先股股息 /（1− 所得税税率）］，因此选项 A、C、D 正确。

【答案】ACD

3. 总杠杆效应

总杠杆的含义		指由于固定性经营成本和固定性资本成本的存在，导致普通股每股收益变动率大于产销业务量变动率的现象
总杠杆效应的度量（指标：总杠杆系数）	定义公式	$DTL=\frac{\Delta EPS/EPS_0}{\Delta Q/Q_0}=\frac{普通股收益变动率}{产销量变动率}$
	关系公式	DTL=DOL × DFL= 经营杠杆系数 × 财务杠杆系数
	计算公式	在不存在优先股股息的情况下： $DTL=\frac{M_0}{M_0-F_0-I_0}=\frac{基期边际贡献}{基期利润总额}=\frac{基期税后边际贡献}{基期税后利润}$ 在存在优先股股息的情况下： $DTL=\frac{M_0}{M_0-F_0-I_0-D_p/(1-T)}$

结论	（1）总杠杆效应存在的前提：同时存在固定性经营成本和固定性资本成本 （2）总杠杆系数的定义公式：说明产销业务量变动对普通股收益变动的影响，据以预测未来的每股收益水平 （3）总杠杆系数的关系公式：揭示了财务管理的风险管理策略，即要保持一定的风险状况水平，需要维持一定的总杠杆系数，经营杠杆和财务杠杆可以有不同的组合

要点小贴士

经营风险和财务风险的反向搭配。

【提示】筹资方式选择的影响因素。

影响因素	特征	经营风险	筹资方式的选择
产业	固定资产比重较大的资本密集型企业	高	权益资本（财务风险小）
	变动成本比重较大的劳动密集型企业	低	债务资金（财务风险大）
生命周期	初创阶段	高	权益资本（财务风险小）
	扩张成熟期	低	债务资金（财务风险大）

经典题解

【真题 38·判断题】 如果企业的全部资本来源于普通股权益资本，则其总杠杆系数与经营杠杆系数相等。（　　）（2018 年卷Ⅱ）

【解析】 财务杠杆系数 = 息税前利润 /（息税前利润 – 利息 – 税前优先股股利），当企业的全部资本来源于普通股股权筹资，即不存在利息和优先股股利，因此财务杠杆系数等于 1，总杠杆系数 = 经营杠杆系数 × 财务杠杆系数 = 经营杠杆系数 ×1= 经营杠杆系数。

【答案】 √

【总结】

（1）定义公式——用于预测。

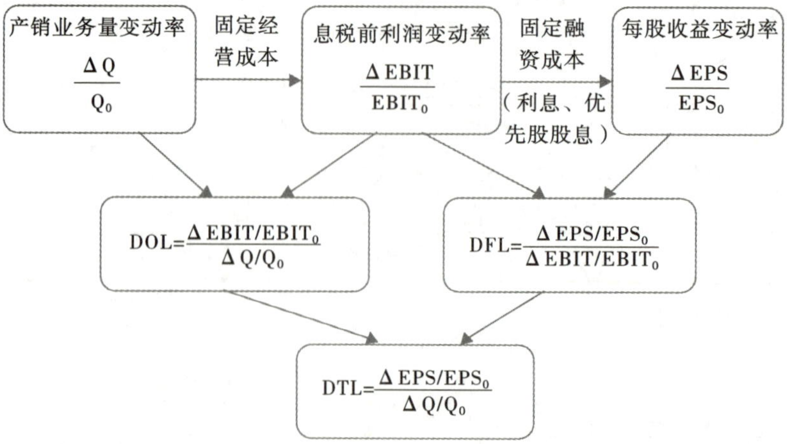

经典题解

【真题39·单选题】某公司2019年普通股收益为100万元，2020年息税前利润预计增长20%，假设财务杠杆系数为3，则2020年普通股收益预计为（　　）万元。（2020年卷Ⅱ）

A. 300　　　　B. 120

C. 100　　　　D. 160

【解析】财务杠杆系数＝普通股收益变动率/息税前利润变动率，普通股收益增长率=20%×3=60%。2020年普通股收益=100×（1+60%）=160（万元）。

【答案】D

【真题40·多选题】关于经营杠杆和财务杠杆，下列表述错误的有(　　)。（2020年卷Ⅲ）

A. 经营杠杆反映了权益资本收益的波动性

B. 经营杠杆效应使得企业的业务量变动率大于息税前利润变动率

C. 财务杠杆反映了资产收益的波动性

D. 财务杠杆效应使得企业的普通股收益变动率大于息税前利润变动率

【解析】经营杠杆，是指由于固定性经营成本的存在，而使得企业的资产收益（息税前利润）变动率大于业务量变动率的现象。经营杠杆反映了资产收益的波动性，用以评价企业的经营风险。所以选项A、B错误。财务杠杆，是指由于固定性资本成本的存在，而使得企业的普通股收益（或每股收益）变动率大于息税前利润变动率的现象。财务杠杆反映了权益资本收益的波动性，用以评价企业的财务风险。所以选项C错误、选项D正确。

【答案】ABC

（2）简化计算公式——用于计算。

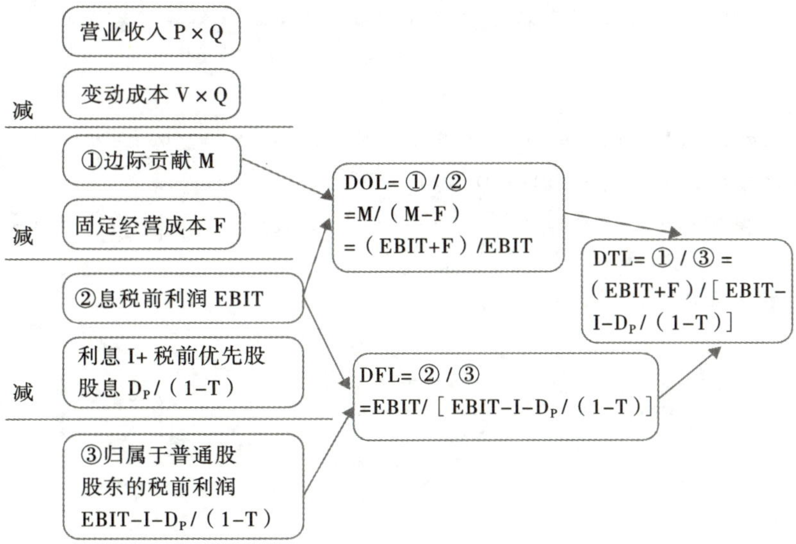

要点小贴士

计算杠杆系数就要找到三个利润：M、EBIT和归属于普通股股东的税前利润。若已知净利润，三个利润从后往前推的关系公式：

（1）归属于普通股股东的税前利润 $=\frac{净利润-D_P}{1-T}$；

（2）$EBIT=\frac{净利润}{1-T}+I$；

（3）$M=EBIT+F=\frac{净利润}{1-T}+I+F$。

经典题解

【真题41·单选题】某公司基期有关数据如下：销售额为100万元，变动成本率为60%，固定成本总额为20万元，利息费用为4万元，不考虑其他因素，该公司的总杠杆系数为（　　）。（2020年卷Ⅲ）

A. 1.25　　B. 2

C. 2.5　　D. 3.25

【解析】边际贡献=100×（1−60%）=40（万元）

税前利润=100×（1−60%）−20−4=16（万元）

该公司的总杠杆系数=40/16=2.5。

【答案】C

【真题42·单选题】若企业基期固定成本为200万元，基期息税前利润为300万元，则经营杠杆系数为（　　）。（2019年卷Ⅱ）

A. 2.5　　B. 1.67

C. 1.5　　D. 0.67

【解析】边际贡献=EBIT+F=200+300=500（万元）

经营杠杆系数=基期边际贡献/基期息税前利润=500/300=1.67。

【答案】B

【真题43·单选题】某公司基期息税前利润为1000万元，基期利息费用为400万元，假设与财务杠杆相关的其他因素保持不变，则该公司计划期的财务杠杆系数为（　　）。（2018年卷Ⅰ）

A. 2.5　　B. 1.67

C. 1.25　　D. 1.88

【解析】DFL=基期息税前利润/基期利润总额=1000/（1000−400）=1.67。

【答案】B

【例题44·单选题】甲公司2021年净利润为150万元，利息费用为100万元，优先股股利为37.5万元。企业所得税税率为25%。甲公司财务杠杆系数为（　　）。

A. 2　　B. 1.85

C. 3　　D. 2.15

【解析】税前利润=净利润/（1−所得税税率）=150/（1−25%）=200（万元）

EBIT=税前利润+利息=200+100=300（万元）

归属于普通股股东的税前利润=（净利润−优先股股利）/（1−所得税税率）=（150−37.5）/（1−25%）=150（万元）

甲公司财务杠杆系数=300/150=2。

【答案】A

第四节 资本结构

使用“会计云课堂”App 或“微信”扫码查看本节视频，快速 GET 知识点。

一、资本结构理论★★★

（一）资本结构的含义

资本结构	筹资管理中，资本结构有广义和狭义之分。广义的资本结构是指全部债务与股东权益的构成比例；狭义的资本结构则是指长期负债与股东权益的构成比例
最佳资本结构	指在一定条件下使企业平均资本成本率最低、企业价值最大的资本结构

要点小贴士

财务管理谈到最优资本结构的确定是针对狭义的资本结构而言的。

经典题解

【真题 45·判断题】使企业税后利润最大的资本结构是最佳资本结构。（ ）（2017 年卷Ⅱ）

【解析】所谓最佳资本结构，是指在一定条件下使企业平均资本成本率最低、企业价值最大的资本结构。

【答案】×

（二）资本结构理论

1. MM 理论

要点小贴士

初始的 MM 理论认为不存在最优资本结构；修正的 MM 理论认为最优资本结构是负债率为 100%。

项目	初始的 MM 理论（不考虑所得税的 MM 理论）	修正的 MM 理论（考虑所得税的 MM 理论）
资本结构对企业价值的影响	不影响	负债比重越大，企业价值越大
	有负债企业的价值 = 具有相同风险等级的无负债企业的价值 $V_{有债}=V_{无债}$	有负债企业的价值 = 具有相同风险等级的无负债企业的价值 + 税赋节余价值 $V_{有债}=V_{无债}+PV$（利息抵税）
资本结构对股权资本成本的影响	负债比重越大，股权资本成本越高	负债比重越大，股权资本成本越高
	（1）有负债企业的股权资本成本 = 相同风险等级的无负债企业的权益资本成本 + 与以市值计算的债务与股权比例成比例的风险收益 （2）风险收益取决于企业的债务比例	（1）有负债企业的股权资本成本 = 相同风险等级的无负债企业的权益资本成本 + 与以市值计算的债务与股权比例成比例的风险收益 （2）风险收益取决于企业的债务比例以及企业所得税税率

经典题解

【真题46·单选题】下列各项中，属于修正的MM理论观点的是（ ）。（2021年卷Ⅱ）

A. 企业有无负债均不改变企业价值

B. 企业负债有助于降低两权分离所带来的代理成本

C. 企业可以利用财务杠杆增加企业价值

D. 财务困境成本会降低有负债企业的价值

【解析】选项A属于最初的MM理论的观点，选项B属于代理理论的观点，选项D属于权衡理论的观点。

【答案】C

要点小贴士：以下理论均认为存在最优资本结构，但不是负债越多越好。

2. 其他理论

理论	影响企业价值的因素	最优资本结构的选择
权衡理论	考虑在税收、财务困境成本存在的条件下，资本结构如何影响企业市场价值	有负债企业的价值 = 无负债企业价值 + 税赋节约现值 - 财务困境成本的现值 【扩展】强调在平衡债务利息的抵税收益与财务困境成本的基础上，实现企业价值最大化时的最佳资本结构
代理理论	代理理论认为债务筹资会降低股权代理成本（由于两权分离而产生的代理成本）；但会增加债务代理成本（企业接受债权人监督而产生的成本）	均衡的企业所有权结构是由股权代理成本和债务代理成本之间的平衡关系来决定的
优序融资理论	以非对称信息条件以及交易成本的存在为前提	首先是内部筹资，其次是借款、发行债券、可转换债券，最后是发行新股筹资

经典题解

真题点拨：先内后外，先债后股。

【真题47·判断题】基于优序融资理论，在成熟的金融市场中，企业筹资方式的优先顺序依次为内部筹资、股权筹资和债务筹资。（ ）（2021年卷Ⅱ）

【解析】优序融资理论下，企业的筹资优序模式首先是内部筹资，其次是借款、发行债券、可转换债券，最后是发行新股筹资。

【答案】×

【真题48·单选题】在成熟资本市场上，根据优序融资理论，适当的筹资顺序是（ ）。（2020年卷Ⅰ）

真题点拨：银行借款相比发行债券的筹资代价低，所以借款排在债券之前。

A. 内部筹资、银行借款、发行债券、发行普通股

B. 发行普通股、内部筹资、银行借款、发行债券

C. 内部筹资、发行普通股、银行借款、发行债券

D. 发行普通股、银行借款、内部筹资、发行债券

【解析】根据优序融资理论，企业的筹资优序模式首先是内部筹资，其次是银行借款、发行债券、可转换债券，最后是发行新股筹资。

【答案】A

【真题 49 · 多选题】下列资本结构理论中，认为资本结构影响企业价值的有（　　）。（2020 年卷Ⅲ）

A. 最初的 MM 理论

B. 修正的 MM 理论

C. 代理理论

D. 权衡理论

【解析】最初的 MM 理论认为，不考虑企业所得税，有无负债不改变企业的价值。因此企业价值不受资本结构的影响。

【答案】BCD

【真题 50 · 单选题】有一种资本结构理论认为，有负债企业的价值等于无负债企业价值加上税赋节约现值，再减去财务困境成本的现值，这种理论是（　　）。（2019 年卷Ⅰ）

A. 代理理论　　B. 权衡理论

C. MM 理论　　D. 优序融资理论

【解析】权衡理论认为，有负债企业的价值等于无负债企业价值加上税赋节约现值，再减去财务困境成本的现值。

【答案】B

二、影响资本结构的因素★★

（一）影响因素

企业经营状况的稳定性和成长率、企业的财务状况和信用等级、企业的资产结构、企业投资人和管理当局的态度、行业特征和企业发展周期、经济环境的税务政策和货币政策。

经典题解

【真题 51 · 多选题】下列各项因素中，影响企业资本结构决策的有（　　）。（2015 年）

A. 企业的经营状况

B. 企业的信用等级

C. 国家的货币供应量

D. 管理者的风险偏好

【解析】影响资本结构的因素有：①企业经营状况的稳定性和成长率；②企业的财务状况和信用等级；③企业的资产结构；④企业投资人和管理当局的态度；⑤行业特征和企业发展周期；⑥经济环境的税务政策和货币政策。

【答案】ABCD

（二）具体影响

要点小贴士

DTL=DOL×DFL
为了把DTL控制在一定的水平，DOL和DFL应反向搭配。

1. 按反向搭配规律掌握影响因素

影响因素	特征	经营风险	资本结构
企业经营状况的稳定性和成长率	产销业务稳定或产销业务量能够以较高的水平增长	低	增加负债比重（财务风险高）
行业特征	产品市场稳定的成熟产业	低	增加负债比重（财务风险高）
	高新技术企业	高	降低负债比重（财务风险低）
企业发展周期	初创阶段	高	降低负债比重（财务风险低）
	发展成熟阶段	低	增加负债比重（财务风险高）
	收缩阶段	高	降低负债比重（财务风险低）

2. 其他影响因素

影响因素	说明
企业的财务状况和信用等级	财务状况良好，信用等级高，容易获得债务资金
企业的资产结构	拥有大量固定资产的企业主要通过发行股票融通资金；拥有较多流动资产的企业更多地依赖流动负债融通资金。资产适用于抵押贷款的企业负债较多，以技术研发为主的企业则负债较少
企业投资人和管理当局的态度	稳健的管理当局偏好于低负债比重
经济环境的税务政策和货币政策	（1）当所得税税率较高时，企业充分利用负债筹资的利息抵税作用 （2）执行紧缩的货币政策时，市场利率较高，企业债务资金成本增大，企业应降低负债筹资的使用

经典题解

【例题52·多选题】确定企业资本结构时，下列说法中正确的有（　　）。

A. 如果企业产销业务量和盈余有周期性，则可增加债务资本比重

B. 若企业处于初创期，可适度增加债务资本比重

C. 若企业处于发展成熟阶段，可适度增加债务资本比重

D. 若所得税税率较高时，可适度增加债务资本比重

【解析】如果企业产销业务量和盈余有周期性，说明经营风险大，所以应降低财务杠杆，在资本结构安排上应控制负债比例，所以选项A错误；企业处于初创阶段，经营风险高，所以应降低财务杠杆，在资本结构安排上应控制负债比例，选项B错误；企业处于发展成熟阶段，经营风险低，可提高财务杠杆，可适度增加债务资本比重，选项C正确；当所得税税率较高时，债务资金的抵税作用大，可适度增加债务资本比重，选项D正确。

【答案】CD

三、资本结构优化★★★

1. 每股收益分析法

要点	内容
基本观点	使普通股每股收益最高的资本结构就是合理的资本结构
关键指标	每股收益分析是利用每股收益无差别点进行的。所谓每股收益无差别点，是指不同筹资方式下每股收益都相等时的息税前利润或业务量水平
计算公式	$\frac{(\overline{EBIT}-I_1)\times(1-T)-DP_1}{N_1}=\frac{(\overline{EBIT}-I_2)\times(1-T)-DP_2}{N_2}$ 【提示 1】简化公式：每股收益无差别点息税前利润 =（大股数 × 大税前财务负担 – 小股数 × 小税前财务负担）/（大股数 – 小股数），这里的税前财务负担包括利息及税前优先股股利 【提示 2】有时考试中会特指用营业收入来表示，可先求无差别点的息税前利润，然后根据息税前利润 = 营业收入 × 边际贡献率 – 固定成本，倒求营业收入即可
决策原则	当预期息税前利润或业务量水平大于每股收益无差别点时，应当选择财务杠杆效应较大的筹资方案；当预期息税前利润或业务量水平小于每股收益无差别点时，应当选择财务杠杆效应较小的筹资方案

名师点拨

简化公式可以加速计算。但是建议考试中主观题还是先列出教材的计算公式，这样即使计算最终结果有误，也可能会有步骤分。

经典题解

【例题 53·多选题】某公司目前的息税前利润为 1800 万元，资本来源包括每股面值 1 元的普通股 800 万股和平均利率为 10% 的债务 3000 万元。该公司现在拟投产一个新产品，该项目需要投资 4000 万元，有两种备选的筹资方案：方案一是按 11% 的利率发行债券；方案二是按 20 元 / 股的价格增发普通股，公司适用的所得税税率为 25%，则下列选项中正确的有（　　）。

A. 增发普通股和债券筹资的每股收益无差别点的息税前利润为 2500 万元

B. 假设新产品带来 700 万元的新增息税前利润，应选择发行股票筹资

C. 假设新产品带来 2500 万元的新增息税前利润，两个方案无差别

D. 假设新产品带来 2800 万元的新增息税前利润，应选择发行债券筹资

【解析】$\frac{(\overline{EBIT}-3000\times10\%)\times(1-25\%)}{800+4000/20}$

$=\frac{(\overline{EBIT}-3000\times10\%-4000\times11\%)\times(1-25\%)}{800}$

解得：$\overline{EBIT}$ =（1000 × 740–800 × 300）/（1000–800）=2500（万元），所以选项 A 正确；由于总息税前利润 = 原有息税前利润 + 新增息税前利润 =1800+ 新增息税前利润，选项 B 条件下总息税前利润 =1800+700=2500（万元），等于无差别点的息税前利润 2500 万元，选择两个方案无差别，选项 B 错误；选项 C 条件下总息税前利润 =1800+2500=4300（万元），选项 D 条件下总息税前利润 = 1800+2800=4600（万元），均大于无差别点的息税前利润 2500 万元，均应选择发行债券筹资，选项 C 错误、选项 D 正确。

【答案】AD

2. 平均资本成本比较法

基本观点	能够降低平均资本成本的资本结构，则是合理的资本结构
关键指标	平均资本成本
决策原则	选择平均资本成本最低的方案

经典题解

【真题 54 · 判断题】平均资本成本比较法侧重于从资本投入角度对筹资方案和资本结构进行优化分析。(　　)(2019 年卷Ⅱ)

【解析】本题属于考查教材原文。

【答案】√

要点小贴士

符合财务管理最优资本结构的观点。

3. 公司价值分析法

基本观点	能够提升公司价值的资本结构，则是合理的资本结构
确定方法	(1) 公司市场总价值 (V) = 权益资本的市场价值 + 债务资本的市场价值 =S+B (2) 假设公司各期的 EBIT 保持不变，债务资本的市场价值等于其面值，权益资本的市场价值 (S) 可表示为：$S=\frac{(EBIT-I)\times(1-T)}{K_s}$ 其中：$K_s=R_f+\beta\times(R_m-R_f)$ (3) 平均资本成本 $K_w=K_b\times\frac{B}{V}\times(1-T)+K_s\times\frac{S}{V}$ 其中：K_b 为税前债务资本成本，K_s 为股权资本成本 (4) 找出公司价值最大的资本结构，该资本结构为最佳资本结构
决策原则	最佳资本结构即公司市场价值最大的资本结构。在公司价值最大的资本结构下，公司的平均资本成本率也是最低的

要点小贴士

S 的确定存在特定假设：

①净利润全部分配，则股利 = 净利润 =（息税前利润 − 利息）×（1− 所得税税率）。

②假定未来息税前利润保持不变，即净利润和股利保持不变，所以满足零增长模型：权益资本的市场价值 = 股利 / 股权资本成本 =（息税前利润 − 利息）×（1− 所得税税率）/ 股权资本成本。

经典题解

【真题 55 · 多选题】下列财务决策方法中，可用于资本结构优化决策的有(　　)。(2018 年卷Ⅰ)

A. 公司价值分析法

B. 安全边际分析法

C. 每股收益分析法

D. 平均资本成本比较法

【解析】资本结构优化的方法主要有：每股收益分析法、平均资本成本比较法、公司价值分析法。

【答案】ACD

【真题 56 · 单选题】下列方法中，能够用于资本结构优化分析并考虑了市场风险的是(　　)。(2016 年)

A. 利润敏感分析法
B. 公司价值分析法
C. 杠杆分析法
D. 每股收益分析法

【解析】公司价值分析法，是在考虑市场风险基础上，以公司市场价值为标准，进行资本结构优化。因此本题选择选项 B。

【答案】B

【例题 57·判断题】预期某公司息税前利润为 400 万元，资本总额账面价值 2000 万元，目前负债总额为 1000 万元，利息率为 6%。该公司股票的贝塔系数为 1.5，假设无风险收益率为 4%，证券市场平均收益率为 8%，所得税税率为 25%。假设各期息税前利润保持不变，且净利润全部分配，则目前的权益资本的市场价值为 2450 万元。（　　）

解题攻略

零成长的股票价值公式 D/R_s 的运用。只不过由于股利支付率为 100%，所以 D= 净利润。

【解析】股权资本成本 =4%+1.5×（8%−4%）=10%

股利 = 净利润 =（400−1000×6%）×（1−25%）=255（万元）

权益资本的市场价值 = $\frac{255}{10\%}$ =2550（万元）。

【答案】×

四、双重股权结构★

含义	也称 AB 股制度，即同股不同权结构，股票的投票权和分红权相分离
股票分类及特点	在 AB 股制度下，公司股票分为 A、B 两类，通常，A 类股票 1 股有 1 票投票权，B 类股票 1 股有 N 票投票权。其中，A 类股票通常由投资人和公众股东持有，B 类股票通常由创业团队持有
我国的相关规定	（1）国务院出台《国务院关于推动创新创业高质量发展打造“双创”升级版的意见》，明确允许科技企业实行“同股不同权”的股权结构。我国《上海证券交易所科创板股票上市规则（2020 年 12 月修订）》明确同股不同权企业可在科创板上市，并制定了相应的条款 （2）每一特别表决权股份拥有的表决权数量大于每一普通股份拥有的表决权数量，其他股东权利与普通股份相同
优缺点	（1）优点：同股不同权制度能避免企业内部股权纷争，保障企业创始人或管理层对企业的控制权，防止公司被恶意收购；提高企业运行效率，有利于企业的长期发展 （2）缺点：容易导致管理中独裁行为的发生；控股股东为自己谋利而损害非控股股东的利益，不利于非控股股东利益的保障；可能加剧企业治理中实际经营者的道德风险和逆向选择

本章小结

用“会计云课堂”App 扫码学习

您已成功完成“第五章”的学习，本章共 16 个考点，您都学会了吗？

为了让您对章节有更清晰的理解，加倍巩固。本书作者闫华红老师将通过“**视频导图课**”的方式，带您回顾重要考点。

名师点拨，视听结合，高效提分。

※ 欢迎您扫码，免费观看学习。

历年经典主观题回顾

使用“会计云课堂”App 或“微信”扫码快速做题、对答案、看解析、掌握解题思路，开启轻松过关之旅。

计算分析题

1. 甲公司是一家制造业股份有限公司，生产销售一种产品，产销平衡。2020 年度销售量为 100000 件，单价为 0.9 万元 / 件，单位变动成本为 0.5 万元 / 件，固定成本总额为 30000 万元。2020 年度的利息费用为 2000 万元。公司预计 2021 年产销量将增长 5%，假设单价、单位变动成本与固定成本总额保持稳定不变。

要求：

（1）计算 2020 年度的息税前利润。

（2）以 2020 年为基期，计算下列指标：①经营杠杆系数；②财务杠杆系数；③总杠杆系数。

（3）计算 2021 年下列指标：①预计息税前利润；②预计每股收益增长率。（2021 年卷Ⅱ）

2. 甲公司适用的企业所得税税率为 25%，计划追加筹资 20000 万元，方案如下：向银行取得长期借款 3000 万元，借款年利率为 4.8%，每年付息一次；发行面值为 5600 万元、发行价格为 6000 万元的公司债券，票面利率为 6%，每年付息一次；增发普通股 11000 万元。假定资本市场有效，当前无风险收益率为 4%，市场平均收益率为 10%，甲公司普通股的

β 系数为 1.5，不考虑筹资费用、货币时间价值等其他因素。

要求：

（1）计算长期借款的资本成本率。

（2）计算发行债券的资本成本率。

（3）利用资本资产定价模型，计算普通股的资本成本率。

（4）计算追加筹资方案的平均资本成本率。（2020 年卷Ⅱ）

3. 甲公司发行在外的普通股总股数为 3000 万股，其全部债务为 6000 万元（年利息率为 6%）。公司因业务发展需要追加筹资 2400 万元，有两种方案选择：

A 方案：增发普通股 600 万股，每股发行价 4 元。

B 方案：按面值发行债券 2400 万元，票面利率为 8%。

公司采用资本结构优化的每股收益分析法进行方案选择。假设发行股票和发行债券的筹资费忽略不计，经测算，追加筹资后公司销售额可以达到 3600 万元，变动成本率为 50%，固定成本总额为 600 万元，公司适用的企业所得税税率为 25%。

要求：

（1）计算两种方案的每股收益无差别点（即两种方案的每股收益相等时的息税前利润）。

（2）计算公司追加筹资后的预计息税前利润。

（3）根据要求（1）和要求（2）的计算结果，判断公司应当选择何种筹资方案，并说明理由。（2019 年卷Ⅱ）

4. 甲公司 2018 年实现销售收入为 100000 万元，净利润为 5000 万元，利润留存率为 20%。公司 2018 年 12 月 31 日的资产负债表（简表）如下表所示（单位：万元）。

资产	期末余额	负债与所有者权益	期末余额
货币资金	1500	应付账款	3000
应收账款	3500	长期借款	4000
存货	5000	实收资本	8000
固定资产	11000	留存收益	6000
资产合计	21000	负债与所有者权益合计	21000

公司预计 2019 年销售收入比上年增长 20%，假定经营性流动资产和经营性负债与销售收入保持稳定的百分比关系，其他项目不随着销售收入的变化而变化，同时假设销售净利润率与利润留存率保持不变，公司采用销售百分比法预测资金需要量。

要求：

（1）计算 2019 年预计经营性流动资产增加额。

（2）计算 2019 年预计经营性负债增加额。

（3）计算 2019 年预计留存收益增加额。

（4）计算 2019 年预计外部融资需要量。（2019 年卷Ⅱ改编）

5. 乙公司是一家服装企业，只生产销售某种品牌的西服。2016年度固定成本总额为20000万元。单位变动成本为0.4万元。单位售价为0.8万元，销售量为100000套，乙公司2016年度发生的利息费用为4000万元。

要求：

（1）计算2016年度的息税前利润。

（2）以2016年为基数。计算下列指标：①经营杠杆系数；②财务杠杆系数；③总杠杆系数。（2017年卷Ⅰ）

6. 甲公司2015年年末长期资本为5000万元，其中长期银行借款1000万元，年利率为6%，所有者权益（包括普通股股本和留存收益）为4000万元，公司计划在2016年追加筹集资金5000万元，其中按面值发行债券2000万元，票面年利率为6.86%，期限5年，每年付息一次，到期一次还本，筹资费率为2%。平价发行优先股筹资3000万元，固定股息率为7.76%，筹资费用率为3%。公司普通股β系数为2，一年期国债利率为4%，市场平均收益率为9%，公司适用的所得税税率为25%，假设不考虑筹资费用对资本结构的影响，发行债券和优先股不影响借款利率和普通股股价。

要求：

（1）计算甲公司长期银行借款的资本成本；

（2）计算发行债券的资本成本（不用考虑货币时间价值）；

（3）计算甲公司发行优先股的资本成本；

（4）利用资本资产定价模型计算甲公司留存收益的资本成本；

（5）计算加权平均资本成本。（2016年）

历年经典主观题参考答案及解析

计算分析题

1.【答案】

（1）2020年度的息税前利润 =（0.9−0.5）×100000−30000=10000（万元）

（2）①经营杠杆系数 =（0.9−0.5）×100000/10000=4

②财务杠杆系数 =10000/（10000−2000）=1.25

③总杠杆系数 =4×1.25=5

（3）①预计息税前利润增长率 =5%×4=20%

预计息税前利润 =10000×（1+20%）=12000（万元）

②预计每股收益增长率 =5%×5=25%。

2.【答案】

（1）长期借款的资本成本率 =4.8%×（1−25%）=3.6%

（2）发行债券的资本成本率 =5600×6%×（1−25%）/6000=4.2%

（3）普通股的资本成本率 =4%+1.5×（10%−4%）=13%

（4）平均资本成本率 =3.6%×3000/20000+4.2%×6000/20000+13%×11000/20000=8.95%。

3.【答案】

（1）（EBIT−6000×6%）×（1−25%）/（3000+600）=（EBIT−6000×6%−2400×8%）×（1−25%）/3000

解得：EBIT=1512（万元）

（2）追加筹资后的预计息税前利润 =3600×（1−50%）−600=1200（万元）

（3）应当选择 A 方案增发普通股筹资。因为追加筹资后的预计息税前利润 1200 万元小于每股收益无差别点息税前利润 1512 万元，所以应当选择股权筹资，即选择 A 方案。

4.【答案】

（1）2019 年预计经营性流动资产增加额 =（1500+3500+5000）×20%=2000（万元）

（2）2019 年预计经营性负债增加额 =3000×20%=600（万元）

（3）2019 年预计留存收益增加额 =100000×（1+20%）×（5000/100000）×20%=1200（万元）

（4）2019 年预计外部融资需要量 =2000−600−1200=200（万元）。

5.【答案】

（1）2016 年度的息税前利润 =（0.8−0.4）×100000−20000=20000（万元）

（按照习惯性表述，固定成本总额是指经营性固定成本，不含利息费用）

（2）①经营杠杆系数 =（0.8−0.4）×100000/20000=2

②财务杠杆系数 =20000/（20000−4000）=1.25

③总杠杆系数 =2×1.25=2.5。

【提示】经营杠杆系数 DOL=M/EBIT，财务杠杆系数 DFL=EBIT/（EBIT−I），利用计算公式求解经营杠杆系数与财务杠杆系数时只能用基期数据，即计算 2017 年的杠杆系数时使用的是 2016 年的数据。

6.【答案】

（1）借款资本成本 =6%×（1−25%）=4.5%

（2）债券资本成本 =6.86%×（1−25%）/（1−2%）=5.25%

（3）优先股资本成本 =7.76%/（1−3%）=8%

（4）留存收益资本成本 =4%+2×（9%−4%）=14%

（5）加权平均资本成本 =1000/10000×4.5%+4000/10000×14%+2000/10000×5.25%+3000/10000×8%=9.5%。

【提示】①按面值发行债券，发行价格 = 面值，所以债券资本成本 = 面值 × 票面利率 ×（1−

所得税税率)/[发行价格 ×(1- 筹资费率)]= 票面利率 ×(1- 所得税税率)/(1- 筹资费率)。

②在不考虑筹资费用的情况下，留存收益的资本成本 = 普通股的资本成本。

同步强化练习题

使用“会计云课堂”App 或“微信”扫码快速做题、对答案、看解析、掌握解题思路，开启轻松过关之旅。

一、单项选择题

1. 甲企业上年度资金平均占用额为 5000 万元，经分析，其中不合理部分为 700 万元，预计本年度销售增长 8%，资金周转加速 3%。则预测本年度资金需要量为（　　）万元。

A. 4074.68　　B. 4504.68

C. 4783.32　　D. 4508.74

2. 某公司 2022 年预计营业收入为 50000 万元，预计营业净利率为 10%，股利支付率为 60%。据此可以测算出该公司 2022 年内部资金来源的金额为（　　）万元。

A. 2000　　B. 3000

C. 5000　　D. 8000

3. 用资金习性预测法预测资金需要量的理论依据是（　　）。

A. 资金需要量与业务量间的对应关系

B. 资金需要量与投资间的对应关系

C. 资金需要量与筹资方式间的对应关系

D. 长短期资金间的比例关系

4. 甲公司 2018 年度营业收入 205 万元、资金需要量 29 万元；2019 年度营业收入 200 万元、资金需要量 30 万元；2020 年度营业收入 300 万元、资金需要量 40 万元；2021 年度营业收入 280 万元、资金需要量 42 万元。若甲公司预计 2022 年度营业收入 500 万元，采用高低点法预测其资金需要量是（　　）万元。

A. 60　　B. 70

C. 55　　D. 75

5. 以下事项中，会导致公司资本成本降低的是（　　）。

A. 因总体经济环境变化，导致无风险收益率降低

B. 企业经营风险高，财务风险大

C. 增加股票筹资，增加权益资金的比重

D. 企业一次性需要筹集的资金规模大、占用资金时限长

6. 下列各项中，属于资本成本中筹资费用的是（　　）。

A. 优先股的股利支出

B. 银行借款的手续费

C. 租赁的资金利息

D. 债券的利息费用

7. 某公司向银行借款 1000 万元，年利率为 6%，不考虑筹资费，该公司适用的所得税税率为 25%，则该笔借款的资本成本是（　　）。

A. 6.00%　　B. 4.5%
C. 8.00%　　D. 6.5%

8. 甲公司按溢价发行债券，每张债券面值1000元，发行价格为1020元，票面利率9%，期限为5年，每年年末支付一次利息，其筹资费率为3%，企业所得税税率为25%，若考虑时间价值，按贴现模式计算该债券的资本成本率K的公式正确的是（　　）。
A. 1020×（1+3%）=1000×9%×（1-25%）×（P/A,K,5）+1000×（P/F,K，5）
B. 1020=［1000×9%×（P/A，K，5）+1000×（P/F，K，5）］×（1-25%）
C. 1020×（1-3%）=1000×9%×（1-25%）×（P/A,K,5）+1000×（P/F,K，5）
D. 1000×（1-3%）=1000×9%×（1-25%）×（P/A,K,5）+1000×（P/F,K，5）

9. 已知某公司股票的β系数为0.5，短期国债收益率为6%，市场平均收益率为10%，则该公司股票的资本成本为（　　）。
A. 6%　　B. 8%
C. 10%　　D. 16%

10. 在计算下列各项资本的资本成本时，不需要考虑筹资费用的是（　　）。
A. 普通股　　B. 债券
C. 长期借款　　D. 留存收益

11. 公司增发的普通股的市价为12元/股，筹资费用率为市价的6%，最近刚发放的股利为每股0.6元，假设股利永续增长。已知该股票的资本成本率为11%，则该股票的股利年增长率为（　　）。
A. 5%　　B. 5.39%
C. 5.68%　　D. 10.34%

12. 某公司发行普通股股票600万元，筹资费用率5%，上年发放的股利额为84万元，预计未来股利每年增长5%，所得税税率25%，则该公司留存收益的资本成本为（　　）。
A. 14.74%　　B. 19.7%
C. 19%　　D. 20.47%

13. 在不考虑筹款限制的前提下，下列筹资方式中个别资本成本最高的通常是（　　）。
A. 发行普通股　　B. 留存收益
C. 长期借款　　D. 发行公司债券

14. 为反映现时资本成本水平，计算平均资本成本最适宜采用的价值权数是（　　）。
A. 账面价值权数
B. 目标价值权数
C. 市场价值权数
D. 历史价值权数

15. 企业追加筹资的成本是（　　）。
A. 综合资本成本　　B. 边际资本成本
C. 个别资本成本　　D. 变动成本

16. 关于经营杠杆系数，下列说法不正确的是（　　）。
A. 在其他因素一定时，产销量越大，经营杠杆系数越小
B. 在其他因素一定时，固定成本越大，经营杠杆系数越大
C. 当固定成本趋近于0时，经营杠杆系数趋近于0
D. 经营杠杆系数越大，反映企业的经营风险越大

17. 假设企业不存在优先股，某企业预测期财务杠杆系数为1.5，基期息税前利润为450万元，则基期实际利息费用为（　　）万元。
A. 100　　B. 675
C. 300　　D. 150

18. 如果企业的资本来源全部为自有资本，且没有优先股存在，则企业财务杠杆系数（　　）。
A. 等于0　　B. 等于1
C. 大于1　　D. 小于1

19. 公司在创立时首先选择的筹资方式是（　　）。
A. 租赁
B. 向银行借款
C. 吸收直接投资
D. 发行企业债券

20. 某公司的经营杠杆系数为1.8，财务杠杆系数为1.5，预计销售量将增长20%，在其他条件不变的情况下，普通股每股收益将增长（　　）。
A. 7.41%　　B. 30%
C. 36%　　D. 54%

21. 假定某企业的权益资本与负债资本的比例为3 ：2，据此可断定该企业（　　）。
A. 只存在经营风险
B. 经营风险大于财务风险
C. 经营风险小于财务风险
D. 同时存在经营风险和财务风险

22. 关于总杠杆系数，下列说法不正确的是（　　）。
A. DTL=DOL×DFL
B. 是普通股每股收益变动率与息税前利润变动率之间的比率
C. 反映产销量变动对普通股每股收益变动的影响
D. 总杠杆系数越大，企业整体风险越大

23. 如果公司不存在优先股，下列各项中不影响财务杠杆系数的因素是（　　）。
A. 债务利息
B. 销售量
C. 所得税税率
D. 固定性经营成本

24. 下列关于最佳资本结构的表述中，错误的是（　　）。
A. 最佳资本结构在理论上是存在的
B. 资本结构优化的目标是提高企业价值
C. 企业平均资本成本最低企业价值最大时的资本结构最佳
D. 企业的最佳资本结构应当长期固定不变

25. 根据修正的MM理论，下列各项中会影响企业价值的是（　　）。
A. 债务利息抵税　　B. 债务代理成本
C. 债务代理收益　　D. 财务困境成本

26. 甲公司目前存在融资需求。如果采用优序融资理论，管理层应当选择的融资顺序是（　　）。
A. 内部留存收益、公开增发新股、发行公司债券、发行可转换债券
B. 内部留存收益、公开增发新股、发行可转换债券、发行公司债券
C. 内部留存收益、发行公司债券、发行可转换债券、公开增发新股
D. 内部留存收益、发行可转换债券、发行公司债券、公开增发新股

27. 出于优化资本结构和控制风险的考虑，比较而言，下列企业中最不适宜采用高负债资本结构的是（　　）。
A. 电力企业　　B. 高新技术企业
C. 汽车制造企业　　D. 餐饮服务企业

28. 通常情况下，适宜采用较高负债比例的企业发展阶段是（　　）。
A. 初创阶段
B. 破产清算阶段
C. 收缩阶段
D. 发展成熟阶段

29. 甲公司因扩大经营规模需要筹集长期资本，有发行长期债券和发行普通股两种筹资方式可供选择。经过测算，发行长期债券与发行普通股的每股收益无差别点息税前利润为120万元，

如果采用每股收益无差别点法进行筹资方式决策，下列说法中，正确的是（　　）。

A. 当预期的息税前利润为 100 万元时，甲公司应当选择发行长期债券
B. 当预期的息税前利润为 150 万元时，甲公司应当选择发行普通股
C. 当预期的息税前利润为 180 万元时，甲公司应当选择发行长期债券
D. 当预期的息税前利润为 120 万元时，甲公司增加筹资与不增加筹资无差别

30. 某投资者购买 A 公司股票，并且准备长期持有。市场上投资者对该公司股票要求的最低收益率为 11%。该公司预期的股利为 0.6 元 / 股，预计未来股利年增长率为 5%，则该股票当前的内在价值是（　　）元 / 股。

A. 10.0　　B. 10.5
C. 11.5　　D. 12.0

31. 有一 5 年期公司债券，面值 1000 元，票面利率 12%，单利计息，到期时一次还本付息。假设年折现率（复利）为 10%，其价值为（　　）元。

A. 987.54　　B. 993.47
C. 1000　　D. 1005.26

32. 使用企业当前综合资本成本作为投资项目资本成本的前提条件是（　　）。

A. 只有当所估计的投资项目的经营风险与企业现有资产经营风险相同时
B. 只有当所估计的投资项目的资本结构与企业现有资本结构相同时
C. 当所估计的投资项目的经营风险与企业现有资产经营风险相同，而且所估计的投资项目的资本结构与企业现有资本结构相同时
D. 当所估计的投资项目的经营风险与企业现有资产经营风险相同或者所估计的投资项目的资本结构与企业现有资本结构相同时

二、多项选择题

1. 下列各项中，属于经营性负债的有（　　）。

A. 应付账款
B. 应付票据
C. 应付债券
D. 应付销售人员薪酬

2. 下列项目占用的资金属于不变资金的有（　　）。

A. 构成产品实体的原材料
B. 厂房、设备
C. 必要的成品储备
D. 必要成品储备以外的产成品

3. 下列成本费用中属于资本成本的占用费用的有（　　）。

A. 借款手续费　　B. 股票发行费
C. 利息　　D. 股利

4. 下列各项属于资本成本在企业财务决策中的作用的有（　　）。

A. 资本成本是比较筹资方式、选择筹资方案的依据
B. 平均资本成本是衡量资本结构是否合理的重要依据
C. 资本成本是评价投资项目可行性的主要标准
D. 资本成本是评价企业整体业绩的重要依据

5. 在事先确定企业资本规模的前提下，吸收一定比例的债务资本，可能产生的结果有（　　）。

A. 降低企业资本成本
B. 降低企业财务风险
C. 加大企业财务风险
D. 提高企业经营能力

6. 下列各项因素中，影响经营杠杆系数计算结果的有（　　）。

A. 销售单价　　B. 销售数量
C. 资本成本　　D. 所得税税率

7. 下列各项中，影响财务杠杆系数的有（　　）。
   A. 固定性经营成本
   B. 普通股股利
   C. 优先股股利
   D. 变动成本

8. 下列关于财务杠杆系数的表述中，正确的有（　　）。
   A. 债务资本比重越高时，财务杠杆系数越大
   B. 息税前利润水平越低，财务杠杆系数越大，财务风险也就越大
   C. 固定的资本成本支付额越高，财务杠杆系数越大
   D. 财务杠杆系数可以反映普通股每股收益随着产销量的变动而变动的幅度

9. 下列选项中属于融资决策中的总杠杆性质的有（　　）。
   A. 总杠杆能够起到财务杠杆和经营杠杆的综合作用
   B. 总杠杆能够表达企业边际贡献与归属于普通股股东的税前利润的比率
   C. 总杠杆能够估计出产销量变动对普通股每股收益的影响
   D. 总杠杆系数越大，企业经营风险越大，企业财务风险越大

10. 在边际贡献大于固定成本的情况下，下列措施中有利于降低企业整体风险的有（　　）。
   A. 增加产品销量
   B. 提高产品单价
   C. 提高资产负债率
   D. 节约固定成本支出

11. 下列关于资本结构理论的表述中，正确的有（　　）。
   A. 根据MM理论，当存在企业所得税时，企业负债比例越高，企业价值越大
   B. 根据权衡理论，由于存在财务困境成本，企业负债比例越低，企业价值越大
   C. 根据代理理论，由于债务筹资会降低由于两权分离而产生的代理成本，企业负债比例越高，企业价值越大
   D. 根据MM理论，当不考虑企业所得税时，企业负债比例不影响企业价值

12. 下列关于影响资本结构的因素的说法中，正确的有（　　）。
   A. 如果企业产销业务稳定，企业可以提高负债筹资比重
   B. 产品市场稳定的成熟产业，可提高负债筹资比重
   C. 当所得税税率较高时，应降低负债筹资比重
   D. 稳健的管理当局偏好于低负债比例的资本结构

13. 利用每股收益无差别点进行企业资本结构分析时，下列说法正确的有（　　）。
   A. 当预计息税前利润高于每股收益无差别点时，采用低财务杠杆方式比采用高财务杠杆方式有利
   B. 当预计息税前利润高于每股收益无差别点时，采用高财务杠杆方式比采用低财务杠杆方式有利
   C. 当预计息税前利润低于每股收益无差别点时，采用低财务杠杆方式比采用高财务杠杆方式有利
   D. 当预计息税前利润等于每股收益无差别点时，两种筹资方式下的每股收益相同

14. 我国目前同股不同权企业可在科创板上市，下列有关的表述中正确的有（　　）。
   A. 每一特别表决权股份的股东其分红权大于普通股份股东拥有的分红权
   B. 每一特别表决权股份拥有的表决权数量大于每一普通股份拥有的表决权数量

C. A 类股票通常由投资人和公众股东持有，B 类股票通常由创业团队持有

D. 双重股权结构，也称 AB 股制度，A 股是特别表决权股

三、判断题

1. 在财务管理中，以有关项目基期年度的平均资金需要量为基础，根据预测年度的生产经营任务和资金周转加速的要求，进行分析调整，来预测资金需要量的一种方法称为因素分析法。（　　）

2. 如果销售具有较强的周期性，则企业在筹集资金时不适宜过多采取负债筹资。（　　）

3. 由于内部筹资一般不产生筹资费用，所以留存收益的资本成本最低。（　　）

4. “财务费用”账户的发生额可以大体上反映企业债务资本成本的实际数额。（　　）

5. 若债券利息率、筹资费率和所得税税率均已确定，则企业的债券资本成本率与发行债券的价格无关。（　　）

6. 在息税前利润大于 0 的情况下，只要企业存在固定性经营成本，那么经营杠杆系数必大于 1。（　　）

7. 经营杠杆能够扩大市场和生产等因素变化对利润波动的影响。（　　）

8. 经营杠杆是通过扩大销售来影响税前利润的，它可以用边际贡献除以税前利润来计算，它说明了销售量变动引起税前利润变化的幅度。（　　）

9. 在各种资金来源中，凡是须支付固定性占用费的资金都能产生财务杠杆作用。（　　）

10. 在企业承担总风险能力一定且利率相同的情况下，对于经营杠杆水平较高的企业，应当保持较低的负债水平，而对于经营杠杆水平较低的企业，则可以保持较高的负债水平。（　　）

11. 在经营杠杆、财务杠杆与总杠杆中，作用最大的是总杠杆。（　　）

12. 最佳资本结构是使企业筹资能力最强、财务风险最小的资本结构。（　　）

13. 代理理论认为均衡的企业所有权结构是由股权代理成本和债务代理成本之间的平衡关系来决定的。（　　）

14. 经济危机时期，由于企业经营环境恶化、销售下降，企业应当逐步降低债务水平，以减少破产风险。（　　）

15. 采用目标价值权重确定平均资本成本时，目标价值权数可以选择未来的市场价值或未来的账面价值来确定。（　　）

16. 有一纯贴现债券，面值 1000 元，1 年后到期。假设市场利率为 10%，其到期兑付的价值为 909.09 元。（　　）

17. 为了体现同股同酬、同股同利，我国上市公司的股票的投票权和分红权是相一致的。（　　）

18. 若资本市场完善，新项目的经营风险与公司现有资产的经营风险一致，就可以用公司目前的综合资本成本作为新项目的资本成本。（　　）

四、计算分析题

1. 已知：某公司 2021 年营业收入为 20000 万元，营业净利率为 12%，净利润的 60% 分配给投资者。2021 年 12 月 31 日的资产负债表（简表）如下。

资产负债表（简表）

2021 年 12 月 31 日　　　　单位：万元

资产	期末余额	负债及所有者权益	期末余额
货币资金	1000	应付账款	3000
应收账款	3000	长期借款	9000
存货	6000	实收资本	4000
固定资产	7000	留存收益	2000
无形资产	1000		
资产总计	18000	负债及所有者权益总计	18000

该公司 2022 年计划营业收入比上年增长 30%，为实现这一目标，公司需新增设备一台，价值 148 万元。根据历年财务数据分析，公司流动资产与流动负债随营业收入同比例增减。假定该公司 2022 年的营业净利率和利润分配政策与上年保持一致。

要求：

（1）计算 2022 年公司需增加的营运资金。

（2）预测 2022 年需要对外筹集资金量。

2. 某公司 2022 年预计销售额为 360000 万元，营业净利率 5%，股利支付率 80%。公司通过资金习性分析，采用高低点法对 2022 年度资金需要量进行预测。有关历史数据如下表所示。

资金占用与销售额变化情况表

单位：万元

年度	2021 年	2020 年	2019 年	2018 年	2017 年	2016 年
销售额	297000	300000	258000	240000	210000	200000
资金占用	108000	110000	100000	98000	97000	95000

要求：

（1）计算每一元营业收入所需变动资金；

（2）计算不变资金总额；

（3）计算 2022 年度预计资金占用额（需求总量）；

（4）计算 2022 年度需要增加的资金需求额；

（5）计算 2022 年度需要从外部追加的筹资额。

3. C 公司正在研究一项生产能力扩张计划的可行性，需要对资本成本进行估计。估计资本成本的有关资料如下：

（1）公司现有长期负债：面值 1000 元，票面利率 6%，每年付息的不可赎回债券；该债券还有 10 年到期，当前市价 1100 元；假设新发行长期债券时采用私募方式，不用考虑发行成本。

（2）公司现有普通股：当前市价 50 元，最近一次支付的股利为 4.19 元 / 股，预期股利的永续增长率为 5%，该股票的 β 系数为 1.2。公司不准备发行新的普通股。

（3）资本市场：短期国债收益率为 7%；市场平均风险溢价估计为 6%。

（4）公司所得税税率为 25%。

（5）相关时间价值系数表如下：

i	3%	4%
(P/A，i，10)	8.5302	8.1109
(P/F，i，10)	0.7441	0.6756

要求：

（1）用贴现模式计算债券的税后资本成本；

（2）计算普通股资本成本：用资本资产定价模型和股利增长模型两种方法估计，以两者的平均值作为普通股资本成本；

（3）假设目标资本结构是40%的长期债券、60%的普通股，根据以上计算得出的长期债券资本成本和普通股资本成本估计公司的平均资本成本。

4. 某公司目前拥有资金650万元，其中，普通股25万股，每股价格20元；债券150万元，年利率8%。目前的销量为5万件，单价为50元，单位变动成本为20元，固定成本为40万元，所得税税率为25%。该公司准备扩大生产规模，预计需要新增投资500万元，投资所需资金有下列两种方案可供选择：方案一：平价发行债券500万元，年利率10%；方案二：发行普通股股票500万元，每股发行价格20元。预计扩大生产能力后，固定成本会增加52万元，假设其他条件不变。

要求：

（1）计算两种筹资方案的每股收益相等时的销量水平。

（2）若预计扩大生产能力后企业销量会增加4万件，不考虑风险因素，确定该公司最佳的筹资方案。

（3）若公司追加投资后保持要求（2）下息税前利润水平不变，股利支付率100%，目前的短期国债利率为4%，整个股票市场的平均收益率为8%，按方案一筹资后，预计公司股票的贝塔系数为1.5，假设债务的市场价值与账面价值一致，计算按方案一筹资后的公司股票市场价值、公司价值与加权平均资本成本（按市场价值计算）。

5. 某企业只生产和销售A产品，其总成本习性模型为Y=10000+3X。该企业2021年度A产品销售量为10000件，每件售价为5元；按市场预测2022年A产品的销售数量将增长10%。

要求：

（1）计算2021年该企业的边际贡献总额。

（2）计算2021年该企业的息税前利润。

（3）计算2022年的经营杠杆系数。

（4）计算2022年息税前利润增长率。

（5）假定企业2021年发生负债利息5000元，计算2022年的总杠杆系数。

6. 已知ABC公司当前资本结构如下：

筹资方式	金额（万元）
长期债券（年利率8%）	2500
普通股（4500万股）	11250
留存收益	5000
合计	18750

因生产发展需要，公司年初准备增加资金6250万元，现有两个筹资方案可供选择：甲方案为发行1000万股普通股，每股市价6.25元；乙方案为按每张债券发行价格1250元溢价发行面值为1000元，每年年末付息、票面利率为10%的公司债券6250万元。假定股票与债券的发行费用均可忽略不计，适用的企业所得税税率为25%。

要求：

（1）计算两种筹资方案下每股收益无差别点的息税前利润。

（2）计算处于每股收益无差别点时乙方案的财务杠杆系数。

（3）如果公司预计息税前利润为2400万元，指出该公司应采用的筹资方案。

（4）如果公司预计息税前利润为3200万元，指出该公司应采用的筹资方案。

（5）若公司预计息税前利润在每股收益无差别点上增长10%，计算采用乙方案时该公司每股收益的增长幅度。

7. A公司目前资本结构为：总资本3500万元，其中债务资本1400万元（年利息140万元，年利率10%）；普通股股本210万元（210万股，面值1元，市价5元），资本公积1000万元，留存收益890万元。企业由于扩大经营规模，需要追加筹资2800万元，所得税税率25%，不考虑筹资费用等因素。有三种筹资方案：
甲方案：增发普通股400万股，每股发行价6元；同时向银行借款400万元，年利率保持原来的10%。
乙方案：增发普通股200万股，每股发行价6元；同时溢价发行1600万元面值为1000万元的公司债券，票面利率15%。
丙方案：不增发普通股，溢价发行2500万元面值为2300万元的公司债券，票面利率15%；由于受债券发行数额的限制，需要补充银行借款300万元，年利率10%。

要求：

（1）计算甲方案与乙方案的每股收益无差别点息税前利润；

（2）计算乙方案与丙方案的每股收益无差别点息税前利润；

（3）计算甲方案与丙方案的每股收益无差别点息税前利润；

（4）若企业预计的息税前利润为500万元，应如何筹资；

（5）判断企业应如何选择筹资方式。

8. 某公司息税前利润为2000万元，并假定以后年度保持不变，适用的所得税税率为25%，公司目前总资本为10000万元，其中60%由普通股资本构成，股票账面价值为6000万元，40%由债券资本构成，债券账面价值为4000万元，假设债券市场价值与其账面价值基本一致。该公司认为目前的资本结构不够合理，准备用发行债券回购股票的办法予以调整。经咨询调查，目前债券利息率和权益资本成本率情况见表1：

表1　　债券利息率与权益资本成本率

债券市场价值（万元）	债券利息率	股票的β系数	无风险收益率	证券市场平均收益率	权益资本成本
4000	8%	1.5	6%	16%	A
6000	10%	1.6	6%	B	22%
8000	12%	1.7	C	16%	23%
10000	16%	2.5	6%	16%	D

要求：

（1）填写表 1 中用字母表示的空格；

（2）填写表 2 中用字母表示的空格；

表 2

债券市场价值（万元）	股票市场价值（万元）	公司市场总价值（万元）	债券资本比重	股票资本比重	债券资本成本	权益资本成本	平均资本成本
4000	E	F	40%	60%	G	H	I
6000	4772.73	10772.73	55.70%	44.30%	7.5%	22%	13.92%
8000	3391.30	11391.30	70.23%	29.77%	9%	23%	13.17%
10000	J	K	L	M	N	O	P

（3）根据表 2 的计算结果，确定该公司最优资本结构。

9. 甲公司主营电池生产业务，现已研发出一种新型锂电池产品，准备投向市场。为了评价该锂电池项目，需要对其资本成本进行估计。有关资料如下：

（1）该锂电池项目拟按照资本结构（负债 / 权益）30/70 进行筹资，税前债务资本成本预计为 9%。

（2）目前资本市场上无风险证券的利率为 4.5%，资本市场风险溢价率为 7%。

（3）锂电池行业的代表企业是乙、丙公司，乙公司的资本结构（负债 / 权益）为 40/60，股东权益的 β 系数为 1.5；丙公司的资本结构（负债 / 权益）为 50/50，股东权益的 β 系数为 1.54。

（4）甲、乙、丙三个公司适用的企业所得税税率均为 25%。

要求：

（1）使用可比公司法计算锂电池行业代表企业的平均 $\beta_{资产}$、该锂电池项目的 $\beta_{权益}$与权益资本成本。

（2）计算该锂电池项目的综合资本成本。

五、综合题

1. 某公司 2021 年有关资料如下：

资产负债表

2021 年 12 月 31 日　　单位：万元

资产	金额	负债及所有者权益	金额
货币资金	2000	短期借款	12000
应收账款	28000	应付账款	18000
存货	30000	应付债券	15000
非流动资产	40000	实收资本	30000
		留存收益	25000
资产合计	100000	负债及所有者权益合计	100000

假设企业目前的生产能力还有剩余，预计增加收入不会改变固定资产规模，公司 2021 年的营业收入为 100000 万元，营业净利率为 10%，2021 年分配的股利为

7000万元，如果2022年的营业收入增长率为10%，假定营业净利率仍为10%，公司采用的是固定股利支付率政策。

要求：

（1）按销售百分比法预测2022年需要增加的资金。

（2）按销售百分比法预测2022年需要从外部追加的资金。

（3）若2022年所需从外部追加的资金均采用发行债券方式取得，每张债券面值为1000元，票面利率8%，期限5年，每年年末付息，到期还本，发行价格为900元，所得税税率为25%，假设不考虑筹资费用的影响，运用一般模式计算债券的资本成本。

（4）根据以上计算结果，计算填列该公司2022年预计的资产负债表。

预计资产负债表

2022年12月31日　　单位：万元

资产	金额	负债及所有者权益	金额
货币资金		短期借款	
应收账款		应付账款	
存货		应付债券	
固定资产		实收资本	
		留存收益	
资产合计		负债及所有者权益合计	

2. A公司是一家制造企业，相关资料如下：

资料一：2017~2021年各年产品营业收入分别为2000万元、2400万元、2600万元、2900万元和3000万元；各年年末现金余额分别为110万元、130万元、140万元、162万元和160万元。在年度营业收入不高于5000万元的前提下，应收账款、存货、流动负债、固定资产等资金项目与营业收入的关系如下表所示：

资金需要量预测表

项目	资金项目	年度不变资金(a)(万元)	每元营业收入所需变动资金(b)
流动资产	现金	—	—
	应收账款	60	0.14
	存货	100	0.22
流动负债	应付账款	60	0.10
	其他应付款	20	0.01
非流动资产	固定资产	510	0.00

资料二：已知该公司2021年资金需求完全来源于自有资金（其中，普通股1000万股）和流动负债。预计公司2022年营业收入将在2021年基础上增长40%，预

计 2022 年营业净利率为 10%。公司采取固定股利政策，每股股利为 0.22 元。

资料三：2022 年所需对外筹资部分可通过发行优先股筹资，每股面值为 100 元，每股发行价格为 128 元，股息率为 10%。筹资费忽略不计，公司所得税税率为 25%。

要求：

（1）根据资料一，采用高低点法计算"现金"项目的每元营业收入所需变动资金和不变资金。

（2）根据资料一，按 Y=a+bX 的方程建立总资金预测模型。

（3）根据资料一和资料二，预计 2022 年净利润、应向投资者分配的利润以及利润留存。

（4）根据前几问的结果和资料二，预测该公司 2022 年资金需要总量、需新增资金量。

（5）根据前几问的结果以及资料三，计算优先股的发行张数以及优先股的资本成本。

同步强化练习题参考答案及解析

使用"会计云课堂" App 或"微信"扫码对答案、看解析、掌握解题思路，开启轻松过关之旅。

一、单项选择题

1.【答案】D

【解析】预测本年度资金需要量 =（5000−700）×（1+8%）/（1+3%）=4508.74（万元）。

2.【答案】A

【解析】预测期内部资金来源 = 预测期营业收入 × 预测期营业净利率 ×（1− 股利支付率）=50000×10%×（1−60%）=2000（万元）。

3.【答案】A

【解析】由于企业资金需要量与业务量之间存在一定的依存关系，从而按照资金同产销量之间的依存关系将资金分为不变资金、变动资金和半变动资金。企业在确定资金需要量时，可以根据这种关系，建立相关资金直线方程模型。

4.【答案】A

【解析】高低点法要选择业务量最低和最高的两期数据，因此选营业收入最低的 2019 年和营业收入最高的 2020 年两期的数据，所以 b=（40−30）/（300−200）=0.1，a=40−0.1×300=10（万元）。资金需要量模型为：Y=10+0.1X，因此 2022 年资金需要量 =10+0.1×500=60（万元）。

5.【答案】A

【解析】资本成本也可以理解为投资人要求的必要收益率，当无风险收益率降低，必要收益率降低，会使资本成本降低，选项 A 正确。

6.【答案】B

【解析】筹资费是指企业在资本筹措过程

中为获取资本而付出的代价，如向银行支付的借款手续费，因发行股票、公司债券而支付的发行费等。

7.【答案】B

【解析】K_b=［年利率×（1-所得税税率）］/（1-筹资费率）=6%×（1-25%）/（1-0）=4.5%。

8.【答案】C

【解析】筹资费作为筹资开始时筹资额的扣除项，而不是增加筹资规模，所以选项A错误；利息可以抵税，但是本金不能抵税，所以选项B错误；由于是溢价发行，所以筹资净额应该用发行价格×（1-筹资费率）确定，不能用面值作为筹资额，所以选项D错误。

9.【答案】B

【解析】根据资本资产定价模型：股票的资本成本=6%+0.5×（10%-6%）=8%。

10.【答案】D

【解析】留存收益的资本成本是不需要考虑筹资费用的。

11.【答案】B

【解析】股票的资本成本率=D_1/［P_0×（1-f）］+g

因此，11%=0.6×（1+g）/［12×（1-6%）］+g，g=5.39%。

12.【答案】B

【解析】留存收益资本成本的计算与普通股相同，但是不考虑筹资费用。

留存收益资本成本=预计第一期股利/股票发行总额+股利增长率=84×（1+5%）/600+5%=19.7%。

13.【答案】A

【解析】股权的筹资成本大于债务的筹资成本，主要是由于股利从税后净利润中支付，不能抵税，而债务资本的利息可在税前扣除，可以抵税；另外从投资人的风险来看，普通股的求偿权在债权之后，持有普通股的风险要大于持有债权的风险，股票持有人会要求有一定的风险补偿，因此股权筹资的资本成本大于债务筹资的资本成本。留存收益资本成本的计算与普通股类似，只不过没有筹资费，由于普通股的发行费用较高，因此其资本成本高于留存收益的资本成本。本题中发行普通股的资本成本是最高的。

14.【答案】C

【解析】市场价值权数以各项个别资本的现行市价为基础计算资本权数，确定各类资本占总资本的比重。其优点是能够反映现时的资本成本水平，有利于进行资本结构决策。

15.【答案】B

【解析】边际资本成本是企业追加筹资的成本，是企业在追加筹资时要考虑的新筹集资金的成本。

16.【答案】C

【解析】在其他因素一定的情况下，产销量越小、固定成本越大，经营杠杆系数越大，反映企业的经营风险也越大；当固定成本趋近于0时，经营杠杆系数趋近于1。

17.【答案】D

【解析】在不存在优先股股息的情况下，财务杠杆系数=基期息税前利润/（基期息税前利润-基期利息费用）

即：1.5=450/（450-基期利息费用）

基期利息费用=450-450/1.5=150（万元）。

18.【答案】B

【解析】在不存在优先股股息的情况下，财务杠杆系数=$EBIT_0$/（$EBIT_0$-I_0），资本来源全部为自有资本，说明不存在债务资本，则I_0为0，DFL=1。

19.【答案】C

【解析】一般来说，在企业初创阶段，产品市场占有率低，产销业务量小，经营风险较大，按照反向搭配的原则，此时企业筹资应采用财务风险小的权益筹资方式。本题中只有选项 C 属于权益筹资。

20.【答案】D

【解析】总杠杆系数 = 经营杠杆系数 × 财务杠杆系数 =1.8 × 1.5=2.7，总杠杆系数 = 普通股每股收益变动率 / 产销量变动率 =2.7，则普通股每股收益变动率 =2.7 × 20%=54%。

21.【答案】D

【解析】根据权益资本和负债资本的比例可以看出企业存在负债，因此存在财务风险；只要企业经营，就存在经营风险。但是无法根据权益资本和负债资本的比例判断出财务风险和经营风险谁大谁小。

22.【答案】B

【解析】普通股每股收益变动率与息税前利润变动率之间的比率是财务杠杆系数，而不是总杠杆系数。总杠杆系数是指普通股每股收益变动率与产销量变动率之间的比率。

23.【答案】C

【解析】因为不存在优先股，财务杠杆系数 = 息税前利润 / 税前利润，选项 A、B、D 会影响财务杠杆系数的高低。

24.【答案】D

【解析】由于企业内部条件和外部环境的经常性变动，动态地保持最佳资本结构十分困难。因此，选项 D 错误。

25.【答案】A

【解析】修正 MM 理论下，有负债企业价值 = 同一风险等级中无负债企业价值 + 债务利息抵税收益现值。所以选项 A 正确。

26.【答案】C

【解析】从成熟的证券市场来看，企业的筹资优序模式首先是内部筹资，其次是借款、发行债券、可转换债券，最后是发行新股筹资。

27.【答案】B

【解析】高新技术企业因为经营风险大，不适宜采用高负债资本结构。

28.【答案】D

【解析】发展成熟阶段相比较其他发展阶段，企业经营风险一般较小，因此可以采用财务风险较大的负债筹资方式，所以选项 D 正确。

29.【答案】C

【解析】当预期的息税前利润高于 120 万元时，甲公司应当选择发行长期债券，当预期的息税前利润低于 120 万元时，甲公司应当选择发行普通股。

30.【答案】A

【解析】股票当前的内在价值 =0.6/（11%–5%）=10（元 / 股）。

31.【答案】B

【解析】V=（1000+1000 × 12% × 5）/（1+10%）^{5}=993.47（元）。

32.【答案】C

【解析】只有当等经营风险假设和资本结构不变假设同时成立时，才能使用企业当前综合资本成本作为投资项目资本成本。

二、多项选择题

1.【答案】ABD

【解析】选项 A、B、D 都属于经营性负债。而选项 C 应付债券并不是在经营过程中自发形成的，而是企业根据投资需要筹集的，因此它属于筹资性负债。

2.【答案】BC

【解析】不变资金是指在一定的产销量范围内，不受产销量变动影响而保持固定不变的那部分资金，选项A、D属于变动资金。

3.【答案】CD

【解析】资本成本包括筹资费用和占用费用。利息、股利等属于占用费用；借款手续费、证券印刷费、公证费、律师费以及股票发行费用等为筹资费用。

4.【答案】ABCD

【解析】本题的考点是资本成本对企业财务决策的作用。

5.【答案】AC

【解析】由于负债比重加大，会加大企业财务风险，因此选项B不正确；由于资本规模不变，因此选项D不正确。

6.【答案】AB

【解析】经营杠杆系数＝基期边际贡献/基期息税前利润，边际贡献＝销售量×（销售单价－单位变动成本），息税前利润＝边际贡献－固定性经营成本。因此选项A、B是正确的。

7.【答案】ACD

【解析】财务杠杆系数＝息税前利润/[息税前利润－利息费用－优先股股息/（1－所得税税率）]，固定性经营成本和变动成本会影响息税前利润，所以选项A、C、D正确。

8.【答案】ABC

【解析】债务资本比重越高、固定的资本成本支付额越高、息税前利润水平越低，财务杠杆效应越大。选项A、B、C正确。财务杠杆系数可以反映普通股每股收益随着息税前利润的变动而变动的幅度。选项D错误。

9.【答案】ABC

【解析】根据总杠杆系数的相关计算公式，选项A、B、C是正确的。总杠杆系数越大，企业整体风险越大，但总杠杆可以体现财务杠杆和经营杠杆的多种配合，因此经营风险和财务风险不一定同时变大，存在着一种降低，另一种增大的可能性，选项D错误。

10.【答案】ABD

【解析】衡量企业整体风险的指标是总杠杆系数，总杠杆系数＝经营杠杆系数×财务杠杆系数，在边际贡献大于固定成本的情况下，选项A、B、D均可以导致经营杠杆系数和财务杠杆系数降低，总杠杆系数降低，从而降低企业整体风险；选项C会导致财务杠杆系数增加，总杠杆系数变大，从而提高企业整体风险。

11.【答案】AD

【解析】根据权衡理论，平衡债务利息的抵税收益与财务困境成本是确定最优资本结构的基础，选项B错误；债务筹资会降低由于两权分离而产生的代理成本（股权代理成本）。但是债务筹资可能导致另一种代理成本，即企业接受债权人监督而产生的成本（债务代理成本）。均衡的企业所有权结构是由股权代理成本和债务代理成本之间的平衡关系来决定的，选项C错误。

12.【答案】ABD

【解析】当所得税税率较高时，债务利息的抵税作用大，因此应提高负债筹资比重，选项C错误。

13.【答案】BCD

【解析】当预计息税前利润高于每股收益无差别点时，采用高财务杠杆方式比采用低财务杠杆方式有利；当预计息税前利润低于每股收益无差别点时，采用低财务杠杆方式比采用高财务杠杆方式有利；当预计息税前利润等于每股收益无差别点时，两种筹资方式下的每股收益相同。

14.【答案】BC

【解析】每一特别表决权股份拥有的表决权数量大于每一普通股份拥有的表决权数量，其他股东权利与普通股份相同，选项A错误，选项B正确。在AB股制度下，公司股票分为A、B两类，通常，A类股票1股有1票投票权，B类股票1股有N票投票权。其中，A类股票通常由投资人和公众股东持有，B类股票通常由创业团队持有，选项C正确，选项D错误。

三、判断题

1.【答案】√

【解析】因素分析法又称分析调整法，是以有关项目基期年度的平均资金需要量为基础，根据预测年度的生产经营任务和资金周转加速的要求，进行分析调整，来预测资金需要量的一种方法。

2.【答案】√

【解析】如果销售具有较强的周期性，则要负担固定的财务费用，企业将承担较大的财务风险，因此，不宜过多采取负债筹资。

3.【答案】×

【解析】留存收益属于股权筹资方式，具体来说，留存收益的资本成本率，表现为股东追加投资要求的收益率，其计算与普通股成本相同，不同点在于不考虑筹资费用。一般而言，股权筹资的资本成本要高于债务筹资。因此内部筹资的资本成本不是最低的。

4.【答案】×

【解析】企业债务资本成本主要是利息，利息能够抵税，企业实际负担的成本是税后的利息。

5.【答案】×

【解析】按照一般模式，当债券折价或溢价发行时，应以发行价格来确定分母的筹资额。按照贴现模式，应以发行价格确定初始的现金流入量，企业的债券资本成本率与发行债券的价格有关。

6.【答案】√

【解析】因为 $DOL=M_0/(M_0-F_0)=(M_0-F_0+F_0)/(M_0-F_0)=1+F_0/EBIT_0$，所以在息税前利润大于0的情况下，只要企业存在固定性经营成本，那么经营杠杆系数必大于1。

7.【答案】√

【解析】存在固定性经营成本就会存在经营杠杆的放大作用，经营杠杆放大了市场和生产等因素变化对利润波动的影响。

8.【答案】×

【解析】经营杠杆是通过扩大销售来影响息税前利润的，而不是影响税前利润。它可以用边际贡献除以息税前利润来计算。

9.【答案】√

【解析】在各种资金来源中，负债筹资和优先股筹资具有固定的占用费，即固定的利息、股息负担，因而会产生财务杠杆作用。

10.【答案】√

【解析】在总杠杆系数（总风险）一定的情况下，经营杠杆系数与财务杠杆系数此消彼长。

11.【答案】√

【解析】总杠杆是经营杠杆和财务杠杆的综合作用。

12.【答案】×

【解析】狭义的资本结构是指长期负债与股东权益资本之间的构成及其比例关系。所谓最佳资本结构是指在一定条件下使企业平均资本成本最低、企业价值最大的资本结构。

13.【答案】√

【解析】代理理论认为债务筹资有很强的激励作用，并将债务视为一种担保机制。这种机制能够促使经理多努力工作，少个人享受，并且做出更好的投资决策，从而降低由于两权分离而产生的代理成本（股权代理成本）；但是债务筹资可能导致另一种代理成本，即企业接受债权人监督而产生的成本（债务代理成本）。均衡的企业所有权结构是由股权代理成本和债务代理成本之间的平衡关系来决定的。

14.【答案】√

【解析】企业经营环境恶化、销售下降，表明企业经营风险大，为将总风险控制在一定的范围内，财务风险应该较小，逐步降低债务水平会引起财务风险下降，以减少到期无法还本付息而破产的风险。

15.【答案】√

【解析】目标价值权数是以个别资本的未来价值为基础确定，这个未来价值可以选择未来的市场价值，也可以选择未来的账面价值。

16.【答案】×

【解析】纯贴现债券是指到期按面值兑付的债券，到期兑付的价值是1000元，其当前的价值=1000/（1+10%）=909.09（元）。

17.【答案】×

【解析】为了留住和吸引科技创新企业在国内上市，促进其高质量发展，2018年，国家对同股不同权企业的上市逐步放开。双重股权结构，也称AB股制度，即指同股不同权结构，股票的投票权和分红权相分离。

18.【答案】√

【解析】如果假设市场是完善的，资本结构不改变企业的综合资本，而平均资本反映了当前资产的平均风险，只要新项目的经营风险与公司现有资产的经营风险一致，就可以用公司目前的综合资本成本作为新项目的资本成本。

四、计算分析题

1.【答案】

（1）流动资产占营业收入的百分比=（1000+3000+6000）/20000=50%

流动负债占营业收入的百分比=3000/20000=15%

增加的营业收入=20000×30%=6000（万元）

需增加的营运资金=6000×50%-6000×15%=2100（万元）

【提示】增加的营运资金=增加的流动资产-增加的流动负债。

（2）增加的留存收益=20000×（1+30%）×12%×（1-60%）=1248（万元）

需要增加的资金量=增加的营运资金+非敏感资产增加=2100+148=2248（万元）

对外筹集资金量=2248-1248=1000（万元）。

2.【答案】

（1）单位变动资金=（110000-95000）/（300000-200000）=0.15

（2）不变资金总额=110000-0.15×300000=65000（万元）

或：不变资金总额=95000-0.15×200000=65000（万元）

（3）2022年度预计资金占用额=65000+0.15×360000=119000（万元）

（4）需要增加的资金需求额 =119000-108000=11000（万元）

（5）需从外部追加的筹资额 =11000-360000×5%×（1-80%）=7400（万元）。

3.【答案】

（1）1000×6%×（1-25%）×（P/A，K_b，10）+1000×（P/F，K_b，10）=1100

45×（P/A，K_b，10）+1000×（P/F，K_b，10）=1100

设 K_b=3%，45×8.5302+1000×0.7441=1127.96

设 K_b=4%，45×8.1109+1000×0.6756=1040.59

（K_b-3%）/（4%-3%）=（1100-1127.96）/（1040.59-1127.96）

K_b=3.32%

则债券的税后资本成本为 3.32%。

（2）$K_{普}=\dfrac{4.19\times(1+5\%)}{50}+5\%=13.80\%$

$K_{普}$=7%+1.2×6%=14.2%

平均普通股资本成本 =（13.80%+14.2%）/2=14%

（3）平均资本成本 =3.32%×40%+14%×60%=9.73%。

4.【答案】

（1）企业目前的利息 =150×8%=12（万元）

企业目前的普通股股数 =25 万股

追加债券筹资后的总利息 =12+500×10%=62（万元）

追加股票筹资后的普通股股数 =25+500/20=50（万股）

$$\frac{(EBIT-12)\times(1-25\%)}{50}=\frac{(EBIT-62)\times(1-25\%)}{25}$$

每股收益无差别点的

$$EBIT=\frac{50\times62-25\times12}{50-25}=112（万元）$$

设两种筹资方案的每股收益无差别点的销量水平为 X 万件，则：

（50-20）X-（40+52）=112

两种筹资方案的每股收益无差别点的销量 =6.8（万件）

（2）追加投资后的总销量 =5+4=9（万件），由于高于每股收益无差别点的销量 6.8 万件，因此应采用财务杠杆效应较大的债务筹资，即选择方案一发行债券筹资。

（3）追加投资后的 EBIT=9×（50-20）-（40+52）=178（万元）

股权资本成本 =4%+1.5×（8%-4%）=10%

公司股票市场价值 =（178-62）×（1-25%）/10%=870（万元）

公司价值 =870+150+500=1520（万元）

加权平均资本成本 =8%×（1-25%）×150/1520+10%×（1-25%）×500/1520+10%×870/1520=8.78%。

5.【答案】

（1）2021 年企业的边际贡献总额 = 营业收入 - 变动成本 =10000×5-10000×3=20000（元）

（2）2021 年企业的息税前利润 = 边际贡献总额 - 固定成本 =20000-10000=10000（元）

（3）2022 年经营杠杆系数 = 基期边际贡献 / 基期息税前利润 =20000/10000=2

（4）2022 年息税前利润增长率 =2×10%=20%

（5）2022 年总杠杆系数 = 基期边际贡献 / 基期利润总额 =20000/（10000-5000）=4

或：2022 年财务杠杆系数 =$EBIT_0$/（$EBIT_0$-I_0）=10000/（10000-5000）=2

2022 年总杠杆系数 = 财务杠杆系数 × 经营杠杆系数 =2×2=4。

6.【答案】

（1）[（EBIT-2500×8%）×（1-25%）]/（4500+1000）=[（EBIT-2500×8%-6250/1250×1000×10%）×（1-25%）]/4500

EBIT=2950（万元）

（2）$DFL=EBIT_0/(EBIT_0-I_0)=2950/(2950-2500\times8\%-6250/1250\times1000\times10\%)=1.31$

（3）由于预计的 EBIT（2400 万元）小于每股收益无差别点的 EBIT（2950 万元），因此应采用追加股票筹资，即采用甲方案筹资。

（4）由于预计的 EBIT（3200 万元）大于每股收益无差别点的 EBIT（2950 万元），因此应采用追加负债筹资，即采用乙方案筹资。

（5）根据财务杠杆的定义公式可知：财务杠杆系数 DFL= 普通股收益变动率 / 息税前利润变动率。此时息税前利润在每股收益无差别点上增长 10%，并且根据第（2）问计算得到的财务杠杆系数 =1.31，则每股收益的增长幅度 =1.31 × 10%=13.1%。

7.【答案】

甲方案利息 =140+400 × 10%=180（万元）

乙方案利息 =140+1000 × 15%=290（万元）

丙方案利息 =140+2300 × 15%+300 × 10%=515（万元）

甲方案股数 =210+400=610（万股）

乙方案股数 =210+200=410（万股）

丙方案股数 =210 万股

（1）甲方案与乙方案：

$$\frac{(\overline{EBIT}-180)\times(1-25\%)}{610}=\frac{(\overline{EBIT}-290)\times(1-25\%)}{410}$$

$\overline{EBIT}=(610\times290-410\times180)/(610-410)=515.5$（万元）

（2）乙方案与丙方案：

$$\frac{(\overline{EBIT}-290)\times(1-25\%)}{410}=\frac{(\overline{EBIT}-515)\times(1-25\%)}{210}$$

$\overline{EBIT}=(410\times515-210\times290)/(410-210)=751.25$（万元）

（3）甲方案与丙方案：

$$\frac{(\overline{EBIT}-180)\times(1-25\%)}{610}=\frac{(\overline{EBIT}-515)\times(1-25\%)}{210}$$

$\overline{EBIT}=(610\times515-210\times180)/(610-210)=690.88$（万元）

（4）$EPS_{甲}=(500-140-400\times10\%)\times(1-25\%)/(210+400)=0.39$（元 / 股）

$EPS_{乙}=(500-140-1000\times15\%)\times(1-25\%)/(210+200)=0.38$（元 / 股）

$EPS_{丙}=(500-140-2300\times15\%-300\times10\%)\times(1-25\%)/210=-0.05$（元 / 股）

若企业预计的息税前利润为 500 万元，甲方案的每股收益最大，应当采用甲方案筹资。

（5）当企业预计的息税前利润小于 515.5 万元时应采用甲方案，当企业预计的息税前利润大于 515.5 万元但小于 751.25 万元时应采用乙方案，当企业预计的息税前利润大于 751.25 万元时应采用丙方案。

8.【答案】

（1）根据资本资产定价模型：A=6%+1.5 ×（16%-6%）=21%

B=（22%-6%）/1.6+6%=16%

C+1.7 ×（16%-C）=23%，C=6%

D=6%+2.5 ×（16%-6%）=31%

（2）

债券市场价值（万元）	股票市场价值（万元）	公司市场总价值（万元）	债券资本比重	股票资本比重	债券资本成本	权益资本成本	平均资本成本
4000	E=6000	F=10000	40%	60%	G=6%	H=21%	I=15%
6000	4772.73	10772.73	55.70%	44.30%	7.5%	22%	13.92%
8000	3391.30	11391.30	70.23%	29.77%	9%	23%	13.17%
10000	J=967.74	K=10967.74	L=91.18%	M=8.82%	N=12%	O=31%	P=13.68%

E=净利润/权益资本成本=(2000−4000×8%)×（1−25%）/21%=6000（万元）

F=4000+6000=10000（万元）

G=8%×（1−25%）=6%

H=A=21%

I=6%×40%+21%×60%=15%

J=（2000−10000×16%）×（1−25%）/31%=967.74（万元）

K=967.74+10000=10967.74（万元）

L=10000/10967.74=91.18%

M=967.74/10967.74=8.82%

N=16%×（1−25%）=12%

O=D=31%

P=12%×91.18%+31%×8.82%=13.68%

（3）由于负债资本为8000万元时，企业价值最大，同时平均资本成本最低，所以此时的结构为公司最优资本结构。

9.【答案】

（1）乙公司 $\beta_{资产}$=1.5/［1+（1−25%）×（4/6）］=1

丙公司 $\beta_{资产}$=1.54/［1+（1−25%）×（5/5）］=0.88

平均 $\beta_{资产}$=（1+0.88）/2=0.94

该锂电池项目的 $\beta_{权益}$=0.94×［1+（1−25%）×3/7］=1.24

权益资本成本=4.5%+1.24×7%=13.18%

（2）综合资本成本=9%×（1−25%）×3/10+13.18%×7/10=11.25%。

五、综合题

1.【答案】

（1）增加的资金=（敏感性资产销售百分比×新增销售额）−（敏感性负债销售百分比×新增销售额）=

$$\left(\frac{2000+28000+30000}{100000}\times 100000\times 10\%\right)-\left(\frac{18000}{100000}\times 100000\times 10\%\right)=4200\text{（万元）}$$

（2）2021年净利润=营业收入×营业净利率=100000×10%=10000（万元）

股利支付率=股利/净利润=7000/10000=70%

从外部追加的资金=增加的资金−增加的留存收益=4200−［100000×（1+10%）×10%×（1−70%）］=900（万元）

（3）债券资本成本=［1000×8%×（1−25%）］/900=6.67%

（4）

预计资产负债表

2022年12月31日 单位：万元

资产	金额	负债及所有者权益	金额
货币资金	2000×（1+10%）=2200	短期借款	12000
应收账款	28000×（1+10%）=30800	应付账款	18000×（1+10%）=19800
存货	30000×（1+10%）=33000	应付债券	15000+900=15900
固定资产	40000	实收资本	30000
		留存收益	25000+100000×(1+10%)×10%×（1−70%）=28300
资产合计	106000	负债及所有者权益合计	106000

2.【答案】

（1）每元营业收入所需变动资金 =（160−110）/（3000−2000）=0.05

不变资金 =160−0.05×3000=10（万元）

【提示】以营业收入最低的2017年和营业收入最高的2021年两年数据计算。

（2）a=10+60+100−（60+20）+510=600（万元）

b=0.05+0.14+0.22−（0.10+0.01）=0.30

资金预测模型：Y=600+0.3X

（3）预计净利润 =3000×（1+40%）×10%=420（万元）

预计应向投资者分配的利润 =1000×0.22=220（万元）

预计利润留存 =420−220=200（万元）

（4）资金需要总量 =600+0.3×3000×（1+40%）=1860（万元）

需新增资金量 =3000×40%×0.3=360（万元）

（5）预计2022年的外部筹资额 =360−200=160（万元）

优先股的发行张数 =160/128=1.25（万张）

优先股的资本成本 = $\frac{100\times10\%}{128}$ =7.81%。

第六章　投资管理

CHAPTER-6

本章学习指南

一、考情分析

本章是财务管理的一个重点章节，主要介绍了投资项目财务评价指标的计算与分析、项目投资管理决策方法、证券投资管理和基金投资与期权投资等内容。本章从题型来看不仅会出客观题，而且年年都会出计算分析题或综合题，近3年的平均分数为14分左右。

最近3年题型、题量分析表

题型	2019年		2020年			2021年		
	试卷Ⅰ	试卷Ⅱ	试卷Ⅰ	试卷Ⅱ	试卷Ⅲ	试卷Ⅰ	试卷Ⅱ	试卷Ⅲ
单项选择题	3题3分	2题2分	2题3分	2题3分	4题6分	2题3分	3题4.5分	3题4.5分
多项选择题	—	1题2分	—	1题2分	—	1题2分	1题2分	2题4分
判断题	1题1分	3题3分	—	—	—	—	1题1分	1题1分
计算分析题	—	1题5分	0.4题2分	—	0.7题3.5分	0.6题3分	—	—
综合题	0.67题8分	—	0.5题6分	0.25题3分	0.85题11分	0.85题11分	0.5题6分	0.83题10分
合计	4.67题12分	7题12分	2.9题11分	3.25题8分	5.55题20.5分	4.45题19分	5.5题13.5分	6.83题19.5分

二、教材变化

本章与2021年的教材相比，主要变化有:(1)删除了“企业投资管理的特点”“投资管理的原则”的部分解释内容;(2)增加了“确定项目现金流量时的假设前提”;(3)增加了“私募股权投资基金”的相关内容;(4)增加了“期权合约”的相关内容。

核心考点精讲

第一节 投资管理概述

使用“会计云课堂”App或“微信”扫码查看本节视频，快速GET知识点。

一、企业投资的意义★

（1）投资是企业生存与发展的基本前提。
（2）投资是企业获取利润的基本前提。
（3）投资是企业风险控制的重要手段。

经典题解

【例题1·多选题】企业需要通过投资配置资产，才能形成生产能力，取得未来经济利益，下列有关投资的意义表述正确的有（ ）。

A. 投资是企业生存与发展的基本前提
B. 投资是企业获取利润的基本前提
C. 投资是企业选择最优资本结构的重要手段
D. 投资是企业风险控制的重要手段

【解析】企业投资的意义包括：
（1）投资是企业生存与发展的基本前提；
（2）投资是企业获取利润的基本前提；
（3）投资是企业风险控制的重要手段。

【答案】ABD

二、企业投资管理的特点★

属于企业的战略性决策	企业的投资活动先于经营活动，这些投资活动往往需要一次性地投入大量的资金，并在一段较长的时期内发挥作用，对企业经营活动的方向产生重大影响
属于企业的非程序化管理	企业投资活动往往属于非程序化管理，体现在涉及资金数额较大、投资项目影响的时间较长、涉及企业的未来经营发展方向和规模等重大问题几个方面
投资价值的波动性大	投资标的物资产的形态不断转换，使得投资活动未来收益的获得具有较强的不确定性，加之外部因素如市场利率、物价等的变化，使其价值具有较强的波动性

经典题解

【例题2·判断题】企业的投资活动涉及企业的未来经营发展方向和规模等重大问题，投资管理属于企业的程序化管理。（　　）

【解析】企业投资活动往往属于非程序化管理，体现在涉及资金数额较大、投资项目影响的时间较长、涉及企业的未来经营发展方向和规模等重大问题几个方面。

【答案】×

三、企业投资的分类★★

标志	种类	含义
按投资活动与企业本身生产经营活动的关系	直接投资	是将资金直接投放于形成生产经营能力的实体性资产，直接谋取经营利润的企业投资
	间接投资	是将资金投放于股票、债券、基金等资产上的企业投资。间接投资方不直接介入具体生产经营过程
按投资对象的存在形态和性质	项目投资	企业可以通过投资购买具有实质内涵的经营资产，包括有形资产和无形资产 【提示】项目投资属于直接投资
	证券投资	购买证券资产的投资，证券属于金融资产 【提示】证券投资属于间接投资
按投资活动对企业未来生产经营前景的影响	发展性投资	也可以称为战略性投资，是指对企业未来的生产经营发展全局有重大影响的企业投资 【提示】如转换新行业和开发新产品投资、大幅度扩大生产规模的投资以及企业间兼并合并的投资等
	维持性投资	也可以称为战术性投资，是为了维持企业现有的生产经营正常顺利进行，不会改变企业未来生产经营发展全局的企业投资 【提示】如配套流动资金投资、更新替换旧设备的投资等
按投资活动资金投出的方向	对内投资	指在本企业范围内部的资金投放，用于购买和配置各种生产经营所需的经营性资产
	对外投资	指通过换取股权、购买证券资产、合作经营、联合投资等投资方式，向企业外部其他单位投放资金
按投资项目之间的相互关联关系	独立投资	是相容性投资，各个投资项目之间互不关联、互不影响，可以同时存在
	互斥投资	是非相容性投资，各个投资项目之间相互关联、相互替代，不能同时存在

要点小贴士

直接投资与间接投资、项目投资与证券投资，两种投资分类方式的内涵和范围是一样的，只是分类角度不同。

名师点拨

战略影响全局，战术只影响局部。考试容易考教材中的举例。

要点小贴士

（1）对内投资都是直接投资；

（2）对外投资主要是间接投资，但也可能是直接投资。

【提示】按是否有明确的到期日，债券投资分为普通债券投资和永续债投资；按股东权利和义务的不同，股票投资可分为普通股股票投资和优先股股票投资；基金投资则代表一种信托关系，是一种收益权。

经典题解

【真题 3·单选题】下列投资活动中，属于间接投资的是（　　）。（2018 年卷Ⅱ）

A. 建设新的生产线　　B. 开办新的子公司

C. 吸收合并其他企业　　D. 购买公司债券

【解析】间接投资，是将资金投放于股票、债券等资产上的企业投资。

【答案】D

【真题 4·多选题】按照企业投资的分类，下列各项中，属于发展性投资的有（　　）。（2016 年）

A. 企业间兼并收购的投资　　B. 更新替换旧设备的投资

C. 大幅度扩大生产规模的投资　　D. 开发新产品的投资

【解析】发展性投资也可以称为战略性投资，是指对企业未来的生产经营发展全局有重大影响的企业投资；维持性投资也可以称为战术性投资，是为了维持企业现有的生产经营正常顺利进行，不会改变企业未来生产经营发展全局的企业投资。选项 A、C、D 为发展性投资，选项 B 为维持性投资。

【答案】ACD

> 真题点拨
>
> 本章投资的直接、间接的区分是按投资对象的不同分类；第 4 章筹资的直接、间接的区分是按是否通过金融中介融资的不同分类。投资的直接、间接与对应筹资的直接、间接没有必然联系。

【真题 5·判断题】某投资者进行间接投资，与其交易的筹资者是在进行直接筹资；某投资者进行直接投资，与其交易的筹资者是在进行间接筹资。（　　）（2015 年）

【解析】直接筹资，是企业直接与资金供应者协商融通资金的筹资活动；间接筹资，是企业借助于银行和非银行金融机构而筹集资金。间接投资是将资金投放于股票、债券等资产上的企业投资，即把资金投给外部的相关主体，会产生与其交易的筹资者，如果该筹资者自己发行股票和债券筹集资金，此筹资者是进行直接筹资；但是如果该筹资者是将其持有的其他公司的股票或债券出售获取资金，这并不属于筹资行为。直接投资是将资金直接投放于形成生产经营能力的实体性资产，直接谋取经营利润的企业投资，并不是把资金投给企业外部的相关主体，不会产生与其交易的筹资者。总之投资的直接、间接与筹资的直接、间接没有必然联系。

【答案】×

四、投资管理的原则★

原则	内容
可行性分析原则	可行性分析的内容包括环境可行性、技术可行性、市场可行性、财务可行性等方面
结构平衡原则	如何合理配置资源，使有限的资金发挥最大的效用
动态监控原则	指对投资项目实施过程中的进程控制

经典题解

【例题6·判断题】在投资项目可行性研究中，项目具备财务可行性和技术可行性，就可以做出该项目应当投资的决策。（　　）

【解析】投资项目可行性主要包括环境可行性、技术可行性、市场可行性、财务可行性等方面。

【答案】×

第二节 投资项目财务评价指标

使用“会计云课堂”App或“微信”扫码查看本节视频，快速GET知识点。

一、项目现金流量★★★

（一）现金流量的含义

含义	由一项长期投资方案所引起的在未来一定期间所发生的现金收支，叫作现金流量（cash flow）。其中，现金收入称为现金流入量，现金支出称为现金流出量，现金流入量与现金流出量相抵后的余额，称为现金净流量（net cash flow，简称NCF）
分析的意义	现金流量是投资项目财务可行性分析的主要分析对象，对于投资方案财务可行性来说，项目的现金流量状况比会计期间盈亏状况更为重要。一个投资项目能否顺利进行，有无经济效益，不一定取决于有无会计期间利润，而在于能否带来正现金流量

要点小贴士

（1）在一般情况下，投资决策中的现金流量通常指现金净流量（NCF）。

（2）所谓的现金既包括库存现金、银行存款等货币性资产，也可以包括相关非货币性资产（如原材料、设备等）的变现价值。

经典题解

【真题7·判断题】投资项目是否具有财务可行性，完全取决于该项目在整个寿命周期内获得的利润总额是否超过整个项目投资成本。（　　）（2019年卷Ⅱ）

【解析】对于投资方案财务可行性来说，项目的现金流量状况比会计期间盈亏状况更为重要。项目是否可行的关键是看能否获得超过项目投资的现金回收。

【答案】×

要点小贴士

现金流量与利润相比，一是现金流量受会计方法影响小。二是现金流量按照收付的时点确定，便于正确考虑时间价值。

（二）现金流量确定的假设

全投资假设	在确定项目的现金流量时，仅站在投资者立场考虑全部投资的运行情况，而不具体区分自有资金和借入资金等具体形式的现金流量。即使实际存在借入资金，也将其作为自有资金对待（但在计算固定资产原值和投资总额时，还需要考虑借款利息因素）
现金流量时点假设	为便于利用货币时间价值的形式，不论现金流量具体内容所涉及的价值指标实际上是时点指标还是时期指标，均假设按照年初或年末的时点指标处理。其中，建设投资在建设期内有关年度的年初或年末发生，流动资金投资则在年初发生；经营期内各年的收入、成本、折旧、摊销、利润、税金等项目的确认均在年末发生；项目最终报废或清理均发生在终结点（但更新改造项目除外）

要点小贴士

在计算现金流量时不能把利息支出作为现金支出，但是在计算折旧时，折旧所利用的固定资产原值是含资本化利息的。

（三）投资项目的经济寿命周期

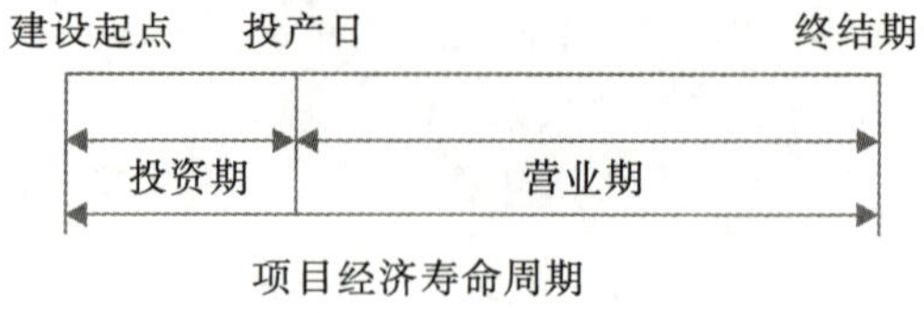

（四）现金流量的构成

要点小贴士

（1）投资期现金净流量 =－投资额。

（2）为简化计算，考试时垫支的营运资金在营业期的流入、流出过程忽略不计，只考虑投资期投入，终结期收回对现金流量的影响。

- 投资期现金净流量
  - 长期资产投资（包括固定资产、无形资产、递延资产等）
  - 垫支的营运资金 = 追加的流动资产扩大量 － 结算性流动负债扩大量
    = 增加的经营性流动资产 － 增加的经营性流动负债
- 营业期现金净流量（NCF）
  - = 营业收入 － 付现成本 － 所得税
  - = 税后营业利润 + 非付现成本
  - = 营业收入 ×（1－所得税税率）－ 付现成本 ×（1－所得税税率）+ 非付现成本 × 所得税税率
- 终结期回收现金流量
  - 固定资产变价净收入
  - 固定资产变现净损益对现金净流量的影响
  - 垫支营运资金的收回

经典题解

【例题 8 · 单选题】某设备预计投产后，第一年年初需要增加的流动资产需要额为 30 万元，增加的结算性流动负债额为 10 万元。需要垫支的营运资金投资额是（　　）万元。

A. 10　　B. 20　　C. 30　　D. 40

【解析】垫支的营运资金投资额 =30－10=20（万元）。

【答案】B

【提示 1】

①非付现成本主要是固定资产年折旧费用、长期资产摊销费用、资产减值损失等。

名师点拨

三种方法的计算结果完全一致，考试比较常用的是公式 2 和公式 3。考试时按照数据的可获得性，哪个方便用哪个。

②营业现金净流量三个公式之间推导过程如下：

营业现金净流量

= 营业收入 － 付现成本 － 所得税　（公式 1）

= 营业收入 －（营业成本 － 非付现成本）－ 所得税

= 营业收入 － 营业成本 + 非付现成本 － 所得税

= 税后营业利润 + 非付现成本　（公式 2：间接法）

=（营业收入 － 付现成本 － 非付现成本）×（1－ 所得税税率）+ 非付现成本

= 营业收入 ×（1－ 所得税税率）－ 付现成本 ×（1－ 所得税税率）+ 非付现成本 × 所得税税率　（公式 3：直接法）

【提示 2】最后一年现金净流量 = 营业现金净流量 + 终结期回收现金流量。

经典题解

【真题 9·单选题】某项目投产后销售收入为 1000 万元，年付现成本为 600 万元，年折旧费为 100 万元，假定不存在利息与其他费用，企业所得税税率为 25%，则投产后的年营业现金净流量为（　　）万元。（2021 年卷Ⅲ）

A. 325　　B. 300　　C. 1225　　D. 1175

【解析】按照公式 3：年营业现金净流量 = 税后营业收入 − 税后付现成本 + 非付现成本抵税 =1000×（1−25%）−600×（1−25%）+100×25%=325（万元）

按照公式 2：年营业现金净流量 = 税后营业利润 + 非付现成本 =（1000−600−100）×（1−25%）+100=325（万元）

按照公式 1：年营业现金净流量 = 营业收入 − 付现成本 − 所得税 =1000−600−（1000−600−100）×25%=325（万元）。

【答案】A

【提示】2017 年卷Ⅱ试题与此题的考查角度一致。

> **真题点拨**
>
> 当考试给出收入、成本等要素，用直接法会更快捷，但是如果考试直接给出了利润，用间接法更方便。本题很显然用直接法更简单。

【真题 10·判断题】在固定资产投资决策中，当税法规定的净残值和预计净残值不同时，终结期现金流量的计算一般应考虑所得税的影响。（　　）（2018 年卷Ⅱ）

【解析】固定资产变现净损益对现金净流量的影响 =（账面净残值 − 预计的净残值）× 所得税税率，因此本题说法正确。

【答案】√

【真题 11·多选题】在考虑所得税影响的情况下，下列可用于计算营业现金净流量的算式中，正确的有（　　）。（2015 年）

A. 税后营业利润 + 非付现成本

B. 营业收入 − 付现成本 − 所得税

C.（营业收入 − 付现成本）×（1− 所得税税率）

D. 营业收入 ×（1− 所得税税率）+ 非付现成本 × 所得税税率

【解析】营业现金净流量 = 营业收入 − 付现成本 − 所得税 = 税后营业利润 + 非付现成本 = 营业收入 ×（1− 所得税税率）− 付现成本 ×（1− 所得税税率）+ 非付现成本 × 所得税税率。选项 A、B 正确。

【答案】AB

【例题 12·计算分析题】A 公司找到一个投资机会，该项目投资建设期为 2 年，营业期为 5 年，预计该项目需固定资产投资 750 万元，分两年每年年初等额投入。会计部门估计每年固定成本（不含折旧）为 40 万元，变动成本是每件 180 元。固定资产折旧采用直线法，折旧年限为 5 年，估计净残值为 50 万元。营销部门估计各年销售量均为 40000 件，单价 250 元 / 件。生产部门估计需要 250 万元的营运资金投资，在投产开始时一次投入。为简化计算，假设没有所得税。

要求：计算各年的净现金流量。

> **解题攻略**
>
> 如果考试说不考虑所得税，只要将公式中的所得税税率视为 0 即可。

【答案】

NCF_0=-750/2=-375（万元）

NCF_1=-375万元

NCF_2=-250万元

$NCF_{3\sim6}$=4×250-4×180-40=240（万元）

NCF_7=240+250+50=540（万元）。

二、净现值（NPV）★★★

计算公式	净现值（NPV）=未来现金净流量现值－原始投资额现值
决策原则	净现值为正，方案可行，说明方案的实际投资收益率高于所要求的收益率 净现值为负，方案不可行，说明方案的实际投资收益率低于所要求的收益率 净现值为零时，说明方案的投资收益刚好达到所要求的投资收益，方案也可行
经济含义	投资方案收益超过基本收益后的剩余收益
贴现率的参考标准	（1）市场利率 （2）预期最低投资收益率 （3）企业平均资本成本率
优点	（1）适用性强，能基本满足项目年限相同的互斥投资方案决策 （2）能灵活地考虑投资风险
缺点	（1）所采用的贴现率不易确定，如果两方案采用不同的贴现率贴现，采用净现值法不能够得出正确结论 （2）不适用于独立投资方案的比较决策 （3）不能直接用于对寿命期不同的互斥投资方案进行决策

要点小贴士

净现值小于0，并不是说该方案为亏损方案，只是该方案的收益较小，没有达到投资人要求的最低基本收益。

经典题解

【真题13·多选题】采用净现值法评价投资项目可行性时，贴现率选择的依据通常有（　　）。（2017年卷Ⅱ）

A. 市场利率　　B. 期望最低投资收益率

C. 企业平均资本成本率　　D. 投资项目的内含收益率

【解析】内含收益率是方案本身的收益率，是使净现值等于零时的贴现率，不能作为计算净现值的贴现率。

【答案】ABC

【例题14·单选题】甲公司计划投资一条新的生产线，项目开始时一次性总投资900万元，投资建设期为3年，使用期为10年，无残值，营业期每年可产生税后营业利润160万元。若资本成本率为9%，则甲公司该项目的净现值为（　　）万元。[已知：（P/A，9%，13）=7.4869，（P/A，9%，10）=6.4177，（P/A，9%，3）=2.5313]

A. 93.9　　B. 338.9　　C. 676.1　　D. 1239.9

【解析】经营期每年现金净流量＝税后营业利润＋折旧 =160+900/10=250（万元）

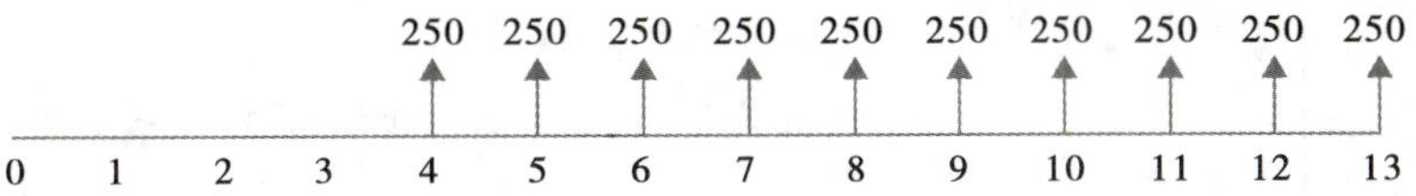

由上图可知，经营期每年现金净流量属于递延年金，递延期是 3 期，等额收付的次数是 10 次，因此未来现金净流量现值 =250×［(P/A，9%，13）－（P/A，9%，3)]，该项目的净现值 =–900+250×［(P/A，9%，13）－（P/A，9%，3)］=–900+250×（7.4869–2.5313）=338.9（万元），选项 B 正确。

【答案】B

三、年金净流量（ANCF）★★★

计算公式	年金净流量（ANCF）＝现金净流量总现值 / 年金现值系数＝现金净流量总终值 / 年金终值系数 【提示】年金净流量＝净现值 / 年金现值系数
决策原则	年金净流量指标的结果大于或等于零，说明方案可行。在两个以上寿命期不同的投资方案比较时，年金净流量越大，方案越好
特点	优点：克服了净现值法无法对期限不同的投资方案决策的缺点 缺点：不便于对原始投资额现值不等的独立投资方案进行决策

要点小贴士

属于净现值法的辅助方法，在各方案寿命期相同时，与净现值法决策结果一致。

经典题解

【例题 15·判断题】某投资项目需要在第一年年初投资 2000 万元，寿命期为 10 年，每年可带来现金净流量 600 万元，已知投资人要求的必要收益率为 10%，则该投资项目的年金净流量计算公式为“600–2000/（P/A，10%，10)”。(　　)

【解析】投资项目的年金净流量＝［600×（P/A，10%，10）–2000］/（P/A，10%，10）=600–2000/（P/A，10%，10)。

【答案】√

四、现值指数（PVI）★★

计算公式	现值指数（PVI）＝未来现金净流量现值 / 原始投资额现值 =1+ 净现值 / 原始投资额现值
决策原则	若现值指数大于或等于 1，方案可行
特点	优点：克服了净现值法无法对投资规模不同的独立投资方案进行比较和评价的缺点 缺点：仅代表获得收益的能力，不能等价于项目本身的实际收益率

要点小贴士

属于净现值法的辅助方法，在各方案原始投资额现值相同时，与净现值法决策结果一致。

经典题解

【真题16·判断题】在独立投资方案决策中，只要方案的现值指数大于0，该方案就具有财务可行性。(　　)(2021年卷Ⅱ)

【解析】现值指数大于1，方案具有财务可行性，说明方案实施后的投资收益率高于必要收益率。

【答案】×

【例题17·单选题】已知某投资项目的原始投资额现值为100万元，净现值为25万元，则该项目的现值指数为(　　)。

A. 0.25　　B. 0.75

C. 1.05　　D. 1.25

【解析】现值指数=1+净现值/原始投资额现值=1+25/100=1.25。选项D正确。

【答案】D

五、内含收益率（IRR）★★★

含义	内含收益率（internal rate of return），是指使投资方案未来的每年现金净流量的现值恰好与原始投资额现值相等，从而使净现值等于零时的贴现率
计算方法	方法1：“逐次测试法”，它适合于未来各期现金净流量不相等的非年金形式 方法2：“年金法”，它适合于未来各期现金净流量相等的年金形式，可直接利用年金现值系数表结合插值法来确定
优点	（1）反映了投资项目可能达到的收益率，易于被高层决策人员所理解 （2）对于独立投资方案的比较决策，如果各方案原始投资额现值不同，可以通过计算各方案的内含收益率，反映各独立投资方案的获利水平
缺点	（1）计算复杂，不易直接考虑投资风险大小 （2）在互斥投资方案决策时，如果各方案的原始投资额现值不相等，有时无法作出正确的决策

要点小贴士

（1）NPV、PVI、ANCF都可以直接考虑风险：因为投资人要求的必要收益率=无风险收益率+风险收益率，因此可以根据风险大小调整折现率，进而影响指标的高低；

（2）IRR的指标大小不受折现率高低的影响，所以不易直接考虑投资风险大小。

经典题解

【真题18·单选题】某投资项目在折现率为10%时，净现值为100万元；折现率为14%时，净现值为-150万元。则该项目的内含收益率为(　　)。(2021年卷Ⅱ)

A. 12.4%　　B. 11.33%

C. 11.6%　　D. 12.67%

【解析】内含收益率是使净现值等于零时的贴现率。采用内插法，(IRR-10%)/(14%-10%)=(0-100)/(-150-100)，IRR=(0-100)/(-150-100)×(14%-10%)+10%=11.6%。

【答案】C

【真题 19 · 单选题】下列各项中，不会影响项目投资内含收益率大小的是（　　）。（2021 年卷Ⅲ）

A. 项目寿命期

B. 营业现金净流量

C. 资本成本率

D. 原始投资额

【解析】内含收益率是使净现值等于零时的贴现率，即令“未来现金净流量现值－原始投资额现值 =0”的贴现率，项目寿命期、营业现金净流量、原始投资额均会影响其计算结果，而项目的资本成本率不会影响内含收益率的大小。

【答案】C

【真题 20 · 单选题】关于项目决策的内含收益率法，下列表述正确的是（　　）。（2020 年卷Ⅲ）

A. 项目的内含收益率大于 0，则项目可行

B. 内含收益率指标有时无法对互斥方案作出正确决策

C. 内含收益率指标没有考虑资金时间价值因素

D. 内含收益率不能反映投资项目可能达到的收益率

【解析】内含收益率大于必要投资收益率时方案可行，选项 A 错误；在互斥投资方案决策时，如果各方案的原始投资额现值不相等，内含收益率指标有时无法作出正确的决策，选项 B 正确；内含收益率指标考虑了资金时间价值，选项 C 错误；内含收益率能够反映投资项目可能达到的收益率，选项 D 错误。

【答案】B

【真题 21 · 多选题】某项目需要在第一年年初投资 76 万元，寿命期为 6 年，每年末产生现金净流量 20 万元。已知（P/A，14%，6）=3.8887，（P/A，15%，6）=3.7845。若公司根据内含收益率法认定该项目具有可行性，则该项目的必要投资收益率不可能为（　　）。（2018 年卷Ⅰ）

A. 16%　　B. 13%　　C. 14%　　D. 15%

【解析】根据题目可知：20×（P/A，内含收益率，6）−76=0，（P/A，内含收益率，6）=3.8，因此内含收益率在 14%~15% 之间。又因为项目具有可行性，所以内含收益率大于必要收益率，必要收益率不能大于等于 15%，即选项 A、D 正确。

【答案】AD

【易错易混点】以上四个指标之间的比较。

比较	内容
相同点	第一，都考虑了货币时间的价值 第二，都考虑了项目计算期全部的现金流量 第三，在评价单一方案可行与否的时候，结论一致 当净现值＞0 时，年金净流量＞0，现值指数＞1，内含收益率＞要求的收益率 当净现值 =0 时，年金净流量 =0，现值指数 =1，内含收益率 = 要求的收益率 当净现值＜0 时，年金净流量＜0，现值指数＜1，内含收益率＜要求的收益率

比较	内容				
区别点	项目	净现值	年金净流量	现值指数	内含收益率
	指标反映的收益特性	衡量投资的效益	衡量投资的效益	衡量投资的效率	衡量投资的效率
	是否受设定贴现率的影响	是（反向）	是（反向）	是（反向）	否
	是否反映项目投资方案本身收益率	否	否	否	是
	是否能对原始投资额不相等的独立投资方案进行决策	否	否	是	是
	是否直接考虑投资风险大小	是	是	是	不易直接考虑
	互斥投资方案的决策	寿命期相同的互斥方案选优	互斥方案选优	如果各方案的原始投资额现值不相等，有时无法作出正确的决策	

经典题解

【真题 22·判断题】对单个投资项目进行财务可行性评价时，利用净现值法和现值指数法所得出的结论是一致的。（　　）（2019 年卷Ⅰ）

【解析】现值指数法是净现值法的辅助方法，在各方案原始投资额现值相同时，实质上就是净现值法。对单个投资项目进行财务可行性评价时，净现值大于 0，现值指数大于 1，则项目可行，反之，则不可行。

【答案】√

解题攻略

利用净现值和内含收益率对单一方案评价结论一致的特点进行判断。若净现值＜0，则内含收益率＜预定折现率。

【例题 23·单选题】一般情况下，使某投资方案的净现值小于零的折现率（　　）。

A. 一定小于该投资方案的内含收益率

B. 一定大于该投资方案的内含收益率

C. 一定等于该投资方案的内含收益率

D. 可能大于也可能小于该投资方案的内含收益率

【解析】在其他条件不变的情况下，折现率越大，净现值越小，所以使某投资方案的净现值小于零的折现率，一定大于该投资方案的内含收益率。

【答案】B

六、回收期（PP）★★★

种类	含义与计算	特点
静态回收期	静态回收期没有考虑货币时间价值，直接用未来现金净流量累计到原始投资数额时所经历的时间作为静态回收期 计算方法： （1）未来每年现金净流量相等时： $静态回收期=\frac{原始投资额}{每年现金净流量}$ （2）未来每年现金净流量不相等时（设 M 是收回原始投资额的前一年）： $静态回收期=M+\frac{第M年的尚未回收额}{第(M+1)年的现金净流量}$	优点：计算简便，易于理解 缺点：静态回收期法的不足之处是没有考虑货币的时间价值；静态回收期和动态回收期计算回收期时只考虑了未来现金净流量（现值）总和中等于原始投资额（现值）的部分，没有考虑超过原始投资额（现值）的部分
动态回收期	动态回收期是指以未来现金净流量的现值等于原始投资额现值时所经历的时间 计算方法： （1）未来每年现金净流量相等时： 假定动态回收期为 n 年，则：（P/A，i，n）= 原始投资额现值 / 每年现金净流量 计算出年金现值系数后，通过查年金现值系数表，利用插值法，即可推算出动态回收期 n （2）未来每年现金净流量不相等时（设 M 是收回原始投资额现值的前一年）： $动态回收期=M+\frac{第M年的尚未回收额的现值}{第(M+1)年的现金净流量的现值}$	

要点小贴士

（1）可以大体上衡量风险。回收期越短，所冒风险越小；

（2）不能衡量盈利性：回收期这个指标没有考虑回收期满以后的现金流量，所以只能衡量流动性（即几年收回投资），不能衡量盈利性。

经典题解

【真题 24 · 多选题】下列投资项目财务评价指标中，考虑了项目寿命期内全部现金流量的有（　　）。（2021 年卷Ⅱ）

A. 现值指数　　B. 动态回收期

C. 年金净流量　　D. 内含收益率

【解析】计算动态回收期时只考虑了未来现金净流量现值总和中等于原始投资额现值的部分，没有考虑超过原始投资额现值的部分。因此选项 B 错误。

【答案】ACD

【真题 25 · 判断题】如果投资项目 A 的动态回收期小于投资项目 B，那么项目 A 的收益率高于项目 B。（　　）（2021 年卷Ⅲ）

【解析】计算动态回收期没有考虑回收期满以后的现金流量，不能衡量项目收益率的高低。

【答案】×

【真题26·单选题】采用静态回收期法进行项目评价时，下列表述错误的是（　　）。（2020年卷Ⅱ）

A. 若每年现金净流量不相等，则无法计算静态回收期

B. 静态回收期法没有考虑资金时间价值

C. 若每年现金净流量相等，则静态回收期等于原始投资额除以每年现金净流量

D. 静态回收期法没有考虑回收期后的现金流量

【解析】若每年现金净流量不相等时，设M是收回原始投资额的前一年：静态回收期 $=M+\dfrac{\text{第M年的尚未回收额}}{\text{第（M+1）年的现金净流量}}$，所以选项A错误。

【答案】A

真题扩展

投资期的净现金流量=-原始投资额=-（45000+5000）=-50000（元）。

【真题27·单选题】某投资项目需在开始时一次性投资50000元，其中固定资产投资为45000元，营运资金垫支5000元，没有建设期。各年营业现金净流量分别为：10000元、12000元、16000元、20000元、21600元、14500元。则该项目的静态投资回收期是（　　）年。（2016年）

A. 3.35　　B. 4.00

C. 3.60　　D. 3.40

【解析】

单位：元

年份（年）	0	1	2	3	4	5	6
NCF	-50000	10000	12000	16000	20000	21600	14500
累计NCF	-50000	-40000	-28000	-12000	8000	略	略

静态回收期 = 最后一项为负值的累计现金净流量对应的年数 + $\dfrac{\text{最后一项为负值的累计现金净流量绝对值}}{\text{下一年度现金净流量}}$ =3+12000/20000=3.6（年）。

【答案】C

【真题28·单选题】某公司计划投资建设一条新生产线，投资总额为60万元，预计新生产线投产后每年可为公司新增净利润4万元，生产线的年折旧额为6万元，则该投资的静态回收期为（　　）年。（2015年）

A. 5　　B. 6

C. 10　　D. 15

【解析】静态投资回收期 = 原始投资额 / 每年现金净流量，每年现金净流量 = 税后营业利润 + 折旧 =4+6=10（万元），原始投资额为60万元，所以静态投资回收期 =60/10=6（年），选项B正确。

【答案】B

【易错易混点】指标之间的关系（假设投产后每年营业现金净流量为正数）。

评价指标	净现值、年金净流量、现值指数、内含收益率	动态回收期	静态回收期
现金流量	考虑寿命期全部现金流量	只考虑回收期满以前的现金流量	
时间价值	考虑	考虑	不考虑
指标间的关系	NPV＞0，ANCF＞0，PVI＞1，IRR＞基准折现率	动态 PP＜寿命期	静态 PP＜寿命期
	NPV=0，ANCF=0，PVI=1，IRR=基准折现率	动态 PP=寿命期	静态 PP＜寿命期
	NPV＜0，ANCF＜0，PVI＜1，IRR＜基准折现率	动态 PP＞寿命期	静态 PP 不一定

经典题解

【真题 29·多选题】某项目的原始投资在建设期起点一次性投入，若不考虑其他因素的影响，当贴现率下降时，下列指标会变大的有（　　）。（2021 年卷Ⅲ）

A. 动态回收期　B. 净现值　C. 内含收益率　D. 现值指数

【解析】净现值和现值指数的指标大小与贴现率的变动方向相反，选项 B、D 正确；动态回收期的指标大小与贴现率的变动方向相同，所以贴现率下降，动态回收期也变小，选项 A 错误；内含收益率不受贴现率的影响，选项 C 错误。

【答案】BD

真题点拨

（1）净现值、现值指数、年金净流量的指标大小与贴现率的变动方向相反；

（2）动态回收期的指标大小与贴现率的变动方向相同；

（3）内含收益率和静态回收期的指标大小不受贴现率高低的影响。

【真题 30·多选题】下列投资项目评价指标中，考虑了资金时间价值因素的有（　　）。（2020 年卷Ⅱ）

A. 内含收益率　B. 净现值　C. 年金净流量　D. 动态回收期

【解析】以上四个选项均考虑了货币时间价值因素。

【答案】ABCD

真题点拨

教材介绍的指标中只有静态回收期没考虑资金时间价值，其他指标均考虑了资金时间价值。

【真题 31·单选题】某投资项目只有第一年年初产生现金净流出，随后各年均产生现金净流入，且其动态回收期短于项目的寿命期，则该投资项目的净现值（　　）。（2019 年卷Ⅰ）

A. 大于 0　B. 无法判断　C. 等于 0　D. 小于 0

【解析】动态回收期是未来现金净流量的现值等于原始投资额现值时所经历的时间。本题中动态回收期短于项目的寿命期，所以项目未来现金净流量现值大于项目原始投资额现值。净现值 = 未来现金净流量现值 − 原始投资额现值，故净现值＞0。

【答案】A

真题点拨

“动态回收期短于项目的寿命期”，说明原始投资额现值被弥补完之后，项目仍在继续经营，未来仍有现金流入企业，所以项目未来现金净流量现值大于项目原始投资额现值。

【真题 32·单选题】如果某投资项目在建设起点一次性投入资金，随后每年都有正的现金净流量，在采用内含收益率对该项目进行财务可行性评价时，下列说法正确的是（　　）。（2019 年卷Ⅰ）

A. 如果内含收益率大于折现率，则项目净现值大于 1

B. 如果内含收益率大于折现率，则项目现值指数大于 1

C. 如果内含收益率小于折现率，则项目现值指数小于0

D. 如果内含收益率等于折现率，则项目动态回收期小于项目寿命期

【解析】内含收益率是使净现值等于零的贴现率。内含收益率大于项目折现率时，项目净现值大于0，即未来现金净流量现值＞原始投资额现值，现值指数＝未来现金净流量现值/原始投资额现值，故现值指数＞1，选项A错误、选项B正确。内含收益率小于项目折现率时，项目净现值小于0，现值指数小于1，但不一定小于0，选项C错误。内含收益率等于项目折现率时，项目动态回收期等于项目寿命期，选项D错误。

【答案】B

第三节　项目投资管理

使用“会计云课堂”App或“微信”扫码查看本节视频，快速GET知识点。

一、独立投资方案的决策★★

决策的实质	独立投资方案之间比较时，决策要解决的问题是如何确定各种可行方案的投资顺序，即各独立方案之间的优先次序
决策的方法	内含收益率法

二、互斥投资方案的决策★★★

要点小贴士

在寿命期相同时，净现值与年金净流量指标的决策结论一致，因此只需比较净现值即可。

（一）项目寿命相同时

决策方法	决策原则
净现值法、年金净流量法	选择净现值或年金净流量最大的方案为优

（二）项目寿命不相同时

决策方法	计算原理	决策原则
共同年限法	假设投资项目可以重置，通过重置使两个项目达到相同的年限，然后比较其净现值 【提示】通常选最小公倍数为共同年限	选择重置净现值最大的方案
年金净流量法	（1）计算两项目的净现值 （2）计算净现值的年金净流量 年金净流量＝该方案净现值/（P/A，i，n） （3）计算永续净现值 永续净现值＝年金净流量/资本成本i	若资本成本相同，选择年金净流量最大的方案 若资本成本不同，选择永续净现值最大的方案

要点小贴士

只有各方案的资本成本不一致时，才需要进一步计算永续净现值进行决策。

经典题解

【真题 33 · 单选题】对于两个寿命期相同、原始投资额现值不同的互斥投资方案，下列各项中，最为适用的决策指标是（　　）。（2021 年卷Ⅰ）

A. 内含收益率　　B. 净现值

C. 动态回收期　　D. 现值指数

【解析】在互斥投资方案的决策中，如果两个项目寿命期相同，可以直接采用净现值作为决策指标。如果两个项目寿命期不同，可采用共同年限法或年金净流量法。

【答案】B

【真题 34 · 单选题】对于寿命期不同的互斥投资方案，下列各项中，最为适用的决策指标是（　　）。（2021 年卷Ⅱ）

A. 动态回收期　　B. 净现值

C. 内含收益率　　D. 年金净流量

【解析】互斥决策以方案的获利数额作为评价标准，一般采用净现值法和年金净流量法进行选优决策。净现值指标受投资项目寿命期的影响，在项目寿命期不同的情况下，年金净流量是最为适用的决策指标。

【答案】D

【提示】2018 年卷Ⅱ试题与此题的考查角度一致。

【真题 35 · 单选题】某投资项目需要在第一年年初投资 840 万元，寿命期为 10 年，每年可带来营业现金流量 180 万元，已知按照必要收益率计算的 10 年期年金现值系数为 7.0，则该投资项目的年金净流量为（　　）万元。（2018 年卷Ⅱ）

A. 60　　B. 120　　C. 96　　D. 126

【解析】投资项目的年金净流量 =（180 × 7.0−840）/7.0=60（万元）。

【答案】A

【真题 36 · 判断题】净现值法可直接用于对寿命期不同的互斥投资方案进行决策。（　　）（2018 年卷Ⅱ）

【解析】净现值法不能直接用于对寿命期不同的互斥投资方案进行决策。

【答案】×

【例题 37 · 多选题】现有 A、B 两个互斥项目，A 项目的净现值为 50 万元，年限为 4 年；B 项目的净现值为 60 万元，年限为 6 年。假设折现率为 10%。在用共同年限法（用最小公倍数法确定共同年限）确定两个项目的优劣时，下列说法中正确的有（　　）。[已知：(P/F，10%，4）=0.6830，(P/F，10%，6）=0.5645，(P/F，10%，8）=0.4665]

A. 重置后 A 项目的调整后净现值为 73.40 万元

B. 重置后 A 项目的调整后净现值为 107.48 万元

C. 重置后 B 项目的调整后净现值为 37.70 万元

D. A 项目优于 B 项目

解题攻略

共同年限法可以通过重置方案自身的净现值，然后将重置的各净现值折现累计就能得到重置后的总净现值。

【解析】由于4和6的最小公倍数为12，因此A项目和B项目的共同年限为12年，A项目需要再重置两次，B项目需要再重置一次。

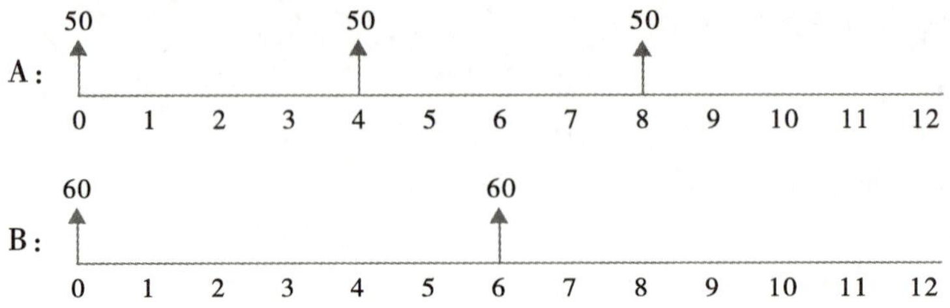

重置后A项目的调整后净现值 =50+50×（P/F，10%，4）+50×（P/F，10%，8）=50+50×0.6830+50×0.4665=107.48（万元），重置后B项目的调整后净现值 =60+60×（P/F，10%，6）=60+60×0.5645=93.87（万元），因此A项目优于B项目。

【答案】BD

三、固定资产更新决策★★★

生产能力	现金流量特点	寿命期	决策方法
更新改变生产能力	新、旧设备销售收入不同	寿命期相同时	选择净现值最大的方案为优
		寿命期不同时	选择年金净流量最大的方案为优
更新不改变生产能力	新、旧设备销售收入相同，属于非相关现金流量	寿命期相同时	“负的净现值”在金额上等于“现金流出总现值”，决策时应选择现金流出总现值较低者
		寿命期不同时	“负的年金净流量”在金额上等于“年金成本”，决策时应选择年金成本较低者

要点小贴士

固定资产的变现价值或最终残值不计入利润表，不影响损益，所以本身是不考虑所得税的。

【提示】

（1）继续使用旧设备的初始现金流量 = 丧失的变现流量 =-（变现价值 + 变现净损失 × 所得税税率）

或：=-（变现价值 - 变现净收益 × 所得税税率）

如果：变现价值 - 账面净值＞0，则意味着发生了变现净收益，应该纳税；

如果：变现价值 - 账面净值＜0，则意味着发生了变现净损失，可以抵税。

其中：账面净值 = 原值 - 已提折旧

要点小贴士

项目终结回收残值的现金流量和继续使用旧设备的初始现金流量的计算原理一致，只不过一个是丧失的，一个是真正得到的。

（2）项目终结回收残值的现金流量 = 最终残值 + 残值净损失 × 所得税税率

或：项目终结回收残值的现金流量 = 最终残值 - 残值净收益 × 所得税税率

如果：最终残值 - 税法账面净残值＞0，则意味着发生了残值净收益，应该纳税；

如果：最终残值 - 税法账面净残值＜0，则意味着发生了残值净损失，可以抵税。

（3）设备重置方案运用年金成本方法决策时，残值变价收入应作为现金流出的抵减项考虑。

经典题解

【真题38·单选题】在固定资产更新决策中，旧设备原值为1000万元，累计折旧为800万元，变价收入为120万元，企业所得税税率为25%。不考虑其他因素。旧设备变现产生的现金净流量为（　　）。（2021年卷Ⅰ）

A. 150万元　　B. 100万元　　C. 140万元　　D. 90万元

【解析】旧设备账面净值=原值－已提折旧=1000-800=200（万元）

变现价值－账面净值=120-200=-80（万元），说明产生了变现净损失80万元。

旧设备变现产生的现金净流量=120+80×25%=140（万元）。

【答案】C

【真题39·多选题】运用年金成本法对设备重置方案进行决策时，应考虑的现金流量有（　　）。（2017年卷Ⅱ）

A. 旧设备年营运成本

B. 旧设备残值变价收入

C. 旧设备的初始购置成本

D. 旧设备目前的变现价值

真题点拨

旧设备变现净损益对所得税的影响属于相关现金流量，在计算的过程中会使用到账面价值（根据初始购置成本计算），但是并不能说明初始购置成本也属于相关现金流量，初始购置成本已经发生，是沉没成本，因此不会影响设备重置方案的决策结果，属于无关现金流量。

【解析】设备重置方案运用年金成本法决策时，应考虑的现金流量主要包括：①新旧设备目前市场价值；②新旧设备残值变价收入；③新旧设备的年营运成本，即年付现成本。旧设备的初始购置成本是沉没成本，不需要考虑，选项C错误。

【答案】ABD

【真题40·单选题】某公司预计M设备报废时的净残值为3500元，税法规定净残值为5000元，该公司适用的所得税税率为25%，则该设备报废引起的预计现金净流量为（　　）元。（2015年）

A. 3125　　B. 3875

C. 4625　　D. 5375

【解析】报废时最终残值－税法规定的净残值=3500-5000=-1500（元），说明产生了残值净损失1500元，该设备报废引起的预计现金净流量=报废时净残值+残值净损失×所得税税率=3500+1500×25%=3875（元）。

【答案】B

【总结】多方案决策的主要方法选择：

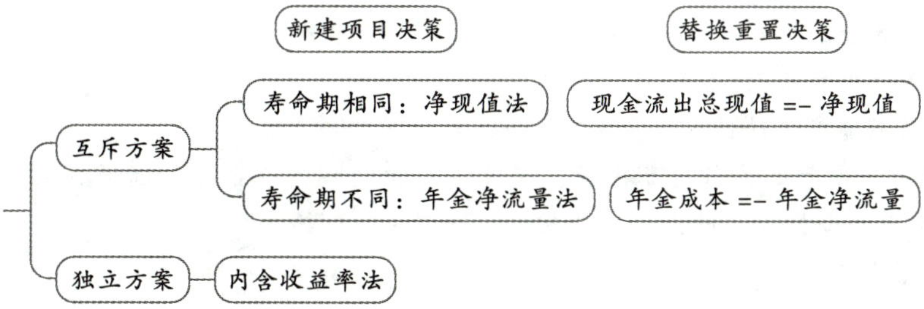

第四节　证券投资管理

使用“会计云课堂”App或“微信”扫码查看本节视频，快速GET知识点。

一、证券资产的特点★★

特点	内容
价值虚拟性	证券资产不能脱离实体资产而完全独立存在，但其价值不是完全由实体资本的现实生产经营活动决定的，而是取决于契约性权利所能带来的未来现金流量的现值
可分割性	实体项目投资的经营资产一般不可分割，具有整体性要求；证券资产可以分割为一个最小的投资单位
持有目的多元性	为了未来变现、出售获取资本利得，也可能是为了获得对其他企业的控制权
强流动性	①变现能力强；②持有目的可以相互转换
高风险性	投资证券资产会受公司风险和市场风险的双重影响 【提示】一般来说，股票投资相比债券投资具有更高的风险，而证券投资基金作为对股票或债券的组合投资方式，其风险水平视构成资产的具体情况而定

二、证券投资的目的★

（1）分散资金投向，降低投资风险；
（2）利用闲置资金，增加企业收益；
（3）稳定客户关系，保障生产经营；
（4）提高资产流动性，增强偿债能力。

经典题解

真题点拨

有时考试会出一些比较灵活的题目，教材并没有原文，这就要求我们通过自己的理解来解答这种题，有些题可以利用常识来进行判断分析。

【真题41·单选题】一般认为，企业利用闲置资金进行债券投资的主要目的是（　　）。（2017年卷Ⅰ）

A. 控制被投资企业

B. 谋取投资收益

C. 降低投资风险

D. 增强资产流动性

【解析】由于是进行债券投资，因此不能控制被投资企业，选项A错误；债券相比较货币资金投资风险大、流动性弱，选项C、D错误。

【答案】B

三、证券投资的风险★★

（一）系统性风险（不可分散风险）

种类	含义
价格风险	指由于市场利率上升，而使证券资产价格普遍下跌的可能性 【提示】当证券资产持有期间的市场利率上升，证券资产价格就会下跌，证券资产期限越长，投资者遭受的损失越大。到期风险附加率，就是对投资者承担利率变动风险的一种补偿，期限越长的证券资产，要求的到期风险附加率就越大
再投资风险	指由于市场利率下降，造成的无法通过再投资而实现预期收益的可能性
购买力风险	指由于通货膨胀而使货币购买力下降的可能性

要点小贴士

市场利率变动和通货膨胀会影响所有的证券，所以这三个风险都是不可分散的系统性风险。

（二）非系统性风险（可分散风险）

种类	含义
违约风险	指证券资产发行者无法按时兑付证券资产利息和偿还本金的可能性
变现风险	指证券资产持有者无法在市场上以正常的价格平仓出货的可能性
破产风险	指在证券资产发行者破产清算时投资者无法收回应得权益的可能性

名师点拨

我们经常说政府债券几乎没有风险，这个没有风险是针对非系统性风险而言的。

经典题解

【真题42·单选题】关于证券投资的风险，下列说法错误的是（　　）。（2020年卷Ⅰ）

A. 价格风险属于系统风险

B. 购买力风险属于系统风险

C. 违约风险属于系统风险

D. 破产风险属于非系统风险

【解析】非系统风险包括违约风险、变现风险、破产风险。系统风险包括价格风险、再投资风险、购买力风险。违约风险属于非系统风险，选项C错误。

【答案】C

【真题43·单选题】某公司预期未来市场利率上升而将闲置资金全部用于短期证券投资，而到期时市场利率却大幅度下降，这意味着公司的证券投资出现（　　）。（2020年卷Ⅱ）

A. 再投资风险　　B. 购买力风险

C. 汇率风险　　D. 变现风险

【解析】再投资风险是由于市场利率下降所造成的无法通过再投资而实现预期收益的可能性。

【答案】A

【真题44·单选题】下列各项中，属于非系统风险的是（ ）。（2020年卷Ⅲ）

A. 由于利率上升而导致的价格风险

B. 由于通货膨胀而导致的购买力风险

C. 由于公司经营不善而导致的破产风险

D. 由于利率下降而导致的再投资风险

【解析】系统风险包括价格风险、再投资风险和购买力风险。非系统风险包括违约风险、变现风险和破产风险。

【答案】C

【真题45·单选题】下列各项中，属于系统性风险的是（ ）。（2019年卷Ⅱ）

A. 变现风险　　B. 违约风险

C. 破产风险　　D. 购买力风险

【解析】证券资产的系统性风险主要包括：价格风险、再投资风险、购买力风险。选项A、B、C属于证券资产的非系统风险。

【答案】D

【真题46·单选题】某ST公司在2018年3月5日宣布其发行的公司债券本期利息总额8980万元将无法于原定付息日2018年3月9日全额支付，仅能够支付500万元，则该公司债券的投资者面临的风险是（ ）。（2018年卷Ⅰ）

A. 价格风险　　B. 购买力风险

C. 变现风险　　D. 违约风险

【解析】违约风险是指证券资产发行者无法按时兑付证券资产利息和偿还本金的可能性。

【答案】D

【真题47·判断题】企业投资于某公司证券可能因该公司破产而引发无法收回其本金的风险，这种风险属于非系统风险。（ ）（2018年卷Ⅰ）

【解析】非系统性风险是公司特有风险，公司特有风险是以违约风险、变现风险、破产风险等形式表现出来的。破产风险是指在证券资产发行者破产清算时投资者无法收回应得权益的可能性。

【答案】√

四、债券投资★★★

（一）债券的基本要素

基本要素	提示
债券面值	到期还本额
票面利率	利息＝面值×票面利率
付息方式	付息时点
债券到期日	持有期限

（二）债券的价值

1. 债券价值的含义

未来债券现金流入的现值，称为债券的价值或债券的内在价值，也可称为债券的理论价格。

2. 基本公式

债券价值 = 未来各期利息收入的现值合计 + 未来到期本金或售价的现值

【提示】一般来说，经常采用市场利率作为评估债券价值时所期望的最低投资收益率。

> **要点小贴士**
>
> 这部分计算内容与第 5 章中的债券价值评估公式一致，可以按前述内容统一掌握估值的计算技巧。

经典题解

【真题 48 · 单选题】债券内在价值计算公式中不包含的因素是（　　）。（2018 年卷Ⅰ）

A. 债券市场价格

B. 债券面值

C. 债券期限

D. 债券票面利率

【解析】影响债券内在价值的因素主要有债券的面值、期限、票面利率和所采用的贴现率等因素。债券的市场价格不影响债券内在价值。

【答案】A

3. 决策原则

当债券价值＞购买价格时，可以购买；

当债券价值＜购买价格时，放弃购买。

4. 债券价值的影响因素

因素	当其他因素不变，只变单一因素的影响
面值	面值越大，债券价值越大（同向） 面值影响到期本金的流入，还会影响未来利息
票面利率	票面利率越大，债券价值越大（同向）
贴现率	债券定价的基本原则： 贴现率高于债券票面利率，债券价值低于其面值，折价发行 贴现率等于债券票面利率，债券价值等于其面值，平价发行 贴现率低于债券票面利率，债券价值高于其面值，溢价发行 市场利率越大，债券价值越小（反向）

> **要点小贴士**
>
> （1）债券折价发行是为了对投资者未来少获利息而给予的必要补偿；
>
> （2）平价发行是因为票面利率与市场利率相等，此时面值和债券价值是一致的，因此不存在补偿问题；
>
> （3）溢价发行是为了对债券发行者未来多付利息而给予的必要补偿。

<table>
<tr><th>因素</th><th colspan="2">当其他因素不变，只变单一因素的影响</th></tr>
<tr><td rowspan="2">债券期限</td><td>票面利率等于市场利率</td><td>债券期限长短不影响债券价值的变动
【提示】债券价值 = 债券面值</td></tr>
<tr><td>票面利率不等于市场利率</td><td>（1）票面利率＞市场利率（溢价债券），债券期限越长，价值越高
（2）票面利率＜市场利率（折价债券），债券期限越长，价值越低
【提示 1】长期债券对市场利率或票面利率的敏感性均会大于短期债券
【提示 2】债券期限越长，债券票面利率或市场利率对债券价值的影响越大。只不过票面利率对债券价值是同向影响；市场利率对债券价值是反向影响
【提示 3】在票面利率偏离市场利率的情况下，债券期限越长，债券价值越偏离债券面值。但这种偏离的变化幅度最终会趋于平稳。或者说，超长期债券的期限差异，对债券价值的影响不大</td></tr>
<tr><td>敏感性</td><td colspan="2">（1）市场利率低于票面利率时（溢价债券），债券价值对市场利率的变化较为敏感，市场利率稍有变动，债券价值就会发生剧烈的波动
（2）市场利率超过票面利率后（折价债券），债券价值对市场利率变化的敏感性减弱，市场利率的提高，不会使债券价值过分地降低
【提示】溢价债券比折价债券更敏感</td></tr>
</table>

经典题解

【真题 49·多选题】下列情形中，债券的实际利率与票面利率不一致的有（　　）。（2021 年卷Ⅰ）

A. 债券溢价发行，每年年末付息一次，到期一次偿还本金

B. 债券折价发行，按年复利计息，到期一次还本付息

C. 债券按面值发行，每年年末付息一次，到期一次偿还本金

D. 债券按面值发行，按年复利计息，到期一次还本付息

【解析】债券按面值发行的情况下，实际利率与票面利率一致。溢价发行的情况下，实际利率低于票面利率。折价发行的情况下，实际利率高于票面利率。

【答案】AB

【真题 50·多选题】在债券票面利率大于市场利率的情形下，基于债券估价基本模型，若不考虑其他因素的影响，下列说法正确的有（　　）。（2021 年卷Ⅲ）

真题点拨：付息频率高意味着一年付息多次，在其他条件不变的情况下，对投资人有利。

A. 付款频率提高，债券价值下降

B. 票面利率上升，债券价值上升

C. 市场利率上升，债券价值下降

D. 债券期限延长，债券价值下降

【解析】票面利率大于市场利率，债券溢价发行，付息频率提高会使年实际利息收入增加，这样会使债券价值上升，选项 A 错误。债券价值与票面利率同向变动，选项 B 正确。债券价值与市场利率（贴现率）反向变动，选项 C 正确。对于溢价发行的债券，期限延长会使债券价值上升，选项 D 错误。

【答案】BC

【真题 51 · 单选题】根据债券估价基本模型，不考虑其他因素的影响，当市场利率上升时，固定利率债券价值的变化方向是（ ）。（2019 年卷Ⅰ）

A. 不变 B. 不确定 C. 下降 D. 上升

【解析】$V_b=\sum_{t=1}^{n}\frac{I_t}{(1+R)^t}+\frac{M}{(1+R)^n}$，如果市场利率越大，那么折现率 R 就越大，分母越大，整个式子越小，债券价值就越小，也就说明债券价值与市场利率是反向变动的。

【答案】C

【真题 52 · 判断题】不考虑其他因素的影响，如果债券的票面利率大于市场利率，则该债券的期限越长，其价值就越低。（ ）（2019 年卷Ⅱ）

真题点拨

（1）溢价债券，期限越长价值越溢；

（2）折价债券，期限越长价值越折；

（3）平价债券，价值不变。

【解析】如果债券的票面利率大于市场利率，则是溢价发行的债券，该债券的期限越长，其价值就越高。

【答案】×

【真题 53 · 单选题】市场利率和债券期限对债券价值都有较大的影响。下列相关表述中，不正确的是（ ）。（2015 年）

A. 市场利率上升会导致债券价值下降

B. 长期债券的价值对市场利率的敏感性小于短期债券

C. 债券期限越短，债券票面利率对债券价值的影响越小

D. 债券票面利率与市场利率不同时，债券面值与债券价值存在差异

【解析】长期债券对市场利率的敏感性会大于短期债券，在市场利率较低时，长期债券的价值远高于短期债券，在市场利率较高时，长期债券的价值远低于短期债券。因此选项 B 不正确。

【答案】B

（三）债券投资的收益率

1. 债券收益的来源

名义利息收益	债券各期的名义利息收益是其面值与票面利率的乘积
利息再投资收益	债券投资评价时，有两个重要的假定： 第一，债券本金是到期收回的，而债券利息是分期收取的 第二，将分期收到的利息重新投资于同一项目，并取得与本金同等的利息收益率
价差收益	指债券尚未到期时投资者中途转让债券，在卖价和买价之间的价差上所获得的收益，也称为资本利得收益

要点小贴士

只要按货币时间价值的原理计算投资收益，就等于是已经考虑了再投资收益了，计算时就无须单独考虑再投资收益的因素。

经典题解

【真题 54 · 判断题】由于债券的面值、期限和票面利息通常是固定的，因此债券给持有者所带来的未来收益仅仅为利息收益。（ ）（2019 年卷Ⅱ）

【解析】债券投资的收益是投资于债券所获得的全部投资收益，这些投资收益来源于三个方面：（1）名义利息收益；（2）利息再投资收益；（3）价差收益。

【答案】×

2. 债券的内部收益率

含义	指按当前市场价格购买债券并持有至到期日或转让日所产生的预期收益率，也就是债券投资项目的内含收益率
指标计算	（1）"试误法"： ①求解含有折现率的方程 $V_b=\sum_{t=1}^{n}\frac{I_t}{(1+R)^t}+\frac{M}{(1+R)^n}$ ②查现值系数表，然后利用插值法即可求得 （2）简便算法（不考虑时间价值，近似估算）： 内部收益率 $R=\frac{I+(B-P)/N}{(B+P)/2}\times100\%$ 式中，P 表示债券的当前购买价格，B 表示预计出售时售价或到期时债券还本金额（面值），N 表示债券持有期限，分母是平均资金占用，分子是平均收益
相关结论	（1）平价债券，持有至到期的内部收益率等于票面利率 （2）溢价债券，持有至到期的内部收益率小于票面利率 （3）折价债券，持有至到期的内部收益率大于票面利率
决策原则	若债券投资的内部收益率高于投资人要求的收益率，则该债券值得投资

相关链接

与项目投资的内含收益率原理一致。找到使得未来现金流入的现值＝债券购买价格的那个折现率，即找到净现值为 0 的那个折现率。

经典题解

【真题 55·单选题】债券内含收益率的计算公式中不包含的因素是（　　）。（2016 年）

A. 票面利率

B. 债券面值

C. 市场利率

D. 债券期限

【解析】内含收益率是使得未来的现金流入的现值等于债券购买价格的折现率。市场利率不会影响内含收益率。

【答案】C

【例题 56·单选题】公司溢价发行面值 1000 元，票面利率 12%，每半年付息一次的不可赎回债券；该债券 5 年到期，发行价为 1051.19 元。若投资购买该债券，该债券投资的年实际内部收益率为（　　）。[已知：（P/A，5%，10）=7.7217，（P/A，6%，10）=7.3601，（P/F，5%，10）=0.6139，（P/F，6%，10）=0.5584]

A. 10%　　　　B. 10.68%

C. 10.97%　　　　D. 12%

【解析】1000×6%×（P/A，$IRR_{半}$，10）+1000×（P/F，$IRR_{半}$，10）=1051.19

60×（P/A，$IRR_{半}$，10）+1000×（P/F，$IRR_{半}$，10）=1051.19

设 $IRR_{半}$=5%，则 60×7.7217+1000×0.6139=1077.20（元）

设 $IRR_{半}$=6%，则 60×7.3601+1000×0.5584=1000.01（元）

（$IRR_{半}$−5%）/（6%−5%）=（1051.19−1077.20）/（1000.01−1077.20）

解得：$IRR_{半}=5.34\%$

债券的年实际内部收益率 $=(1+5.34\%)^2-1=10.97\%$。

【答案】C

【例题 57 · 判断题】用内部收益率贴现所决定的内在价值大于按市场利率贴现所计算的内在价值时，债券的内部收益率会高于市场利率。(　　)

【解析】用内部收益率贴现所决定的内在价值刚好等于债券目前的购买价格，债券的真正内在价值是按市场利率贴现所决定的债券内在价值。购买价格高于债券真正的内在价值，说明该债券不值得投资，即债券的内部收益率会低于市场利率。

【答案】×

五、股票投资★★★

（一）股票的价值

1. 股票价值的含义

投资于股票预期获得的未来现金流量的现值，即为股票的价值或内在价值、理论价格。

要点小贴士

如果永久持有，未来的现金流量就只有股利，所以股票的价值就是未来股利的现值。

2. 常用的股票估价模式

（1）固定增长模式。

相关链接

固定增长模式和零增长模式与第 5 章的股票估值中的固定成长与零成长的计算公式完全一致。

状态	计算公式
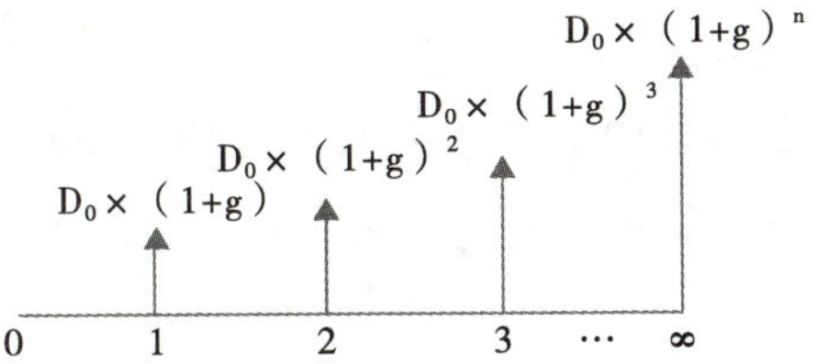 假设股利按固定的增长率 g 增长	$V_s=\frac{D_0\times(1+g)}{R_s-g}=\frac{D_1}{R_s-g}$ 式中，D_0 为最近刚支付的股利；D_1 为预计第一年的股利

（2）零增长模式。

状态	计算公式
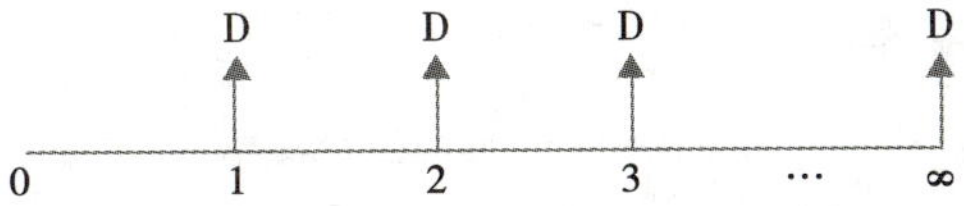 假设未来股利不变，其支付过程是永续年金	$V_s=\frac{D}{R_s}$

要点小贴士

永续年金现值公式的运用。

（3）阶段性增长模式。

特点	计算公式
对于阶段性增长的股票，需要分段计算，才能确定股票的价值	股票价值 = 股利高速增长阶段现值 + 股利固定不变或正常增长阶段现值

经典题解

【例题58·计算分析题】甲企业计划利用一笔资金长期投资购买股票。现有M公司股票、N公司股票、L公司股票可供选择，甲企业只准备投资一家公司股票。已知M公司股票现行市价为每股3.5元，上年每股股利为0.15元，预计以后每年以6%的增长率增长。N公司股票现行市价为每股7元，上年每股股利为0.6元，股利分配政策将一贯坚持固定股利政策。L公司股票现行市价为4元，上年每股股利为0.2元，预计该公司未来3年股利第1年增长14%，第2年增长14%，第3年增长5%，第4年及以后将保持每年2%的固定增长率水平。若三支股票的β系数均为2，目前无风险收益率为4%，市场上所有股票的平均收益率为7%。

要求：

（1）计算甲企业所要求的投资必要收益率，并利用股票估价模型，分别计算M、N、L公司股票价值；

（2）帮助甲企业作出股票投资决策。

> **解题攻略**
>
> 对于多支股票，在判断股票是否值得投资时，不能按哪个股票价值高就选哪个股票；而是应该拿该股票价值与其自己的股票市场价格对比。

【答案】

（1）投资必要收益率=4%+2×（7%-4%）=10%

$V_M=\frac{0.15\times(1+6\%)}{10\%-6\%}=3.98$（元）

$V_N=\frac{0.6}{10\%}=6$（元）

L公司预期第1年的股利=0.2×（1+14%）=0.23（元）

L公司预期第2年的股利=0.23×（1+14%）=0.26（元）

L公司预期第3年的股利=0.26×（1+5%）=0.27（元）

$V_L=0.23\times(P/F,10\%,1)+0.26\times(P/F,10\%,2)+0.27\times(P/F,10\%,3)+\frac{0.27\times(1+2\%)}{10\%-2\%}\times(P/F,10\%,3)=0.23\times0.9091+0.26\times0.8264+0.27\times0.7513+3.4425\times0.7513=3.21$（元）

（2）由于M公司股票价值（3.98元）高于其市价（3.5元），M公司股票值得投资购买；N公司股票价值（6元）低于其市价（7元），L公司股票价值（3.21元）低于其市价（4元），故N公司和L公司的股票都不值得投资。

（二）股票投资的收益率

1. 股票收益的来源及内部收益率

> **要点小贴士**
>
> 跟利息再投资收益的原理一样，只要按货币时间价值的原理计算股票投资收益，就无须单独考虑再投资收益的因素。

股票收益的来源		股利收益、股利再投资收益、转让价差收益三部分
股票的内部收益率	含义	是使得股票未来现金流量贴现值等于目前的购买价格时的贴现率，也就是股票投资项目的内含收益率
	决策原则	股票的内部收益率高于投资者所要求的最低收益率时，投资者才愿意购买该股票

2. 股票的内部收益率的计算

（1）若长期持有，不准备出售。

模式	计算公式
零增长股票内部收益率	$R=\frac{D}{P_0}$
固定增长股票内部收益率	$R=\frac{D_1}{P_0}+g$ = 预期股利收益率 + 股利增长率（资本利得收益率）
阶段性增长股票内部收益率	利用逐步测试法，结合插值法来求净现值为零时的贴现率

相关链接

与第 5 章不考虑筹资费用时，利用股利增长模型计算股票资本成本的公式一致。

经典题解

【真题 59 · 单选题】某公司股票的当前市场价格为 10 元 / 股，今年发放的现金股利为 0.2 元 / 股（即 D_0=0.2），预计未来每年股利增长率为 5%，则该股票的内部收益率为（　　）。（2019 年卷 Ⅱ）

A. 7.1%　　B. 7%　　C. 5%　　D. 2%

【解析】股票的内部收益率 =D_1/P_0+g=0.2×（1+5%）/10+5%=7.1%。

【答案】A

【真题 60 · 判断题】依据固定股利增长模型，股票投资内部收益率由两部分构成，一部分是预期股利收益率 D_1/P_0，另一部分是股利增长率 g。（　　）（2017 年卷 Ⅱ）

【解析】依据固定股利增长模型"$R=D_1/P_0+g$"可以看出，股票投资内部收益率由两部分构成：一部分是预期股利收益率 D_1/P_0，另一部分是股利增长率 g。

【答案】√

（2）若有限期持有，未来准备出售。

投资者不打算长期持有股票，而将股票转让出去，则股票投资的收益由股利收益和资本利得（转让价差收益）构成。这时，股票内部收益率是使股票投资净现值为零时的贴现率。

利用逐步测试法，结合插值法来求净现值为零时的贴现率。即：

$$\sum_{t=1}^{n}\frac{D_t}{(1+R)^t}+\frac{P_n}{(1+R)^n}-P_0=0$$

求解得 R，即为股票的内部收益率。

第五节　基金投资与期权投资

使用"会计云课堂"App 或"微信"扫码查看本节视频，快速 GET 知识点。

一、证券投资基金★★

（一）投资基金的概念

1. 投资基金的含义

投资基金是一种集合投资方式，投资者通过购买基金份额，将众多资金集中起

要点小贴士

这个利益共享、风险共担是针对投资人而言的。

来，由专业的投资者即基金管理人进行管理，通过投资组合的方式进行投资，实现利益共享、风险共担。

2. 投资基金的种类

种类		投资对象
证券投资基金		证券交易所或银行间市场上公开交易的有价证券，如股票、债券等
另类投资基金	私募股权基金（private equity，PE）	未上市企业的股权投资（偏好于成长期的未上市企业）
	风险投资基金（venture capital，VC）	未上市企业的股权投资（偏好于初创期的未上市的高新技术企业）
	对冲基金（hedge fund）	【扩展】对象除传统的证券外，还包括期货、期权以及各种各样的金融衍生产品和工具
	实物资产基金	实物资产如房地产、大宗商品、基础设施等

要点小贴士

基金投资中重点介绍证券投资基金，与股票和债券有所不同：
（1）股票反映了所有权关系；
（2）债券反映了债权债务关系；
（3）基金则反映了一种信托关系，它是一种受益凭证，投资者购买基金份额则成为基金的受益人。

（二）证券投资基金的含义与特点

1. 含义

含义	证券投资基金以股票、债券等金融证券为投资对象，基金投资者通过购买基金份额的方式间接进行证券投资，由基金管理人进行专业化投资决策，由基金托管人对资金进行托管，基金托管人往往为商业银行或其他金融机构
涉及的关系人	投资人、基金管理人和基金托管人 【提示】参与基金运作的基金管理人和基金托管人仅按照约定的比例收取管理费用和托管费用，无权参与基金收益的分配

要点小贴士

基金管理人和基金托管人是取得预先约定的收入，是不会和投资人一起承担风险的。

2. 证券投资基金的特点

特点	解释
集合理财实现专业化管理	通过基金管理人进行投资，对中小投资者来说可以获得更加专业化的投资服务
通过组合投资实现分散风险的目的	通过购买基金份额从而用较少的资金购买“一揽子”证券，实现分散风险的目的
投资者利益共享且风险共担	基金投资者可以获取的收益等于基金投资收益减去基金应当承担的相关费用，当收益上升或下降时，各基金投资者获取的收益也按照其持有比例上升或下降相应的金额
权力隔离的运作机制	基金管理人只负责基金的投资工作，而基金财产则交与基金托管人，基金操作权力与资金管理权力相互隔离，形成了互相监督、互相制约的机制，从而有效地保障基金投资者的利益

特点	解释
严格的监管制度	基金业监管采取法定监管机构与自律性组织相结合的监管模式。中国证监会是我国政府的基金监管机构；基金业协会为行业自律性组织；证券交易所是证券市场的自律管理者，负责对在交易所进行的基金投资行为进行监管，同时负责基金的信息披露工作

经典题解

【真题61·单选题】关于证券投资基金的特点，下列说法错误的是（　　）。（2020年卷Ⅰ）

A. 通过集合理财实现专业化管理

B. 基金投资风险主要由基金管理人和基金托管人承担

C. 通过组合投资实现分散风险的目的

D. 基金操作权力与资金管理权力相互隔离

【解析】基金投资是指基金投资者通过投资组合的方式进行投资，实现利益共享、风险共担。参与基金运作的基金管理人和基金托管人仅按照约定的比例收取管理费用和托管费用，无权参与基金收益的分配，不承担基金投资的风险。选项B错误。

【答案】B

（三）证券投资基金的分类

1. 依据法律形式的分类

分类		契约型基金	公司型基金
含义		依据基金管理人、基金托管人之间签署的基金合同设立	为独立法人，按照公司法以公司形态组成的，通过发行股份的方式募集资金的一种基金
区别	资金的性质不同	信托财产	公司法人的资本
	投资者地位不同	基金合同当事人，享受合同规定的权利，也需承担相应的义务	是基金公司的股东，按持有股份比例承担有限责任，分享投资收益
	运营的依据不同	基金合同	基金公司章程

名师点拨

考试不特指，谈到基金主要是针对契约型基金。

2. 依据运作方式的分类

分类	封闭式基金	开放式基金
特点	基金份额持有人不得在基金约定的运作期内赎回基金，即基金份额在合同期限内固定不变	基金份额持有人可以在合同约定的时间和场所对基金进行申购或赎回，即基金份额不固定
适用性	适合资金可进行长期投资的投资者	更适合强调流动资金管理的投资者

3. 依据投资对象的分类

分类	特点
股票基金	基金资产80%以上投资于股票的基金
债券基金	基金资产80%以上投资于债券的基金
货币市场基金	仅投资于货币市场工具的基金
混合基金	投资于股票、债券和货币市场工具，但股票投资和债券投资的比例不符合股票基金、债券基金规定的基金

要点小贴士

投资比例没有超过80%的。

经典题解

【真题62·单选题】某基金的全部资产中，有10%投资于股票，5%投资于短期国债，85%投资于公司债券。则该基金被认定为（　　）。（2021年卷Ⅱ）

A. 股票基金　　B. 货币市场基金

C. 混合基金　　D. 债券基金

【解析】根据中国证监会对基金类别的分类标准，股票基金为基金资产80%以上投资于股票的基金。债券基金为基金资产80%以上投资于债券的基金。仅投资于货币市场工具的为货币市场基金。混合基金是指投资于股票、债券和货币市场工具，但股票投资和债券投资的比例不符合股票基金、债券基金规定的基金。因此本题选择选项D。

【答案】D

4. 依据投资目标的分类

分类	投资对象	投资风险与收益
增长型基金	投资于具有较好增长潜力的股票，投资目标为获得资本增值，较少考虑当期收入	高
收入型基金	投资对象集中于风险较低的蓝筹股、公司及政府债券等，更加关注能否取得稳定的经常性收入	低
平衡型基金	既关注是否能够获得资本增值，也关注收入问题	中等

5. 依据投资理念的分类

分类	特点
主动型基金	基金经理主动操盘寻找超越基准组合表现的投资组合进行投资
被动型基金	被动型基金期望通过复制指数的表现，选取特定的指数成分股作为投资对象，不期望能够超越基准组合，只求能够与所复制的指数表现同步 【提示】目前的被动型基金除完全复制指数成分股的投资策略外，也有指数增强型基金，即在复制的基础上根据市场变化做适当调整，以期获得超跟踪指数的收益

要点小贴士

主动型和指数增强型基金都期望获得超越基准组合表现的收益。

6. 依据募集方式的分类

分类	发行方式	投资人	监管程度
私募证券投资基金	非公开方式发售	特定的投资者，他们往往风险承受能力较高，单个投资者涉及的资金量较大	比公募基金的监管宽松
公募证券投资基金	可以面向社会公众公开发售	募集对象不确定，投资金额较低，适合中小投资者	严格的监管并要求更高的信息透明度

经典题解

【真题 63 · 单选题】与私募基金相比，下列关于公募基金的表述中，错误的是（　　）。（2021 年卷Ⅲ）

A. 监管要求较为宽松

B. 募集对象不确定

C. 投资金额要求较低

D. 信息透明度要求较高

【解析】公募基金可以面向社会公众公开发售，募集对象不确定，投资金额较低，适合中小投资者，由于公募基金涉及的投资者数量较多，因此受到更加严格的监管并要求更高的信息透明度。选项 A 表述错误。

【答案】A

（四）证券投资基金业绩评价

1. 绝对收益

名师点拨

自己和自己比的收益。

含义	基金绝对收益指标不关注与业绩基准之间的差异，测量的是证券或投资组合的增值或贬值，在一定时期内获得的回报情况，一般用百分比形式的收益率衡量
计算指标	持有期间收益率、现金流和时间加权收益率、平均收益率

（1）持有期间收益率。

收益来源	所投资证券的资产回报和收入回报两部分。资产回报是指股票、债券等资产价格的增加，收入回报为股票或债券的分红、利息等
计算公式	持有期间收益率 =（期末资产价格 − 期初资产价格 + 持有期间红利收入）/ 期初资产价格 × 100%

经典题解

【真题 64 · 单选题】某投资者年初以 100 元的价格购买 A 债券，当年获得利息收入 5 元，当年年末以 103 元的价格出售该债券，则该债券的持有期间收益率为（　　）。（2020 年卷Ⅲ）

A. 8%　　B. 7.77%　　C. 3%　　D. 5%

【解析】持有期间收益率 =（103-100+5）/100×100%=8%。

【答案】A

（2）现金流和时间加权收益率。

含义	将收益率计算区间划分为若干个子区间，每个子区间以现金流发生时间划分，以各个子区间收益率为基础计算整个期间的绝对收益水平
计算公式	假设把一年分为 n 个小区间，各个子区间的收益率为 R_i（i=1~n） 该基金当年的现金流和时间加权收益率 =（$1+R_1$）×（$1+R_2$）×…×（$1+R_n$）-1

名师点拨

将每个区间的收益率以几何平均的方式相连接。

【提示1】在全球投资业绩标准（GIPS）的基本要求中往往采用现金流和时间的加权收益率。

【提示2】以现金流发生时间划分子区间原因：

①基金可能包含多个不同的证券，每个证券发放红利或利息的时间都不一样；

②基金的投资者在区间内会有申购和赎回，带来更多的资金进出。

（3）平均收益率。

分类	计算公式
算术平均收益率（R_A）	$R_A=\frac{\sum_{t=1}^{n}R_t}{n}\times100\%$ 式中：R_t 表示 t 期收益率；n 表示期数
几何平均收益率（R_G）	$R_G=[\sqrt[n]{\prod_{i=1}^{n}(1+R_i)}-1]\times100\%$ 式中：R_i 表示 i 期收益率；n 表示期数

【提示】几何平均收益率比算术平均收益率考虑了货币时间价值。一般来说收益率波动越明显，算术平均收益率相比几何平均收益率越大。

经典题解

【例题65·单选题】某基金近四年的收益率分别为5%、7%、6%、4%，则其几何平均收益率为（　　）。

A. 5.5%　　B. 5.49%　　C. 7%　　D. 6%

【解析】几何平均收益率 R=［(1+5%)×(1+7%)×(1+6%)×(1+4%)］$^{1/4}$-1=5.49%。

【答案】B

名师点拨

自己和别人比的收益。

2. 相对收益

含义	基金的相对收益，是基金相对于一定业绩比较基准的收益
确定方法	根据基金投资的目标选取对应的行业或市场指数，例如沪深300指数、上证50指数等，以此指数成分股股票收益率作为业绩比较基准，求解相对收益

经典题解

【例题 66 · 多选题】某基金以沪深 300 指数作为业绩比较基准，当沪深 300 指数收益率为 10% 时，下列情况下该基金的相对收益为盈利的有（　　）。

A. −2%　　B. 8%　　C. 12%　　D. 18%

【解析】基金的相对收益，是基金相对于一定业绩比较基准的收益。

【答案】CD

二、私募股权投资基金★

（一）私募股权投资基金的特点

特点	解释
具有较长的投资周期	投资对象为未上市企业的股权或非公开交易的股权，往往需要数年时间才能实现退出并获利，存在较长的封闭期。在清算前，基金份额转让和投资者退出较为困难，流动性较差
较大的投资收益波动性	较差的流动性与超长的投资周期，使得私募股权投资基金具有高风险、高期望收益的特征
对投资决策与管理的专业要求较高，投资后需进行非财务资源注入	私募股权投资基金投资过程中可能涉及财务、法律、企业运营、资本市场运作等多个方面，同时要求决策者具有非常高的投资敏锐度与优秀的判断能力，要善于发现具有潜在投资价值的项目和赛道，同创始人及其管理层一同对企业进行管理与决策。私募股权投资基金在投资后会向被投资方提供商业资源与管理支持，并进行有效监督，帮助被投资企业快速发展，为自己寻找退出获利的机会

（二）私募股权投资基金的退出

股份上市转让或挂牌转让	首次公开发行上市（IPO）是私募股权投资基金优先考虑的退出方式，前提是被投资方经营达到较为良好的状态且满足资本市场 IPO 条件。另外，2012 年成立的全国中小企业股份转让系统（也称“新三板”）为私募股权投资退出提供了新的通道，可选择在新三板挂牌退出
股权转让	主要指在企业未上市时，作为企业股东的私募股权投资基金依法将自己的股份让渡给他人，从而退出企业，对于有限责任公司，可以向现有股东转让股份，称之为内部转让，也可向现有股东以外的人转让股份，称之为外部转让，外部转让需得到半数股东同意，且现有股东放弃优先购买权
清算退出	清算退出主要针对项目投资失败的情况，被投资方结束经营，私募股权投资基金作为股东，通过被投资方清算实现退出。主要有两种情形：一种为破产清算；另一种为解散清算，即股东主动启动清算程序解散公司

（三）私募股权基金和风险投资基金

	私募股权基金	风险投资基金
投资阶段	主要投资拟上市公司，被投资方业务已进入发展阶段	更关注初创型企业，公司经营可能刚刚起步，投资标的以高新技术企业或项目为主

【提示】在目前的投资过程中，私募股权基金与风险投资基金仅做概念上的区分，其投资对象可能重合，实际经营中并不存在严格的界限。股权投资基金对我国经济发展具有重要意义，作为一种直接融资模式，为处于初创或发展期的中小科技企业提供了财务与非财务资源的多维度支持。

三、期权合约★★

（一）期权合约的概念

1. 期权合约的含义

期权合约又称选择权合约，是指合约持有人可以选择在某一特定时期或该日期之前的任何时间以约定价格买入或者卖出标的资产的合约，即期权合约购买方既可以选择行权也可以选择不行权。

2. 期权合约的构成要素

要素名称	含义
标的资产	指期权合约中约定交易的资产，包括商品、金融资产、利率、汇率或综合价格指数等
期权买方	买方通过支付费用获取期权合约规定的权利，也称为期权的多头
期权卖方	卖出期权的一方通过获得买方支付的合约购买费用，承担在规定时间内履行期权合约义务的责任，也称为期权的空头
执行价格	或称之为协议价格，指依据合约规定，期权买方在行权时所实际执行的价格。该价格与行权时的实际价格之差将体现为期权买方的收益或损失
期权费用	期权买方为获取期权合约所赋予的权利而向卖方支付的费用，一旦支付，无论买方是否选择行权，费用不予退回
通知日与到期日	通知日为预先确定的交货日之前的某一天，以便做好准备。到期日为期权合约必须履行的时间点

要点小贴士

（1）期权买方（多头）和期权的卖方（空头）彼此是零和博弈，两者盈亏正好相反。

（2）多头有选择权利，空头只能按多头的选择来行事。

（3）期权费用对于买方而言是该项投资的成本，对于卖方而言，是一项回报。

（二）期权合约的分类

分类标准	种类	特征
按照期权执行时间	欧式期权	只能在到期日行权
	美式期权	可以在到期日或之前任一交易日行权

要点小贴士

由于美式期权的行权更加自由，因此在同样条件下，美式期权的费用也较高。

分类标准	种类	特征
按照合约授予期权持有人权利的类别	看涨期权（“买权”）	期权赋予持有人在到期日或到期日之前，以固定价格购买标的资产的权利
	看跌期权（“卖权”）	期权赋予持有人在到期日或到期日之前，以固定价格出售标的资产的权利

（三）期权到期日价值与净损益的计算

类型	项目	计算公式（设 A_m 为到期日股价，X 为执行价格）
看涨期权	到期日价值	买入（多头）看涨期权到期日价值 =max（A_m−X，0）
		卖出（空头）看涨期权到期日价值 =−max（A_m−X，0）
	净损益	买入（多头）看涨期权净损益 = 多头看涨期权到期日价值 − 期权价格
		卖出（空头）看涨期权净损益 = 空头看涨期权到期日价值 + 期权价格
看跌期权	到期日价值	买入（多头）看跌期权到期日价值 =max（X−A_m，0）
		卖出（空头）看跌期权到期日价值 =−max（X−A_m，0）
	净损益	买入（多头）看跌期权净损益 = 多头看跌期权到期日价值 − 期权价格
		卖出（空头）看跌期权净损益 = 空头看跌期权到期日价值 + 期权价格

【解读】

（1）期权的购买者，其净损失有限（最大值为期权费）；期权的出售者，收取期权费，其净收益有限（最大值为期权费）；

（2）顾名思义：对于看涨期权合约，价格涨（$A_m > X$）对期权的购买者有利；而对于看跌期权合约，价格跌（$A_m < X$）对期权购买者有利；

（3）期权买方有选择权，对其有利就行权（即赚取 A_m 和 X 的差价），对其不利就不行权；期权卖方没有选择权，只能按照期权买方的选择来承担后果；

（4）“期权出售者的期权到期日价值 =− 期权购买者的期权到期日价值”“期权出售者的期权净损益 =− 期权购买者的期权净损益”。

经典题解

【例题 67 · 计算分析题】ABC 公司股票的当前市价为 29 元，目前市场上有以 ABC 公司股票为标的资产的看涨期权和看跌期权，执行价格均为 30 元，到期日为 1 年后的同一天。看涨期权和看跌期权的价格均为 2 元，若到期日股票市价为 33 元。

解题攻略

①若期权的买方（多头）选择行权，多头与空头到期日价值：绝对值相等，符号相反；

②若买方（多头）选择不行权，多头与空头到期日价值：均为 0。

要求：

（1）针对看涨期权合约确定：

①若卖出期权合约，到期日价值和净损益分别为多少。

②若买入期权合约，到期日价值和净损益分别为多少。

（2）针对看跌期权合约确定：

①若卖出期权合约，到期日价值和净损益分别为多少。

②若买入期权合约，到期日价值和净损益分别为多少。

【答案】

（1）看涨期权：

①卖出期权合约到期日价值 =-（33-30）=-3（元）

卖出期权合约净损益 =-3+2=-1（元）

②买入期权合约到期日价值 =33-30=3（元）

买入期权合约净损益 =3-2=1（元）

（2）看跌期权：

①卖出期权合约到期日价值 =0（元）

卖出期权合约净损益 =2（元）

②买入期权合约到期日价值 =0（元）

买入期权合约净损益 =-2（元）。

本章小结

历年经典主观题回顾

使用“会计云课堂”App 或“微信”扫码快速做题、对答案、
看解析、掌握解题思路，开启轻松过关之旅。

计算分析题

1. 某投资者准备购买甲公司的股票，并打算长期持有。甲公司股票当前的市场价格为 32 元 / 股，预计未来 3 年每年股利均为 2 元 / 股，随后股利年增长率为 10%。甲公司股票的 β 系数为 2，当前无风险收益率为 5%，市场平均收益率为 10%。有关货币时间价值系数如下：（P/F，10%，3）=0.7513，（P/A，10%，3）=2.4869；（P/F，15%，3）=0.6575，（P/A，15%，3）=2.2832。

要求：

（1）采用资本资产定价模型计算甲公司股票的必要收益率。

（2）以要求（1）的计算结果作为投资者要求的收益率，采用股票估价模型计算甲公司股票的价值。

（3）根据要求（2）的计算结果，判断甲公司股票是否值得购买，并说明理由。（2021 年卷Ⅰ）

2. 甲公司拟购买由 A、B、C 三种股票构成的投资组合，资金权重分别为 20%、30%、50%。A、B、C 三种股票的 β 系数分别为 0.8、2 和 1.5，无风险收益率为 4%，市场平均收益率为 10%。购买日 C 股票价格为 11 元 / 股，当年已发放股利（D_0）为每股 0.9 元，预期股利按 3% 的固定比率逐年增长，投资者要求达到的收益率为 13%。

要求：

（1）计算该投资组合 β 系数。

（2）使用资本资产定价模型，计算该投资组合必要收益率。

（3）使用股票估价模型计算 C 股票价值，并据此判断 C 股票是否值得单独购买。（2020 年卷Ⅰ）

3. 某投资者准备购买甲公司的股票，当前甲公司股票的市场价格为 4.8 元 / 股，甲公司采用固定股利政策，预计每年的股利均为 0.6 元 / 股。已知甲公司股票的 β 系数为 1.5，无风险收益率为 6%，市场平均收益率为 10%。

要求：

（1）采用资本资产定价模型计算甲公司股票的必要收益率。

（2）以要求（1）的计算结果作为投资者要求的收益率，采用股票估价模型计算甲公司股票的价值，据此判断是否值得购买，并说明理由。

（3）采用股票估价模型计算甲公司股票的内部收益率。（2020 年卷Ⅲ）

4. 甲公司拟购置一套监控设备，有 X 和 Y 两种设备可供选择，二者具有同样的功用。X 设备的购买成本为 480000 元，每年付现成本为 40000 元，使用寿命为 6 年。该设备采用直线法计提折旧，年折旧额为 80000 元，税法残值为 0，最终报废残值为 12000 元。Y 设备使用寿命为 5 年，经测算，年金成本为 105000 元。投资决策采用的折现率为 10%，公司适用的企业所得税税率为 25%。有关货币时间价值系数如下：（P/F，10%，6）=0.5645；（P/A，10%，6）=4.3553；（F/A，10%，6）=7.7156。

要求：

（1）计算 X 设备每年的税后付现成本。

（2）计算 X 设备每年的折旧抵税额和最后一年末的税后残值收入。

（3）计算 X 设备的年金成本。

（4）运用年金成本方式，判断公司应选择哪一种设备。（2019 年卷Ⅱ）

5. 乙公司拟用 2000 万元进行证券投资，并准备长期持有。其中，1200 万元购买 A 公司股票，800 万元购买 B 公司债券，有关资料如下：

（1）目前无风险收益率为 6%，市场平均收益率为 16%，A 公司股票的 β 系数为 1.2。

（2）A 公司当前每股市价为 12 元。预计未来每年的每股股利均为 2.7 元。

（3）B 公司债券的必要收益率为 7%。

要求：

（1）利用资本资产定价模型计算 A 公司股票的必要收益率。

（2）计算 A 公司股票的价值，并据以判断 A 公司股票是否值得购买。

（3）计算乙公司证券投资组合的必要收益率。（2018 年卷Ⅱ）

6. 乙公司为了扩大生产能力，拟购买一台新设备，该投资项目相关资料如下：

资料一：新设备的投资额为 1800 万元，经济寿命期为 10 年。采用直线法计提折旧，预计期末净残值为 300 万元。假设设备购入即可投入生产，不需要垫支营运资金，该企业计提折旧的方法、年限、预计净残值等与税法规定一致。

资料二：新设备投产后 1~6 年每年为企业增加营业现金净流量 400 万元，7~10 年每年为企业增加营业现金净流量 500 万元，项目终结时，预计设备净残值全部收回。

资料三：假设该投资项目的贴现率为 10%，相关货币时间价值系数如下表所示。

相关货币时间价值系数表

期数（n）	4	6	10
（P/F，10%，n）	0.6830	0.5645	0.3855
（P/A，10%，n）	3.1699	4.3553	6.1446

要求：

（1）计算项目静态投资回收期。

（2）计算项目净现值。

（3）评价项目投资可行性并说明理由。（2017 年卷Ⅱ）

7. 乙公司是一家机械制造企业，适用的所得税税率为25%，公司现有一套设备（以下简称旧设备），已经使用6年，为降低成本，公司管理层拟将该设备提前报废，另行购置一套新设备，新设备的投资于更新起点一次性投入并能立即投入运营，设备更新后不改变原有的生产能力，但营运成本有所降低，会计上对于新旧设备折旧年限、折旧方法以及净残值等的处理与税法保持一致，假定折现率为12%，要求考虑所得税费用的影响。相关资料如表1所示。

表1　新旧设备相关资料

单位：万元

项目	旧设备	新设备
原价	5000	6000
预计使用年限	12年	10年
已使用年限	6年	0年
净残值	200	400
当前变现价值	2600	6000
年折旧费（直线法）	400	560
年营运成本（付现成本）	1200	800

相关货币时间价值系数如表2所示。

表2　货币时间价值系数表

年份（n）	1	6	10	12
（P/F，12%，n）	0.8929	0.5066	0.3220	0.2567
（P/A，12%，n）	0.8929	4.1114	5.6502	6.1944

要求：

（1）计算新设备在其可使用年限内形成的现金净流出量的现值（不考虑设备运营所带来的营业收入，也不把旧设备的变现价值作为新设备投资的减项）；

（2）计算新设备的年金成本；

（3）对于该更新项目，应采用净现值和年金净流量哪个指标进行比较？并说明理由；

（4）已知继续使用旧设备的年金成本为1407.74万元，请作出方案的选择。（2016年）

8. 甲公司拟投资100万元购置一台新设备，年初购入时支付20%的款项，剩余80%的款项下年初付清；新设备购入后可立即投入使用，使用年限为5年，预计净残值为5万元（与税法规定的净残值相同），按直线法计提折旧。新设备投产时需垫支营运资金10万元，设备使用期满时全额收回。新设备投入使用后，该公司每年新增净利润11万元。该项投资要求的必要收益率为12%。相关货币时间价值系数如下表所示。

货币时间价值系数表

年份（n）	1	2	3	4	5
（P/F，12%，n）	0.8929	0.7972	0.7118	0.6355	0.5674
（P/A，12%，n）	0.8929	1.6901	2.4018	3.0373	3.6048

要求：

（1）计算新设备每年折旧额。

（2）计算新设备投入使用后 1~4 年营业现金净流量（$NCF_{1\sim4}$）。

（3）计算新设备投入使用后第 5 年现金净流量（NCF_5）。

（4）计算原始投资额。

（5）计算新设备购置项目的净现值（NPV）。（2015 年）

历年经典主观题参考答案及解析

使用“会计云课堂”App 或“微信”扫码对答案、看解析、
掌握解题思路，开启轻松过关之旅。

计算分析题

1.【答案】

（1）甲公司股票的必要收益率 =5%+2×（10%−5%）=15%

（2）甲公司股票的价值 =2×（P/A，15%，3）+2×（1+10%）/（15%−10%）×（P/F，15%，3）=33.50（元 / 股）

（3）甲公司股票的价值 33.50 元 / 股大于股票当前的市场价格 32 元 / 股，甲公司股票值得购买。

2.【答案】

（1）该投资组合 β 系数 =20%×0.8+30%×2+50%×1.5=1.51

（2）该投资组合必要收益率 =4%+1.51×（10%−4%）=13.06%

（3）C 股票的必要收益率 =4%+1.5×（10%−4%）=13%

C 股票价值 =0.9×（1+3%）/（13%−3%）=9.27（元 / 股）

C 股票价值 9.27 元 / 股小于 C 股票价格 11 元 / 股，C 股票不值得单独购买。

3.【答案】

（1）甲公司股票的必要收益率 =6%+1.5×（10%−6%）=12%

（2）甲公司股票的价值 =0.6/12%=5（元 / 股）

甲公司股票的价值 5 元 / 股大于股票的市场价格 4.8 元 / 股，该股票值得购买。

（3）甲公司股票的内部收益率 =0.6/4.8=12.5%。

4.【答案】

（1）X 设备每年的税后付现成本 =40000×（1−25%）=30000（元）

（2）X 设备每年的折旧抵税额 =80000×25%=20000（元）

最后一年末的税后残值收入 =12000−12000×25%=9000（元）

（3）X 设备的现金净流出量现值 =480000+（30000−20000）×（P/A，10%，6）−9000×（P/F，10%，6）=518472.5（元）

X 设备的年金成本 =518472.5/（P/A，10%，6）=119044.04（元）

（4）选择 Y 设备。由于 X 设备的年金成本 119044.04 元＞ Y 设备的年金成本 105000 元，所以选择 Y 设备。

5.【答案】

（1）A 公司股票的必要收益率 =6%+1.2×（16%−6%）=18%

（2）A 公司股票的价值 =2.7/18%=15（元）

股票价值 15 元大于每股市价 12 元，A 公司股票值得购买。

（3）乙公司证券投资组合的必要收益率 =18%×1200/2000+7%×800/2000=13.6%。

6.【答案】

（1）项目静态投资回收期 =1800/400=4.5（年）

（2）项目净现值 =−1800+400×（P/A，10%，6）+500×（P/A，10%，4）×（P/F，10%，6）+300×（P/F，10%，10）=−1800+400×4.3553+500×3.1699×0.5645+300×0.3855=952.47（万元）

（3）该项目净现值大于 0，因此项目投资可行。

【提示】本题预计净残值与税法规定一致，因此不存在变现收益或变现损失，残值相关现金流量 = 预计净残值 =300 万元，不需要考虑变现收益纳税或者是变现损失抵税。

7.【答案】

（1）每年折旧抵税额 =560×25%=140（万元）

现金净流出量现值 =6000−140×（P/A，12%，10）+800×（1−25%）×（P/A，12%，10）−400×（P/F，12%，10）=8470.29（万元）

（2）年金成本 =8470.29/（P/A，12%，10）=1499.11（万元）

（3）应当使用年金净流量，因为净现值不能评价寿命期不同的互斥项目，而年金净流量克服了这一缺点。

（4）新设备年金成本 1499.11 万元＞继续使用旧设备的年金成本 1407.74 万元，因此不应当更新，应选择继续使用旧设备。

【提示】旧设备现金净流出量现值 =2600+1200×（1−25%）×（P/A，12%，6）−400×25%×（P/A，12%，6）−200×（P/F，12%，6）=5787.8（万元）

旧设备年金成本 =5787.8/（P/A，12%，6）=1407.74（万元）。

8.【答案】

（1）年折旧额 =（100−5）/5=19（万元）

（2）$NCF_{1\sim4}$=11+19=30（万元）

【提示】本小问计算的是营业现金净流量，营业现金净流量中是不包含原始投资额的。如果要求计算的是各年现金净流量的话，需要考虑原始投资额，即0时点的现金净流量 NCF_0=−20−10=−30（万元），1时点的现金净流量 NCF_1=11+19−80=−50（万元），2~4时点的现金净流量 $NCF_{2\sim4}$=11+19=30（万元）。

（3）NCF_5=30+5+10=45（万元）

（4）原始投资额 =100+10=110（万元）

（5）净现值 =30×（P/A，12%，4）+45×（P/F，12%，5）−100×20%−10−100×80%×（P/F，12%，1）=30×3.0373+45×0.5674−20−10−80×0.8929=15.22（万元）。

同步强化练习题

使用“会计云课堂”App或“微信”扫码快速做题、对答案、看解析、掌握解题思路，开启轻松过关之旅。

一、单项选择题

1. 将企业投资区分为发展性投资与维持性投资所依据的分类标志是（ ）。
   A. 按投资活动与企业本身生产经营活动的关系
   B. 按投资对象的存在形态和性质
   C. 按投资活动对企业未来生产经营前景的影响
   D. 按投资项目之间的相互关联关系

2. 某投资项目某年的营业收入为600000元，付现成本为400000元，折旧额为100000元，该企业为免税的企业，则该年营业现金净流量为（ ）元。
   A. 100000　　B. 200000
   C. 300000　　D. 175000

3. 某公司计划投资购买一台设备，设备购置成本为300万元，假设没有建设期，投产开始时需垫支营运资金100万元，项目终结收回，预计设备使用年限为10年，残值为30万元（与税法规定的残值一致），预计设备投产后每年可为公司新增净利润53万元，则该投资的静态回收期为（ ）年。
   A. 3.75　　B. 5
   C. 5.66　　D. 7.55

4. 下列不属于净现值指标缺点的是（ ）。
   A. 不能直接反映投资项目的实际收益率水平
   B. 当各项目原始投资额现值不等时，仅用净现值无法确定独立投资方案的优劣

C. 所采用的贴现率不易确定
D. 没有考虑投资的风险性

5. 下列各项中，其计算结果等于项目投资方案年金净流量的是（　　）。
A. 该方案净现值 × 年金现值系数
B. 该方案净现值 × 年金现值系数的倒数
C. 该方案每年相等的现金净流量 × 年金现值系数
D. 该方案每年相等的现金净流量 × 年金现值系数的倒数

6. 下列属于内含收益率法的特点的是（　　）。
A. 便于对寿命期不同的独立投资项目进行评价
B. 没有考虑项目寿命期的全部现金净流量
C. 指标受贴现率高低的影响
D. 能直接考虑投资风险大小

7. 已知某投资项目的项目计算期是 8 年，资金于建设起点一次投入，当年完工并投产。若投产后每年的现金净流量相等，经预计该项目包括建设期的静态回收期是 2.5 年，则按内含收益率确定的年金现值系数是（　　）。
A. 3.2　　B. 5.5
C. 2.5　　D. 4

8. 某公司拟进行一项固定资产投资决策，设定贴现率为 10%，有四个方案可供选择。其中甲方案的现值指数为 0.93；乙方案的内含收益率为 9%；丙方案的项目寿命期为 10 年，净现值为 960 万元；丁方案的项目寿命期为 11 年，年金净流量为 136.23 万元。（P/A，10%，10）=6.1446，（P/A，10%，11）=6.4951，则最优的投资方案是（　　）。
A. 甲方案　　B. 乙方案
C. 丙方案　　D. 丁方案

9. 对项目寿命期相同而原始投资额现值不同的两个互斥投资项目进行决策时，适宜单独采用的方法是（　　）。
A. 回收期法
B. 现值指数法
C. 内含收益率法
D. 净现值法

10. 在对某独立投资项目进行财务评价时，下列各项中，并不能据以判断该项目具有财务可行性的是（　　）。
A. 以必要收益率作为折现率计算的项目，现值指数大于 1
B. 以必要收益率作为折现率计算的项目，净现值大于 0
C. 项目静态投资回收期小于项目寿命期
D. 以必要收益率作为折现率计算的项目年金净流量大于 0

11. 在单一方案决策过程中，与净现值评价结论可能不一致的评价指标是（　　）。
A. 现值指数　　B. 年金净流量
C. 回收期　　D. 内含收益率

12. 对投资规模不同的两个独立投资项目进行评价，应优先选择（　　）。
A. 净现值大的方案
B. 项目周期短的方案
C. 投资额小的方案
D. 内含收益率大的方案

13. 不管其他投资方案是否被采纳或放弃，本投资方案的收入和成本都不因此受到影响，该投资与其他投资项目彼此间是（　　）。
A. 互斥方案
B. 独立方案
C. 互补方案
D. 互不相容方案

14. ABC 公司在 2021 年年末考虑卖掉现有的一台闲置设备。该设备于 8 年前以 40000 元购入，税法规定的折旧年限为 10 年，按直线法计提折旧，预计残值率为 10%，目前可以按 10000 元的价格卖出。假设所得税税率为25%，卖出现有设备对本期现金净流量的影响是（　　）。

A. 减少360元

B. 减少1200元

C. 增加9640元

D. 增加10300元

15. 持续通货膨胀期间，投资人把资本投向实体性资产，减持证券资产，这种行为所体现的证券投资风险类别是（　　）。

A. 价格风险　B. 变现风险

C. 再投资风险　D. 购买力风险

16. 当市场利率上升时，下列表述正确的是（　　）。

A. 债券价值会上升

B. 债券内部收益率上升

C. 会引起证券的价格风险

D. 会引起证券的再投资风险

17. 市场利率和债券期限对债券价值都有较大的影响。下列相关表述中，正确的是（　　）。

A. 市场利率下降会导致债券价值下降

B. 长期债券的价值对市场利率的敏感性大于短期债券

C. 债券期限越长，债券价值越偏离面值

D. 债券票面利率与市场利率差异越大，债券价值越高

18. ABC公司以平价购买刚发行的面值为1000元（5年期、每半年支付利息40元）的债券，该债券按年计算的持有至到期日的内部收益率为（　　）。

A. 4%　B. 7.84%

C. 8%　D. 8.16%

19. 债券投资的收益是投资于债券所获得的全部投资收益，下列不属于债券投资收益来源的是（　　）。

A. 名义利息收益

B. 利息再投资收益

C. 到期回收本金收益

D. 价差收益

20. 估算股票价值时的折现率，不能使用（　　）。

A. 股票的资本成本

B. 债券收益率加适当的风险收益率

C. 国债的利息率

D. 投资人要求的必要收益率

21. 某上市公司预计未来5年股利高速增长，然后转为正常增长，则下列各项普通股估价模式中，最适宜于计算该公司股票价值的是（　　）。

A. 固定增长模式

B. 零增长模式

C. 阶段性增长模式

D. 逐年增长模式

22. 某公司股票的当前市场价格为50元/股，今年已发放的现金股利为0.5元/股（即D_0=0.5），预计未来每年股利增长率为6%，则该股票的内部收益率为（　　）。

A. 7.06%　B. 7%

C. 6.5%　D. 6%

23. 下列基金中，其基金投资者是基金公司的股东，按持有股份比例承担有限责任，分享投资收益的是（　　）。

A. 股票基金　B. 债券基金

C. 契约型基金　D. 公司型基金

24. 某基金资产的25%投资于股票，70%投资于债券，5%投资于货币市场工具，则该基金为（　　）。

A. 股票基金　B. 债券基金

C. 货币市场基金　D. 混合基金

25. 下列有关证券投资基金表述正确的是（　　）。

A. 证券投资的投资者和参与基金运作的基金管理人和基金托管人共同分享基金投资所获取的收益

B. 公募基金适合中小投资者，私募基金的投资人是特定的投资者，单个投资者涉及的资金量较大

C. 基金投资者将资金委托基金管理人进行投资，基金操作权力与资金管理权力交于基金管理人，托管人负责监督

D. 被动型基金选取特定的指数成分股作为投资对象，其收益与所复制的指数表现同步，不会超过跟踪指数的收益

26. 下列关于私募股权投资基金特点的表述中，正确的是（　　）。

A. 投资周期短

B. 投资收益稳定

C. 对投资决策与管理的专业要求较高

D. 投资后无需再进行非财务资源注入

27. 下列关于期权特征的表述中，正确的是（　　）。

A. 欧式看涨期权的出售方拥有在到期日以固定价格购买标的资产的权利

B. 美式看涨期权的出售方可以在到期日或到期日之前的任一交易日执行以固定价格出售标的资产的权利

C. 美式看跌期权的买入方拥有在到期日或到期日之前的任一交易日以固定价格出售标的资产的权利

D. 欧式看跌期权的买入方拥有在到期日或到期日之前的任一交易日以固定价格出售标的资产的权利

28. 下列说法正确的是（　　）。

A. 对于买入看涨期权而言，到期日股票市价高于执行价格时，净损益大于0

B. 买入看跌期权，获得在到期日或到期日之前按照执行价格购买某种资产的权利

C. 看涨期权买入方的最大净收益为期权价格

D. 看涨期权出售方的最大净收益为期权价格

二、多项选择题

1. 与日常经营活动相比，企业投资管理的主要特点表现在（　　）。

A. 属于企业的战略性决策

B. 属于企业程序化管理

C. 投资经济活动需要投入大量资金，并在较长时期内发挥作用

D. 投资价值的波动性大

2. 维持性投资也可以称为战术性投资，下列属于维持性投资的有（　　）。

A. 更新替换旧设备的投资

B. 配套流动资金投资

C. 企业间兼并合并的投资

D. 转换新行业投资

3. 下列有关投资分类之间关系的表述中，正确的有（　　）。

A. 项目投资都是直接投资

B. 证券投资都是间接投资

C. 对内投资都是直接投资

D. 对外投资都是间接投资

4. 下列关于投资项目营业现金净流量预计的各种做法中，正确的有（　　）。

A. 营业现金净流量等于税后营业利润加上非付现成本

B. 营业现金净流量等于营业收入减去付现成本再减去所得税

C. 营业现金净流量等于税后营业收入减去税后付现成本再加上非付现成本引起的税负减少额

D. 营业现金净流量等于营业收入减去营业成本再减去所得税

5. 下列关于内含收益率的说法中正确的有（　　）。

A. 内含收益率是未来现金净流量现值与原始投资额现值的比率

B. 内含收益率是方案本身的投资收益率

C. 内含收益率是使方案净现值等于零的折现率

D. 内含收益率是使方案现值指数等于零的折现率

6. 下列各项中，属于静态投资回收期优点的有（　　）。
A. 计算简便
B. 便于理解
C. 直观反映返本期限
D. 正确反映项目总回报

7. 下列关于投资项目评价方法的表述中，正确的有（　　）。
A. 现值指数法克服了净现值法不能直接比较原始投资额现值不同的项目的局限性，它在数值上等于投资项目的净现值除以原始投资额
B. 动态回收期法克服了静态回收期法不考虑货币时间价值的缺点，但是仍然不能衡量项目的盈利性
C. 内含收益率是项目本身的投资收益率，不随投资项目预期现金流的变化而变化
D. 内含收益率法不能直接评价两个投资规模不同但寿命期相同的互斥项目的优劣

8. 下列各项中，属于证券资产特点的有（　　）。
A. 可分割性
B. 高风险性
C. 强流动性
D. 持有目的多元性

9. 下列属于企业证券投资目的的有（　　）。
A. 分散资金投向，降低投资风险
B. 利用闲置资金，增加企业收益
C. 稳定客户关系，保障生产经营
D. 提高资产流动性，增强偿债能力

10. 下列各项中，属于证券投资非系统风险的有（　　）。
A. 变现风险
B. 违约风险
C. 价格风险
D. 再投资风险

11. 与股票内在价值呈反方向变化的因素有（　　）。
A. 股利年增长率　B. 年股利
C. 必要收益率　D. β系数

12. 若有两个投资方案，原始投资额不同，彼此相互排斥，各方案项目寿命期不同，可以采用下列方法进行选优的有（　　）。
A. 内含收益率法
B. 净现值法
C. 年金净流量法
D. 共同年限法

13. 依据投资目标可以将基金分为增长型基金、收入型基金和平衡型基金，下列表述中正确的有（　　）。
A. 增长型基金风险＞收入型基金风险＞平衡型基金风险
B. 平衡型基金主要投资于具有较好增长潜力的股票，投资目标为获得资本增值
C. 收入型基金投资对象集中于风险较低的蓝筹股、公司及政府债券
D. 增长型基金收益＞平衡型基金收益＞收入型基金收益

14. 下列基金中，以期获得超过跟踪指数收益的基金有（　　）。
A. 完全复制指数型基金
B. 指数增强型基金
C. 主动型基金
D. 被动型基金

15. 私募股权投资基金主要通过退出项目实现收益，选择恰当的时机，将被投资企业股权变现。其退出方式主要有(　　)。
A. 股份上市转让或挂牌转让
B. 股权转让
C. 破产清算退出
D. 解散清算退出

16. 对于买入看跌期权来说，投资净损益的特点有（　　）。
A. 净损失范围不确定
B. 净损失最大值为期权价格
C. 净收益最大值为执行价格减期权价格
D. 净收益潜力巨大

17. 有一项看涨期权，标的股票的当前市价为 61 元，执行价格为 60 元，6 个月后到期，期权价格为 5 元。若到期日股票市价为 67 元，则下列说法正确的有（　　）。
A. 空头期权到期日价值为 -7 元
B. 多头期权到期日价值为 7 元
C. 多头期权到期净损益为 2 元
D. 空头期权到期净损益为 -2 元

三、判断题

1. 将资金投放于股票、债券等资产上的企业投资属于直接投资。（　　）

2. 投资应遵循的原则之一是结构平衡原则，按照这一原则，企业应对投资项目实施过程中的进程控制。（　　）

3. 如果项目的全部投资均于建设起点一次投入，且建设期为零，运营期每年现金净流量相等，则计算内含收益率所使用的年金现值系数等于该项目动态投资回收期期数。（　　）

4. 净现值法不仅适用于独立投资方案的比较决策，而且能够对寿命期不同的互斥投资方案进行直接决策。（　　）

5. 只有扩建重置方案对营业现金流入无影响时才可采用年金成本法进行决策。（　　）

6. 证券资产不能脱离实体资产而独立存在，因此，证券资产的价值取决于实体资本的现实生产经营活动所带来的现金流量。（　　）

7. 当投资者要求的最低收益率高于债券（分期付息债券）票面利率时，债券的市场价值会低于债券面值。（　　）

8. 溢价债券的内部收益率高于票面利率，折价债券的内部收益率低于票面利率。（　　）

9. 当票面利率与市场利率相同时，债券期限变化不会引起平价发行债券价值的变动。（　　）

10. 即使票面利率相同的两种债券，由于付息方式不同，投资人的实际经济利益亦有差别。（　　）

11. 某股票的每股股利为 2 元，预期未来股利不变，目前的股票市价低于股票价值，则股票内部收益率与投资人要求的最低收益率相比较高。（　　）

12. 从长期来看，公司股利的固定增长率（扣除通货膨胀因素）不可能超过股票投资人要求的必要收益率。（　　）

13. 某基金近三年的收益率分别为 6%、7%、8%，则其几何平均收益率 $=\sqrt[3]{(1+6\%)(1+7\%)(1+8\%)}$。（　　）

14. 私募股权基金与风险投资基金均聚焦于未上市企业的股权投资，私募股权基金偏好于成长期的未上市企业，风险投资基金更偏好于初创期的高新技术企业。（　　）

15. 通过复制指数的表现，选取特定的指数成分股作为投资对象属于主动型基金。（　　）

16. 封闭式基金份额持有人可以在合同约定的时间和场所对基金进行申购或赎回，基金份额不固定。（　　）

17. 投资者购买基金份额与基金公司之间会形成债权债务关系。（　　）

18. 一般来说，股票投资相比债券投资具有更高的风险，债券投资相比基金投资具有更高的风险。（ ）

19. 私募股权投资基金在清算退出前，基金份额转让和投资者退出较为困难，流动性较差。（ ）

四、计算分析题

1. 甲公司是一家上市公司，企业所得税税率为25%，相关资料如下：
公司为扩大生产经营而准备购置一条新生产线，计划于2022年年初一次性投入资金6000万元，全部形成固定资产并立即投入使用，建设期为0，使用年限为6年，新生产线第1~4年每年增加营业收入3000万元，每年增加付现成本1000万元，第5~6年每年预计增加税后营业利润为500万元。新生产线开始投产时需垫支营运资金700万元，在项目终结时一次性收回。税法规定固定资产采用直线法计提折旧，折旧年限6年，残值率为20%。预计最终回收的净残值为1000万元。假设该投资项目的贴现率为10%。

要求：

（1）计算投资期现金净流量；
（2）计算第1~4年每年的营业现金净流量；
（3）计算第5~6年每年的营业现金净流量；
（4）计算终结期回收的现金净流量；
（5）计算方案的净现值并评价方案的可行性。

2. 甲公司投资一个项目，有A、B、C三个项目可供选择，资料如下。
A项目初始投资120万元，没有建设期，期限5年，每年的现金净流量分别为60万元、50万元、50万元、30万元和30万元。B项目建设期2年，经营期6年，净现值83万元。C项目期限10年，净现值86万元。A、B、C三个项目的资本成本分别为8%、10%和12%。
已知：(P/F，8%，1)=0.9259，(P/F，8%，2)=0.8573，(P/F，8%，3)=0.7938，(P/F，8%，4)=0.735，(P/F，8%，5)=0.6806，(P/A，8%，5)=3.9927，(P/A，10%，8)=5.3349，(P/A，12%，10)=5.6502。

要求：

（1）计算A项目的净现值。
（2）计算三个项目的年金净流量和永续净现值。
（3）根据上述计算结果，判断甲公司应选择哪个项目进行投资。

3. 某企业计划进行某项投资活动，有甲、乙两个投资方案资料如下：
（1）甲方案固定资产投资100万元，营运资金投资50万元，全部资金于建设起点一次投入，没有建设期，经营期5年，到期残值收入5万元（与税法规定的净残值相同），按直线法计提折旧。预计投产后年营业收入90万元，年总成本费用（包括折旧）60万元。
（2）乙方案固定资产投资180万元，营运资金投资80万元。建设期2年，经营期5年，营运资金于建设期结束时投入，于0时点一次性投入，固定资产残值收入8万元，投产后，经营期每年营业收入170万元，年付现成本80万元。
（3）假设甲、乙方案全部营运资金于各自终结期收回。
（4）该企业为免税企业，可以免交企业所得税。

要求：

（1）计算甲方案各年的净现金流量（$NCF_{0\sim5}$）；
（2）计算乙方案各年的净现金流量（$NCF_{0\sim7}$）；

（3）计算甲、乙方案静态投资回收期；
（4）该企业所在行业的基准折现率为10%，计算甲、乙方案的净现值和年金净流量；
（5）若甲、乙两个方案彼此是互相排斥的方案，帮助企业进行决策，并说明理由。

4. 甲公司拟投资建设一条生产线，行业基准贴现率为10%，现有四个方案可供选择，各年相关的现金净流量数据如下表所示。

单位：万元

方案	0	1	2	3	4	5~8	9	10	11
A	-1050	-50	500	450	400	350	150	100	50
B	-1100	0	275	275	275	275	275	275	275
C	-1100	275	275	275	275	275	275	275	—
D	-550	-550	275	275	275	275	275	275	275

注：5~8 是指第 5 年到第 8 年的现金净流量一致。

相关的时间价值系数如下。

t	(P/F，10%，t)	(P/A，10%，t)	(P/A，20%，t)	(P/A，24%，t)
1	0.9091	0.9091	0.8333	0.8065
5	0.6209	3.7908	2.9906	2.7454
6	0.5645	4.3553	3.3255	3.0205
10	0.3855	6.1446	4.1925	3.6819

要求：
（1）计算 A 方案包括建设期的静态投资回收期。
（2）计算 D 方案的现值指数。
（3）计算 B 方案净现值。
（4）计算 C 方案内含收益率。
（5）计算 C 方案动态投资回收期。

5. 某公司在 2021 年 1 月 1 日平价发行新债券，每张面值 1000 元，票面利率 10%，5 年到期，每年 12 月 31 日付息。

要求：
（1）2021 年 1 月 1 日购买该债券并持有债券至到期日的内部收益率是多少？
（2）假定 2022 年 1 月 1 日的市场利率下降到 8%，那么此时债券的价值是多少？
（3）假定 2022 年 1 月 1 日的市价为 1040 元，计算此时购买该债券并持有至到期日的内部收益率，并用简便算法计算投资收益率。

6. 某公司股票的 β 系数为 2.5，目前无风险收益率为 6%，市场上所有股票的平均收益率为 10%，若该股票为固定增长股票，股利增长率为 6%，预计一年后的每股股利为 1.5 元。

要求：
（1）测算该股票投资人要求的必要投资收益率。
（2）该股票的价格为多少时可购买？
（3）若股票目前的市价为 14 元，预期 1 年后的市价为 15 元，那么投资人持有一年后出售的内部收益率为多少？

（4）若股票目前的市价为14元，投资人长期持有不准备出售，投资人的内部收益率为多少？

7. 某上市公司本年度的净收益为20000元，每股支付股利2元。预计该公司未来三年进入成长期，净收益第1年增长14%，第2年增长14%，第3年增长8%。第4年及以后将保持其净收益水平。

该公司一直采用固定股利支付率的股利政策，并打算今后继续实行该政策。该公司没有增发普通股和发行优先股的计划。相关货币时间价值系数如下表所示：

t	1	2
（P/F，10%，t）	0.9091	0.8264
（P/F，11%，t）	0.9009	0.8116

要求：

（1）假设投资人要求的收益率为10%，计算每股股票的价值。

（2）如果股票的价格为24.90元，若长期持有，不准备出售，计算股票的内部收益率（精确到1%）。

8. 某期权交易所2022年3月20日对以ABC公司股票为标的资产的期权报价如下：

单位：元

到期时间	执行价格	看涨期权价格	看跌期权价格
1年	37	3.80	5.25

ABC公司是一家上市公司，最近刚发放上年现金股利每股2元。证券分析师预测，ABC公司未来股利增长率5%，等风险投资的必要报酬率10%，假设标的股票的到期日市价与其一年后的内在价值一致。

要求针对以下互不相干的问题进行回答：

（1）若甲投资人购买一份看涨期权，期权到期日价值为多少？投资净损益为多少？

（2）若乙投资人卖出一份看涨期权，空头看涨期权到期日价值为多少？投资净损益为多少？

（3）若丙投资人购买一份看跌期权，期权到期日价值为多少？投资净损益为多少？

（4）若丁投资人卖出一份看跌期权，空头看跌期权到期日价值为多少？投资净损益为多少？

五、综合题

1. 已知：A企业为开发新产品拟投资1000万元建设一条生产线，现有甲、乙、丙三个方案可供选择。

资料一：甲方案各年的现金净流量如下表所示。

单位：万元

时间	0	1	2	3	4	5	6
现金净流量	-1000	0	250	250	250	250	250

资料二：乙方案的相关资料：在建设起点用800万元购置不需要安装的固定资产，投产后预计会使公司的存货和应收账款共增加350万元，应付账款增加150万元。假设不会增加其他流动资产和流动负债。预计投产后第1~10年每年新增500万元销售收入，每年新增的付现成本和所得税分别为200万元和50万元；第10年回收的固定资产残值为80万元，营运资本在项目终结时收回。

资料三：丙方案的现金流量资料如下表所示。

单位：万元

项目	0	1	2	3	4	5	6~10	11	合计
原始投资	500	500	0	0	0	0	0	0	1000
税后营业利润	0	0	172	172	172	182	182	182	1790
年折旧额	0	0	72	72	72	72	72	72	720
年摊销额	0	0	6	6	6	0	0	0	18
回收额	0	0	0	0	0	0	0	280	280
现金净流量						（A）			（B）
累计现金净流量					（C）				

注："6~10"一列中的数据为每年数，连续5年相等。

资料四：A企业因为之前从未做过类似项目，拟采用B企业作为可比企业。B企业的$\beta_{权益}$为1.75，产权比率为1。A企业投资新产品项目的产权比率为2/3。已知无风险报酬率为4%，股票市场平均收益率为8%，A企业债务税前资本成本为6.67%，A企业与B企业所得税税率均为25%。

有关货币时间价值系数如下：

t/年	1	6	10	11
（P/F，8%，t）	0.9259	0.6302	0.4632	0.4289
（P/A，8%，t）	0.9259	4.6229	6.7101	7.1390
（P/F，9%，t）	0.9174	0.5963	0.4224	0.3875
（P/A，9%，t）	0.9174	4.4859	6.4177	6.8052
（P/F，10%，t）	0.9091	0.5645	0.3855	0.3505
（P/A，10%，t）	0.9091	4.3553	6.1446	6.4951

要求：

（1）计算乙方案项目计算期各年的现金净流量；

（2）写出表中用字母表示的丙方案相关现金净流量和累计现金净流量（不用列出计算过程）；

（3）计算甲、丙两方案包含建设期的静态回收期；

（4）计算评价 A 企业新项目应采用的折现率；

（5）计算甲、乙两方案的净现值指标，并据此评价甲、乙两方案的财务可行性；

（6）如果丙方案的净现值为 725.66 万元，用年金净流量法为企业作出该生产线项目投资的决策。

2. 甲公司是一家制造业企业，适用的企业所得税税率为 25%，该公司要求的最低收益率为 10%，公司拟对正在使用的一台旧设备予以更新。其他资料如下表所示。

新旧设备资料

单位：万元

项目	使用旧设备	购置新设备
原值	5000	6000
预计使用年限（年）	8	8
已用年限（年）	4	0
尚可使用年限（年）	4	8
税法残值	500	600
最终报废残值	450	750
目前变现价值	2000	6000
年折旧额	562.5	675
年付现成本	2500	1800

要求：

（1）计算与购置新设备相关的下列指标：①税后年付现成本；②每年折旧抵税；③残值变价收入；④残值净收益纳税；⑤第 1~7 年现金净流量（$NCF_{1\sim7}$）和第 8 年现金净流量（NCF_8）；⑥年金成本。

（2）计算与继续使用旧设备相关的下列指标：

①目前账面价值；②目前资产报废损益；③目前资产报废损益对所得税的影响；④残值报废损失减税；⑤第 0 年现金净流量（NCF_0）、第 1~3 年现金净流量（$NCF_{1\sim3}$）和第 4 年现金净流量（NCF_4）；⑥年金成本。

（3）作出固定资产是否更新的决策，并说明理由。

3. A 公司拟购买某公司债券作为长期投资（打算持有至到期日），要求的必要收益率为 6%。2022 年 1 月 1 日，有三家公司同时发行 5 年期，面值均为 1000 元的债券。其中，甲公司债券的票面利率为 8%，每年付息一次，到期还本，债券发行价格为 1041 元；乙公司债券的票面利率为 8%，单利计息，到期一次还本付息，按复利折现，债券发行价格为 1050 元；丙公司债券的票面利率为零，债券发行价格为 750 元，到期按面值还本。

部分货币时间价值系数如下。

i	5%	6%	7%	8%
（P/F，i，5）	0.7835	0.7473	0.7130	0.6806
（P/A，i，5）	4.3295	4.2124	4.1002	3.9927
（P/F，i，4）	0.8227	0.7921	0.7629	0.7350
（P/A，i，4）	3.5460	3.4651	3.3872	3.3121

要求：

（1）若 A 公司决定在三家企业发行债券时（即 2022 年 1 月 1 日）进行债券投资：

①计算 A 公司购入甲公司债券的价值和持有至到期日的内部收益率；

②计算 A 公司购入乙公司债券的价值和持有至到期日的内部收益率；

③计算 A 公司购入丙公司债券的价值和持有至到期日的内部收益率；

④根据上述计算结果，评价甲、乙、丙三种公司债券是否具有投资价值，并为 A 公司作出购买何种债券的决策。

（2）若企业决定一年后即 2023 年 1 月 1 日再进行债券投资，预计 2023 年 1 月 1 日甲公司和乙公司债券的价格均为 1070 元，计算 2023 年 1 月 1 日甲、乙公司债券的价值，并为 A 公司作出决策。

同步强化练习题参考答案及解析

使用“会计云课堂”App 或“微信”扫码对答案、看解析、掌握解题思路，开启轻松过关之旅。

一、单项选择题

1.【答案】C

【解析】按投资活动与企业本身生产经营活动的关系，企业投资可以划分为直接投资和间接投资；按投资对象的存在形态和性质，企业投资可以划分为项目投资和证券投资；按投资活动对企业未来生产经营前景的影响，企业投资可以划分为发展性投资和维持性投资；按投资项目之间的相互关联关系，企业投资可以划分为独立投资和互斥投资。

2.【答案】B

【解析】年营业现金净流量 = 营业收入 ×（1-T）- 付现成本 ×（1-T）+ 非付现成本 ×T，由于企业为免税企业，只要设所得税税率 T 为 0 即可，年营业现金净流量 = 营业收入 ×（1-0）- 付现成本 ×（1-0）+ 折旧额 ×0= 营业收入 - 付现成本 =600000-400000=200000（元），或者年营业现金净流量 = 税后营业利润 + 非付

现成本 =（600000−400000−100000）×（1−0）+100000=200000（元），因此选项 B 正确。

3.【答案】B

【解析】设备年折旧额 =（300−30）/10=27（万元），静态投资回收期 = 原始投资额 / 每年现金净流量，每年现金净流量 =53+27=80（万元），原始投资额 =300+100=400（万元），所以静态投资回收期 =400/80=5（年），选项 B 正确。

4.【答案】D

【解析】净现值法在所设定的贴现率中包含投资风险收益率的要求，因此能有效地考虑投资风险，选项 D 错误。

5.【答案】B

【解析】年金净流量 = 该方案净现值 /（P/A，i，n），因此选项 B 正确。

6.【答案】A

【解析】内含收益率法考虑了项目寿命期的全部现金净流量，选项 B 错误；内含收益率不受贴现率高低的影响，选项 C 错误；内含收益率的缺点之一在于不易直接考虑投资风险大小，选项 D 错误。

7.【答案】C

【解析】未来每年现金净流量相等且建设期为 0 时，包括建设期的静态回收期 = 原始投资额 /NCF=2.5（年）。NCF×（P/A，IRR，8）− 原始投资额 =0，（P/A，IRR，8）= 原始投资额 /NCF=2.5。

8.【答案】C

【解析】甲方案现值指数小于 1，不可行。乙方案内含收益率小于基准贴现率，不可行。丙方案与丁方案属于寿命期不同的互斥方案，用年金净流量法比较，年金净流量大的为优。丙方案的年金净流量 =960/（P/A，10%，10）=960/6.1446=156.23（万元）；丁方案的年金净流量为 136.23 万元，丙方案的年金净流量 156.23 万元 > 丁方案的年金净流量 136.23 万元，因此丙方案是最优方案。

9.【答案】D

【解析】项目寿命期相同的互斥方案可用净现值法进行决策，现值指数法和内含收益率法不适合互斥方案决策。

10.【答案】C

【解析】在评价单一方案时，当净现值大于 0 时，现值指数大于 1，年金净流量大于 0，内含收益率大于要求的收益率，项目具有财务可行性，因此选项 A、B、D 正确。静态投资回收期是辅助评价指标，需要跟设定的期限进行比较来判断项目是否可行，而不是跟项目寿命期进行比较，选项 C 错误。

11.【答案】C

【解析】若净现值大于 0，年金净流量一定大于 0，现值指数一定大于 1，内含收益率一定大于设定的贴现率，因此利用净现值、年金净流量、现值指数或内含收益率对同一个项目进行可行性评价时，会得出完全相同的结论。而回收期与净现值的评价结论有可能会发生矛盾。

12.【答案】D

【解析】对于独立投资方案评优时，应选择内含收益率高的方案为优。对于互斥投资方案的评优，一般应采用净现值法和年金净流量法进行评优。但由于净现值指标受投资项目寿命期的影响，因而年金净流量法是互斥投资方案最恰当的决策方法。

13.【答案】B

【解析】独立投资方案是指两个或两个以上项目互不关联，互不影响，可以同时并存，各方案的决策也是独立的。

14.【答案】D

【解析】已提折旧 =8×［40000×（1-10%）/10］=28800（元），账面净值 =40000-28800=11200（元），变现损失 =11200-10000=1200（元），变现损失抵税 =1200×25%=300（元），现金净流量 = 变现价值 + 变现损失抵税 =10000+300=10300（元）。

15.【答案】D

【解析】价格风险是指由于市场利率上升，而使证券资产价格普遍下跌的可能性；变现风险是指证券资产持有者无法在市场上以正常的价格平仓出货的可能性；再投资风险是指由于市场利率下降而造成的无法通过再投资而实现预期收益的可能性；购买力风险是指由于通货膨胀而使货币购买力下降的可能性。

16.【答案】C

【解析】债券价值是未来现金流入的现值，折现率是市场利率，因此市场利率上升，债券价值会下降，选项 A 错误；债券内部收益率不受市场利率变动的影响，选项 B 错误；价格风险是指由于市场利率上升，而使证券资产价格普遍下跌的可能性，选项 C 正确；再投资风险是指由于市场利率下降而造成的无法通过再投资而实现预期收益的可能性，选项 D 错误。

17.【答案】B

【解析】市场利率上升会导致债券价值下降，选项 A 错误；只有当债券票面利率与市场利率不一致时，债券期限越长，债券价值越偏离面值，选项 C 错误；债券票面利率与市场利率之间的差异并没有说是正的差异还是负的差异，因此不能得出差异越大，债券价值越高的结论，选项 D 错误。

18.【答案】D

【解析】考试不特指要求计算内部收益率时指的是实际的内部收益率。由于平价发行债券，票面利率等于名义内部收益率，半年内部收益率 =40/1000=4%，则实际内部收益率 =（1+4%）^{2}-1=8.16%。

19.【答案】C

【解析】债券投资的收益是投资于债券所获得的全部投资收益，这些投资收益来源于三方面：名义利息收益（面值与票面利率的乘积）、利息再投资收益和价差收益。

20.【答案】C

【解析】股票投资有风险，不能用国债的利息率作为估算股票价值时的折现率。

21.【答案】C

【解析】阶段性增长模式主要适用于公司的股利在某一阶段有一个超常的增长率，这段期间的增长率 g 可能大于 R_s，而后阶段公司的股利固定不变或正常增长。选项 A 适用于股利逐年稳定增长的状态，选项 B 适用于股利固定不变的状态。

22.【答案】A

【解析】股票的内部收益率=D_1/P_0+g=0.5×（1+6%）/50+6%=7.06%。

23.【答案】D

【解析】公司型基金为独立法人，依据基金公司章程设立，基金投资者是基金公司的股东，按持有股份比例承担有限责任，分享投资收益。

24.【答案】D

【解析】根据中国证监会对基金类别的分类标准，股票基金为基金资产 80% 以上投资于股票的基金。债券基金为基金资产 80% 以上投资于债券的基金。仅投资于货币市场工具的为货币市场基金。混合基金是指投资于股票、债券和货币市场工具，但股票投资和债券投资的比例不符合股票基金、债券基金规定的基金。

25.【答案】B

【解析】基金投资者可以获取的收益等于基金投资收益减去基金应当承担的相关费用，参与基金运作的基金管理人和基金托管人仅按照约定的比例收取管理费用和托管费用，无权参与基金收益的分配，选项A错误；公募基金募集对象不确定，投资金额较低，适合中小投资者。私募基金的投资人是特定的投资者，他们往往风险承受能力较高，单个投资者涉及的资金量较大，选项B正确；基金采取权力隔离的运作机制，参与基金运作的包括基金投资者、托管人、管理人，基金管理人只负责基金的投资工作，而基金财产则交与基金托管人，基金操作权力与资金管理权力相互隔离，选项C错误；目前的被动型基金除完全复制指数成分股的投资策略外，也有指数增强型基金，即在复制的基础上根据市场变化做适当调整，以期获得超跟踪指数的收益，选项D错误。

26.【答案】C

【解析】私募股权投资基金具有投资周期长、投资收益波动性大的特点，对投资决策与管理的专业要求较高，投资后需进行非财务资源注入。

27.【答案】C

【解析】期权的选择权是针对买入方而言的。看跌期权是卖权，看涨期权是买权。欧式期权只能在到期日执行，美式期权可以在到期日或到期日之前的任一交易日执行。

28.【答案】D

【解析】买入看涨期权到期日价值=max（股票市价－执行价格，0），买入看涨期权净损益=买入看涨期权到期日价值－期权价格，由此可知，选项A的说法不正确，正确的说法应该是“到期日价值大于0”。“看跌期权”也称为“卖出期权”，“看涨期权”也称为“买入期权”，因此选项B的说法不正确，期权名称与解释不一致，混淆概念。正确的说法应该是：买入看跌期权，获得在到期日或到期日之前按照执行价格卖出某种资产的权利。或买入看涨期权，获得在到期日或到期日之前按照执行价格购买某种资产的权利。对于看涨期权买入方而言，最大净损失为期权价格，而净收益没有上限，因此，选项C的说法不正确。看涨期权出售方净损益=到期日价值+期权价格=期权价格－max（股票市价－执行价格，0），由此可知，由于max（股票市价－执行价格，0）的最小值为0，因此，出售方看涨期权的最大净收益为期权价格，选项D的说法正确。

二、多项选择题

1.【答案】ACD

【解析】企业投资管理的特点表现在三方面：属于企业的战略性决策、属于企业的非程序化管理以及投资价值的波动性大。投资活动往往属于非程序化管理，体现在涉及资金数额较大、投资项目影响的时间较长、涉及企业的未来经营发展方向和规模等重大问题几个方面，选项B错误。

2.【答案】AB

【解析】按投资活动对企业未来生产经营前景的影响，可将企业投资分为发展性投资和维持性投资。选项C、D属于发展性投资，也可以称为战略性投资，是指对企业未来的生产经营发展全局有重大影响的企业投资，如转换新行业和开发新产品投资、大幅度扩大生产规模的投资、企业间兼并合并的投资等。选项 A、B 均属于维持性投资，也可以称为战术性投资，是为了维持企业现有的生产经营正常顺利进行，不会改变企业未来生产经营发展全局的企业投资。

3.【答案】ABC

【解析】直接投资与间接投资、项目投资与证券投资，两种投资分类方式的内涵和范围是一致的，只是分类角度不同。直接投资与间接投资强调的是投资的方式，项目投资与证券投资强调的是投资的对象。对内投资都是直接投资，对外投资主要是间接投资，但也可能是直接投资。

4.【答案】ABC

【解析】会计营业成本既包括付现成本，也包括非付现成本，而财务管理中现金流量是以收付实现制为基础确定的，所扣除的成本中不应包括非付现成本。

5.【答案】BC

【解析】未来现金净流量现值与原始投资额现值的比率是现值指数的含义，选项 A 错误；内含收益率是使方案现值指数等于 1 的折现率，选项 D 错误。

6.【答案】ABC

【解析】静态回收期的优点是能够直观地反映原始投资的返本期限，便于理解，计算也不难。缺点是没有考虑货币时间价值因素和超过原始投资额部分的现金净流量，不能正确反映项目总回报。因此选项 D 错误。

7.【答案】BD

【解析】现值指数是投资项目的未来现金净流量现值与原始投资额现值之比，选项 A 错误；无论动态回收期还是静态回收期都没有考虑超过原始投资额（现值）以后的现金流量，因此不能衡量盈利性，选项 B 正确；内含收益率的高低不受预期折现率变化的影响，但会随投资项目预期现金流、期限的变化而变化，选项 C 错误；对于投资额现值不同但寿命期相同的互斥项目应当以净现值法优先，因为净现值大可以给股东带来的财富就大，股东需要的是实实在在的收益而不是收益的比率，所以选项 D 正确。

8.【答案】ABCD

【解析】证券资产的特点包括价值虚拟性、可分割性、持有目的多元性、强流动性和高风险性。

9.【答案】ABCD

【解析】本题的考点是证券投资的目的。

10.【答案】AB

【解析】证券投资非系统风险包括违约风险、变现风险和破产风险；证券投资系统风险包括价格风险、再投资风险和购买力风险。

11.【答案】CD

【解析】本题的考查点是股票估价模式，$V_s=D_1/(R_s-g)$，由公式看出，股利增长率 g 和年股利 D_1，与股票价值呈同向变化；而必要收益率 R_s 与股票价值呈反向变化；β 系数与必要收益率呈同向变化，因此 β 系数同股票价值亦呈反向变化。

12.【答案】CD

【解析】由于项目寿命期不同，因此不能用净现值法进行选优。内含收益率法不适用于对互斥项目进行评价，因此，选项 C、D 正确。

13.【答案】CD

【解析】增长型基金主要投资于具有较好增长潜力的股票，投资目标为获得资本增值，较少考虑当期收入。收入型基金则更加关注能否取得稳定的经常性收入，投资对象集中于风险较低的蓝筹股、公司及政府债券等。平衡型基金则集合了上述两种基金投资的目标，既关注是否能够获得资本增值，也关注收入问题。三者在风险与收益的关系上往往表现为：增长型基金风险＞平衡型基金风险＞收入型基金风险，增长型基金收益＞平衡型基金收益＞收入型基金收益。

14.【答案】BC

【解析】主动型基金是基金经理主动操盘寻找超越基准组合表现的投资组合进行投资，被动型基金除完全复制指数成分股的投资策略外，也有指数增强型基金，即在复制的基础上根据市场变化做适当调整，以期获得超跟踪指数的收益。

15.【答案】ABCD

【解析】私募股权投资基金退出方式主要有股份上市转让或挂牌转让、股权转让和清算退出三种方式，清算退出方式又分为破产清算退出和解散清算退出两种形式。

16.【答案】BC

【解析】买入看跌期权的最大净损失为期权价格，最大净收益为执行价格减期权价格，因此选项A不正确，选项D是买入看涨期权的特点。

17.【答案】ABCD

【解析】买方（多头）期权到期日价值＝股票到期日市价－执行价格＝67－60＝7（元），卖方（空头）期权到期日价值＝－7元，买方到期净损益＝期权到期日价值－期权价格＝7－5＝2（元），卖方到期净损益＝期权到期日价值＋期权价格＝－7＋5＝－2（元）。

三、判断题

1.【答案】×

【解析】将资金投放于股票、债券等资产上的企业投资属于间接投资。

2.【答案】×

【解析】结构平衡原则是针对合理配置资源，而动态监控原则才是指企业应对投资项目实施过程中的进程控制。

3.【答案】×

【解析】只要满足“全部投资均于建设起点一次性投入，建设期为零，投产后每年的现金净流量相等”，就可以得出静态投资回收期等于按内含收益率法确定的年金现值系数。

计算内含收益率时，原始投资额＝投产后每年相等的现金净流量×年金现值系数，所以，年金现值系数＝原始投资额／投产后每年相等的现金净流量；而，静态回收期＝原始投资额／投产后每年相等的现金净流量。

所以说此时的年金现值系数等于静态回收期期数，但不等于动态回收期期数。动态回收期期数需要利用年金现值系数，根据插值法推算出回收期。

4.【答案】×

【解析】独立投资方案的比较决策一般用内含收益率法，寿命期不同的互斥投资方案决策应该用年金净流量法。

5.【答案】×

【解析】如果扩建重置方案对营业现金流入有影响也可以采用年金成本法，因为可以将其所增加或减少的营业现金流入作为现金流出量的抵减或增加处理。

6.【答案】×

【解析】证券资产的价值是一种未来现金流量折现的资本化价值，取决于契约性权利所能带来的未来现金流量，不完全由实体资本的现实生产经营活动来决定。

7.【答案】√

【解析】本题的考点是债券价值与要求的

最低投资收益率及票面利率的关系。市场利率即投资人要求的最低收益率大于票面利率，市场价值低于面值，反之，则相反。

8.【答案】×

【解析】溢价债券的内部收益率低于票面利率，折价债券的内部收益率高于票面利率。

9.【答案】√

【解析】引起债券价值随债券期限的变化而波动的原因，是票面利率与市场利率的不一致。债券期限变化不会引起平价发行债券价值的变动；溢价或折价债券才存在不同期限下债券价值有所不同的现象。

10.【答案】√

【解析】即使票面利率相同的两种债券，由于付息方式不同（每年付息一次、到期一次还本付息等），实际利率会有差别，投资人的实际经济利益亦有差别。

11.【答案】√

【解析】股票价值 = 股利 / 投资人要求最低收益率，股票市价 = 股利 / 股票内部收益率，因此当股票市价低于股票价值时，则内部收益率高于投资人要求的最低收益率。

12.【答案】√

【解析】如果 g 大于 R_s，根据固定增长的股票估价模型，其股票价值将是负数，没有实际意义。

13.【答案】×

【解析】几何平均收益率

$=\sqrt[3]{(1+6\%)(1+7\%)(1+8\%)}-1$。

14.【答案】√

【解析】本题的考点是私募股权基金和风险投资基金的特点。

15.【答案】×

【解析】主动型基金是指基金经理主动操盘寻找超越基准组合表现的投资组合进行投资。

16.【答案】×

【解析】封闭式基金份额持有人不得在基金约定的运作期内赎回基金，即基金份额在合同期限内固定不变。开放式基金份额持有人可以在合同约定的时间和场所对基金进行申购或赎回，即基金份额不固定。

17.【答案】×

【解析】基金反映了一种信托关系，它是一种受益凭证，投资者购买基金份额则成为基金的受益人。

18.【答案】×

【解析】一般来说，股票投资相比债券投资具有更高的风险，而证券投资基金作为对股票或债券的组合投资方式，其风险水平视构成资产的具体情况而定。

19.【答案】√

【解析】私募股权投资基金的投资对象为未上市企业的股权或非公开交易的股权，尤其对于未上市企业的投资，往往需要数年时间才能实现退出并获利，存在较长的封闭期。在清算前，基金份额转让和投资者退出较为困难，流动性较差。

四、计算分析题

1.【答案】

（1）投资期现金净流量 =-6000-700=-6700（万元）

（2）年折旧额 =（6000-6000×20%）/6=800（万元）

第 1~4 年每年营业现金净流量 =（3000-1000）×（1-25%）+800×25%=1700（万元）

（3）第 5~6 年每年的营业现金净流量 =

税后营业利润+折旧=500+800=1300（万元）

（4）税法规定净残值=6000×20%=1200（万元）

残值净损失=1200-1000=200（万元）

终结期回收的现金净流量=700+1000+200×25%=1750（万元）

（5）净现值=1700×（P/A，10%，4）+1300×（P/A，10%，2）×（P/F，10%，4）+1750×（P/F，10%，6）-6700=1700×3.1699+1300×1.7355×0.683+1750×0.5645-6700=1217.66（万元）

由于方案的净现值大于0，所以方案可行。

2.【答案】

（1）A项目的净现值=60×（P/F，8%，1）+50×（P/F，8%，2）+50×（P/F，8%，3）+30×（P/F，8%，4）+30×（P/F，8%，5）-120=60×0.9259+50×0.8573+50×0.7938+30×0.735+30×0.6806-120=60.58(万元）

（2）A项目的年金净流量=60.58/（P/A，8%，5）=60.58/3.9927=15.17（万元）

A项目的永续净现值=15.17/8%=189.63（万元）

B项目的年金净流量=83/（P/A，10%，8）=83/5.3349=15.56（万元）

B项目的永续净现值=15.56/10%=155.6（万元）

C项目的年金净流量=86/（P/A，12%，10）=86/5.6502=15.22（万元）

C项目的永续净现值=15.22/12%=126.83（万元）

（3）因为A项目的永续净现值最大，所以应选择A项目。

3.【答案】

（1）甲方案各年的净现金流量：

年折旧额=（100-5）/5=19（万元）

NCF_0=-（100+50）=-150（万元）

$NCF_{1\sim4}$=营业收入-付现成本=90-（60-19）=49（万元）

NCF_5=49+50+5=104（万元）

（2）乙方案各年的净现金流量：

NCF_0=-180万元

NCF_1=0

NCF_2=-80万元

$NCF_{3\sim6}$=170-80=90（万元）

NCF_7=90+80+8=178（万元）

（3）甲方案的静态投资回收期=150/49=3.06（年）

乙方案的静态投资回收期=2+（180+80）/90=4.89（年）

（4）甲方案的净现值=49×（P/A，10%，4）+104×（P/F，10%，5）-150=49×3.1699+104×0.6209-150=69.90（万元）

乙方案的净现值=90×[（P/A，10%，6）-（P/A，10%，2）]+178×（P/F，10%，7）-80×（P/F，10%，2）-180=90×（4.3553-1.7355）+178×0.5132-80×0.8264-180=81.02（万元）

甲方案的年金净流量=69.9/（P/A，10%，5）=69.9/3.7908=18.44（万元）

乙方案的年金净流量=81.02/（P/A，10%，7）=81.02/4.8684=16.64（万元）

（5）因为甲方案的年金净流量18.44万元大于乙方案的年金净流量16.64万元，所以应选择甲投资方案。

4.【答案】

（1）A方案包括建设期的静态投资回收期=3+（1050+50-500-450）/400=3.38（年）

（2）D方案现值指数=275×（P/A，10%，10）×（P/F，10%，1）/[550+550×（P/F，10%，1）]=275×6.1446×0.9091/（550+550×0.9091）=1.46

（3）B方案净现值=275×（P/A，10%，10）×（P/F，10%，1）-1100=275×6.1446×0.9091-1100=436.17（万元）

（4）C方案内含收益率：275×（P/A，IRR，10）=1100

即：（P/A，IRR，10）=4

根据：（P/A，20%，10）=4.1925

（P/A，24%，10）=3.6819

可知：（24%−IRR）/（24%−20%）=（3.6819−4）/（3.6819−4.1925）

解得：IRR=21.51%

（5）C 方案动态投资回收期：275×（P/A，10%，n）=1100

（P/A，10%，n）=4

根据：（P/A，10%，5）=3.7908

（P/A，10%，6）=4.3553

可知：$\frac{n-5}{6-5}=\frac{4-3.7908}{4.3553-3.7908}$

解得：n=5.37（年）。

5.【答案】

（1）平价发行，内部收益率与票面利率相同，即 10%。

（2）V=1000×10%×（P/A，8%，4）+1000×（P/F，8%，4）=100×3.3121+1000×0.7350=1066.21（元）

（3）①设内部收益率为 i：1040=1000×10%×（P/A，i，4）+1000×（P/F，i，4）

i=9%，100×（P/A，9%，4）+1000×（P/F，9%，4）=100×3.2397+1000×0.7084=1032.37（元）

（i−8%）/（9%−8%）=（1040−1066.21）/（1032.37−1066.21）

i=8.77%

②简便算法计算投资收益率：

$i=\frac{100+（1000-1040）/4}{（1000+1040）/2}\times100\%=8.82\%$。

6.【答案】

（1）该股票投资人要求的必要投资收益率 =6%+2.5×（10%−6%）=16%

（2）股票的价值 =1.5/（16%−6%）=15（元）

则当股票价格低于 15 元时，可以购买。

（3）股票的内部收益率是使净现值为 0 的折现率，设为 R。

该股票未来现金流量有股票出售可得 15 元和一年后的股利 1.5 元，由净现值 =0 可得：（15+1.5）/（1+R）−14=0

内部收益率 R=（15+1.5）/14−1=17.86%

（4）内部收益率 R=1.5/14+6%=16.71%。

7.【答案】

（1）预计第 1 年的股利 =2×（1+14%）=2.28（元）

预计第 2 年的股利 =2.28×（1+14%）=2.60（元）

预计第 3 年及以后的股利 =2.60×（1+8%）=2.81（元）

每股股票的价值 =2.28×（P/F，10%，1）+2.60×（P/F，10%，2）+2.81/10%×（P/F，10%，2）=2.28×0.9091+2.60×0.8264+28.1×0.8264=27.44（元）

（2）24.90=2.28×（P/F，i，1）+2.60×（P/F，i，2）+2.81/i×（P/F，i，2）

由于按 10% 的折现率计算，其股票价值为 27.44 元，市价为 24.90 元时的内部收益率应高于 10%，故用 11% 开始测试：

当 i=11% 时，2.28×（P/F，11%，1）+2.60×（P/F，11%，2）+2.81/11%×（P/F，11%，2）=2.28×0.9009+2.60×0.8116+2.81/11%×0.8116=24.90（元）

股票的内部收益率 =11%。

8.【答案】

（1）一年后的股票价值 =［2×（1+5%）/（10%−5%）］×（1+5%）=44.1（元）

甲投资人购买的看涨期权到期日价值 =44.1−37=7.1（元）

甲投资人投资净损益 =7.1−3.8=3.3（元）

（2）乙投资人空头看涨期权到期日价值 =−7.1 元

乙投资人投资净损益 =−7.1+3.8=−3.3（元）

（3）丙投资人购买的看跌期权到期日价值 =0

丙投资人投资净损益 =0−5.25=−5.25（元）

（4）丁投资人空头看跌期权到期日价值 =0

丁投资人投资净损益 =0+5.25=5.25（元）。

五、综合题

1.【答案】

（1）营运资金的垫支＝增加的流动资产－增加的结算性流动负债=350-150=200（万元）

初始的现金净流量=-800-200=-1000（万元）

1~10年各年的营业现金净流量＝销售收入－付现成本－所得税=500-200-50=250（万元）

终结期的回收额=80+200=280（万元）

第10年的现金净流量=250+280=530（万元）

（2）A=182+72=254（万元）

B=1790+720+18+280-1000=1808（万元）

C=-500-500+（172+72+6）×3=-250（万元）

（3）甲方案包含建设期的静态回收期＝1+1000/250=5（年）

丙方案包含建设期的静态回收期＝4+250/254=4.98（年）

（4）$\beta_{资产}$=1.75/［1+（1-25%）×1］=1

该项目的$\beta_{权益}$=1×［1+（1-25%）×2/3］=1.5

权益成本＝无风险报酬率＋$\beta_{权益}$×市场风险溢价=4%+1.5×（8%-4%）=10%

项目折现率＝加权平均资本成本＝6.67%×（1-25%）×2/5+10%×3/5=8%

（5）$NPV_{甲}$=-1000+250×［（P/A，8%，6）－（P/A，8%，1）］=-1000+250×（4.6229-0.9259）=-75.75（万元）

$NPV_{乙}$=-1000+250×（P/A，8%，10）+280×（P/F，8%，10）=-1000+250×6.7101+280×0.4632=807.22（万元）

由于甲方案的净现值为-75.75万元，小于零，该方案不具备财务可行性；因为乙方案的净现值大于零，所以乙方案具备财务可行性。

（6）乙方案年金净流量＝乙方案净现值/（P/A,8%,10）=807.22/6.7101=120.30（万元）

丙方案年金净流量＝丙方案净现值/（P/A，8%，11）=725.66/7.1390=101.65（万元）

因此，乙方案年金净流量大于丙方案，应选择乙方案。

2.【答案】

（1）①税后年付现成本=1800×（1-25%）=1350（万元）

②每年折旧抵税=675×25%=168.75（万元）

③残值变价收入=750万元

④残值净收益纳税＝（750-600）×25%=37.5（万元）

⑤ $NCF_{1\sim7}$=-1350+168.75=-1181.25（万元）

NCF_{8}=-1181.25+750-37.5=-468.75（万元）

⑥ NPV=-6000-1181.25×（P/A，10%，7）-468.75×（P/F，10%，8）=-6000-1181.25×4.8684-468.75×0.4665=-11969.47（万元）

年金成本=11969.47/（P/A，10%，8）=11969.47/5.3349=2243.62（万元）

（2）①目前账面价值=5000-562.5×4=2750（万元）

②目前资产报废损失=2750-2000=750（万元）

③目前资产报废损失抵税=750×25%=187.5（万元）

④残值报废损失减税＝（500-450）×25%=12.5（万元）

⑤ NCF_{0}=-2000-187.5=-2187.5（万元）

$NCF_{1\sim3}$=-2500×（1-25%）+562.5×25%=-1734.38（万元）

NCF_{4}=-1734.38+450+12.5=-1271.88（万元）

⑥ NPV=-2187.5-1734.38×（P/A，10%，3）-1271.88×（P/F，10%，4）=-2187.5-1734.38×2.4869-1271.88×0.6830=-7369.42（万元）

年金成本=7369.42/（P/A，10%，4）=

7369.42/3.1699=2324.81（万元）

（3）因为继续使用旧设备的年金成本2324.81万元大于购置新设备的年金成本2243.62万元，所以应选择购置新设备。

3.【答案】

（1）①甲公司债券的价值 =1000×8%×（P/A，6%，5）+1000×（P/F，6%，5）=80×4.2124+1000×0.7473=1084.29（元）

设内部收益率为 i：

1000×8%×（P/A，i，5）+1000×（P/F，i，5）=1041

当利率为7%时：

1000×8%×（P/A，7%，5）+1000×（P/F，7%，5）=1041（元）

因此甲公司债券的内部收益率 =7%

【提示】因为债券价值1084.29元高于购买价格1041元，说明该债券值得投资，即债券内部收益率应该高于投资人要求的必要收益率（6%），所以要往高测试，选择测试7%。

②乙公司债券的价值 =（1000×8%×5+1000）×（P/F，6%，5）=1400×0.7473=1046.22（元）

设内部收益率为 i：

（1000×8%×5+1000）×（P/F，i，5）=1050

当利率为5%时：

（1000×8%×5+1000）×（P/F，5%，5）=1400×0.7835=1096.9（元）

$$\frac{i-5\%}{6\%-5\%}=\frac{1050-1096.9}{1046.22-1096.9}$$

$$i=\frac{1096.9-1050}{1096.9-1046.22}\times(6\%-5\%)+5\%$$

i=5.93%

因此乙公司债券的内部收益率为5.93%

【提示】因为债券价值1046.22元低于购买价格1050元，说明该债券不值得投资，即债券内部收益率应该低于投资人要求的必要收益率（6%），所以要往低测试，选择测试5%。

③丙公司债券的价值 =1000×（P/F，6%，5）=1000×0.7473=747.3（元）

设内部收益率为 i：

1000×（P/F，i，5）=750

所以，（P/F，i，5）=0.75

（P/F，5%，5）=0.7835

（P/F，6%，5）=0.7473

$$\frac{i-5\%}{6\%-5\%}=\frac{0.75-0.7835}{0.7473-0.7835}$$

解得：i=5.93%

因此丙公司债券的内部收益率为5.93%

④由于甲公司债券的价值高于其买价，甲公司债券具有投资价值；而乙公司和丙公司债券的价值均低于其买价，不具有投资价值。A公司应购买甲公司债券。

（2）甲公司债券的价值 =1000×8%×（P/A，6%，4）+1000×（P/F，6%，4）=80×3.4651+1000×0.7921=1069.31（元）

乙公司债券的价值 =（1000×8%×5+1000）×（P/F，6%，4）=1400×0.7921=1108.94（元）

乙公司债券价值高于购买价格，所以应投资购买乙公司的债券，甲公司债券价值低于购买价格，不值得投资。

【提示】乙公司债券是到期一次还本付息的，所以不管在哪一个时点购入，只要持有至到期日就能获得全部5年的利息，提前出售无法获得利息。

第七章　营运资金管理

CHAPTER-7

本章学习指南

一、考情分析

本章属于财务管理的重点章节，涉及营运资金管理概述、现金管理、应收账款管理、存货管理以及流动负债管理。从历年的考试情况来看，本章除考查客观题外，也有可能出主观题。近 3 年考试平均分值为 12 分左右。

最近 3 年题型、题量分析表

题型	2019 年		2020 年			2021 年		
	试卷Ⅰ	试卷Ⅱ	试卷Ⅰ	试卷Ⅱ	试卷Ⅲ	试卷Ⅰ	试卷Ⅱ	试卷Ⅲ
单项选择题	3 题 3 分	3 题 3 分	1 题 1.5 分	—	3 题 4.5 分	2 题 3 分	3 题 4.5 分	3 题 4.5 分
多项选择题	—	3 题 6 分	1 题 2 分	1 题 2 分	1 题 2 分	2 题 4 分	2 题 4 分	—
判断题	3 题 3 分	2 题 2 分	1 题 1 分	2 题 2 分	3 题 3 分	1 题 1 分	2 题 2 分	1 题 1 分
计算分析题	1 题 5 分	1 题 5 分	—	—	—	—	1 题 5 分	—
综合题	—	—	0.6 题 8 分	0.6 题 8 分	—	—	0.31 题 4 分	—
合计	7 题 11 分	9 题 16 分	3.6 题 12.5 分	3.6 题 12 分	7 题 9.5 分	5 题 8 分	8.31 题 19.5 分	4 题 5.5 分

二、教材变化

本章与 2021 年的教材相比，主要变化是增加了“借款利率种类”的相关内容。

核心考点精讲

第一节　营运资金管理概述

使用“会计云课堂”App 或“微信”扫码查看本节视频，快速 GET 知识点。

一、营运资金的概念及特点★

（一）营运资金的概念

名师点拨

考试不特指的情况下，提到的营运资金是针对狭义营运资金而言的。

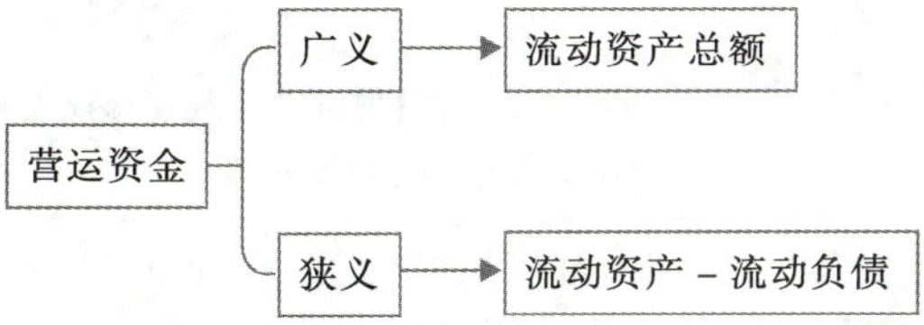

经典题解

【真题 1·单选题】下列各项中，不属于营运资金构成内容的是（　　）。（2020 年卷Ⅲ）

真题点拨

财务管理以会计为基础，要知道会计上对资产的划分。

A. 存货　　B. 应收账款

C. 货币资金　　D. 无形资产

【解析】营运资金＝流动资产－流动负债，无形资产属于非流动资产，不属于营运资金构成内容。

【答案】D

【真题 2·多选题】下列各项中，对营运资金占用水平产生影响的有（　　）。（2020 年卷Ⅱ）

A. 货币资金　　B. 应收账款

C. 预付账款　　D. 存货

【解析】营运资金＝流动资产－流动负债，选项 A、B、C、D 均属于流动资产，所以均会影响营运资金占用水平。

【答案】ABCD

【真题 3·多选题】企业采取的下列措施中，能够减少营运资本需求的有（　　）。（2020 年卷Ⅲ）

A. 加速应收账款周转　　B. 加速存货周转

C. 加速应付账款的偿还　　D. 加速固定资产周转

【解析】加速应收账款周转会减少应收账款，减少营运资本需求；加速存货周转会减少存货，减少营运资本需求；加速应付账款的偿还，会减少应付账款，增加营运资本需求；加速固定资产周转，不影响流动资产，所以不影响营运资本需求。

【答案】AB

【真题 4·单选题】一般而言，营运资金指的是（ ）。（2018 年卷Ⅰ）

A. 流动资产减去存货的余额

B. 流动资产减去流动负债的余额

C. 流动资产减去速动资产后的余额

D. 流动资产减去货币资金后的余额

【解析】营运资金＝流动资产－流动负债。

【答案】B

（二）分类

项目	分类标准	分类
流动资产	占用形态	现金、以公允价值计量且其变动计入当期损益的金融资产、应收及预付款项和存货等
	在生产经营过程中所处的环节	生产环节中的流动资产、流通环节中的流动资产以及其他环节中的流动资产
流动负债	应付金额是否确定	应付金额确定的流动负债（如短期借款、应付票据、应付短期融资券等）和应付金额不确定的流动负债（如应交税费、应付产品质量担保债务等）
	流动负债的形成情况	自然性流动负债和人为性流动负债（如短期银行借款等）
	是否支付利息	有息流动负债和无息流动负债

相关链接

（1）自然性流动负债是第 5 章所谈的经营性流动负债，通常是无息流动负债；

（2）人为性流动负债是第 5 章所谈的筹资性流动负债，一般是有息流动负债，后面也称为临时性流动负债。

（三）营运资金的特点及管理原则

特点	①来源具有多样性；②数量具有波动性；③周转具有短期性；④实物形态具有变动性和易变现性
管理原则	①满足正常资金需求；②提高资金使用效率；③节约资金使用成本；④维持短期偿债能力

经典题解

【真题 5·判断题】营运资金具有多样性、波动性、短期性、变动性和不易变现性等特点。（ ）（2015 年）

【解析】营运资金一般具有如下特点：营运资金的来源具有多样性；营运资金的数量具有波动性；营运资金的周转具有短期性；营运资金的实物形态具有变动性和易变现性。

【答案】×

二、营运资金的管理策略★

（一）流动资产的投资策略

1. 流动资产投资的相关成本

（1）短缺成本。

（2）持有成本：主要是与流动资产相关的机会成本。

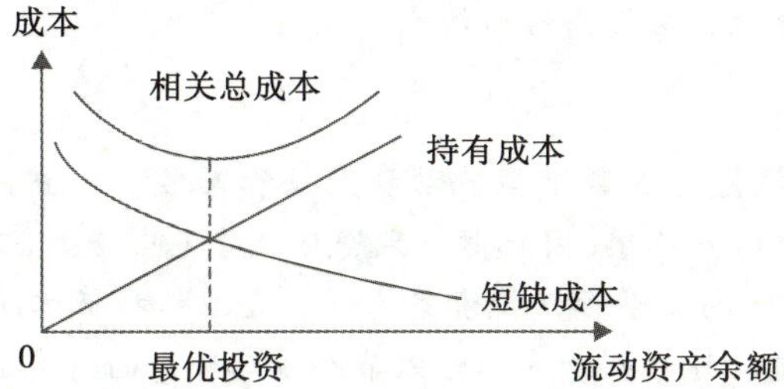

【提示】从理论上来说，最优的流动资产投资规模等于流动资产的持有成本与短缺成本之和最低时的流动资产占用水平。

2. 流动资产投资策略的种类及特点

种类	流动资产与销售收入比率	持有成本	短缺成本	经营风险与财务风险	收益
紧缩的流动资产投资策略	低水平	较低	较高	较高	较高
宽松的流动资产投资策略	高水平	较高	较低	较低	较低

要点小贴士

（1）紧缩的流动资产投资策略的流动资产周转率高。

（2）宽松的流动资产投资策略的流动资产周转率低。

经典题解

【真题6·单选题】关于宽松的流动资产投资策略，下列说法正确的是（　　）。（2021年卷Ⅲ）

A. 资金流动性较低　　B. 流动资产持有成本较低

C. 企业收益水平较高　　D. 财务风险较低

【解析】在宽松的流动资产投资策略下，企业通常会保持高水平的流动资产，因此资金流动性较高，企业的财务与经营风险较小。但是，过多的流动资产投资，无疑会承担较大的流动资产持有成本，提高企业的资金成本，降低企业的收益水平。所以选项A、B、C错误，选项D正确。

【答案】D

【真题7·判断题】企业维持较高的流动资产存量水平有助于提高资金使用效率和企业总体收益水平。（　　）（2020年卷Ⅲ）

【解析】企业维持较高的流动资产存量水平会降低营运资金的周转，降低资金使用效率。同时较高的流动资产存量水平，会增加流动资产的持有成本，降低资产的收益率。

【答案】×

【真题 8·多选题】不考虑其他因素，企业采用宽松的流动资产投资策略将导致（　　）。（2019 年卷Ⅱ）

A. 较低的流动资产　　B. 较低的偿债能力

C. 较低的流动资产短缺成本　　D. 较低的收益水平

【解析】在宽松的流动资产投资策略下，企业将保持较多的流动资产，增加流动资产投资会增加流动资产的持有成本，降低资产的收益性，但会提高资产的流动性，短缺成本会降低，会提高偿债能力。

【答案】CD

【真题 9·判断题】在紧缩型流动资产投资策略下，企业一般会维持较高水平的流动资产与销售收入比率，因此财务风险与经营风险较小。（　　）（2018 年卷Ⅰ）

【解析】在紧缩的流动资产投资策略下，企业维持低水平的流动资产与销售收入比率。紧缩的流动资产投资策略可以节约流动资产的持有成本，但与此同时可能伴随着更高风险，因此经营风险和财务风险较高。

【答案】×

名师点拨

不用死记硬背，按常识来理解记忆。

3. 选择何种流动资产投资策略的影响因素

因素	具体表现
权衡资产的收益性和风险性	增加流动资产投资，会增加流动资产的持有成本，降低资产的收益性，但会提高资产的流动性
企业经营的内外部环境	①银行和其他借款人对企业流动性水平非常重视。如果公司重视债权人的意见，会持有较多流动资产 ②融资困难的企业，通常采用紧缩的流动资产投资策略
产业因素	销售边际毛利较高的产业，宽松的信用政策可能为企业带来更可观的收益
行业类型	流动资产占用具有明显的行业特征。比如，在商业零售行业，其流动资产占用要超过机械行业
影响企业政策的决策者	保守的决策者更倾向于宽松的流动资产投资策略，而风险承受能力较强的决策者则倾向于紧缩的流动资产投资策略 ①生产经理喜欢高水平的原材料持有量 ②销售经理喜欢高水平的产成品存货 ③财务管理人员喜欢使存货和应收账款最小化
销售额的稳定性	销售额不稳定且难以预测，则必须维持一个较高的流动资产存量水平

要点小贴士

销售边际毛利 = 增加一件销售量的营业收入 − 增加一件销售量的营业成本。

经典题解

【真题 10·多选题】下列关于营运资金管理的表述中，正确的有（　　）。（2017 年卷Ⅰ）

A. 加速营运资金周转，有助于降低资金使用成本

B. 销售变数较大而难以预测时，通常要维持较低的流动资产与销售收入比率

C. 管理者偏好高风险高收益时，通常会保持较低的流动资产投资水平

D. 销售稳定并可预测时，投资于流动资产的资金可以相对少一些

【解析】销售变数较大而难以预测时，说明企业风险较大，为降低风险应保持较高的流动资产与销售收入比率，选项 B 错误。

【答案】ACD

【真题 11 · 判断题】某公司推行适时制（JIT），对公司管理水平提出了更高的要求，因此该公司应采用宽松的流动资产投资策略。（　　）（2017 年卷Ⅱ）

【解析】适时制（JIT）的特点就是降低存货，所以应采用紧缩的流动资产投资策略。

【答案】×

（二）流动资产的融资策略

1. 流动资产和流动负债的特殊分类

项目	分类	含义
流动资产	永久性流动资产	指满足企业长期最低需求的流动资产，其占有量通常相对稳定
	波动性流动资产（临时性流动资产）	指那些由于季节性或临时性的原因而形成的流动资产，其占用量随当时的需求而波动
流动负债	临时性负债（筹资性流动负债）	指为了满足临时性流动资金需求所发生的负债，临时性负债一般只能供企业短期使用。如 1 年期以内的短期借款或发行短期融资券等融资方式
	自发性负债（经营性流动负债）	指直接产生于企业持续经营中的负债，如商业信用筹资和日常运营中产生的其他应付款，以及应付职工薪酬、应付利息、应交税费等，自发性负债可供企业长期使用

要点小贴士

（1）这里的流动资产通常只包括生产经营过程中生产的存货、应收款项以及现金等生产性流动资产，而不包括股票、债券等金融性流动资产。

（2）永久性流动资产：经营淡季、旺季都会存在。

（3）波动性流动资产：只有在生产经营旺季时才存在。如果企业经营没有季节性或临时性需要，说明该企业波动性流动资产为 0。

经典题解

【例题 12 · 多选题】企业在持续经营过程中，会自发地产生一些资金来源来满足企业的经营需要，如（　　）。

A. 预收账款

B. 应付职工薪酬

C. 应付票据

D. 根据周转信贷协定取得的限额内借款

【解析】自发性流动负债是指不需要正式安排，由于结算程序或有关法律法规的规定等原因而自然形成的流动负债，如商业信用筹资和日常运营中产生的其他应付款，以及应付职工薪酬、应付利息、应交税费等。

【答案】ABC

2. 流动资产融资策略的种类、含义及特点

种类	含义	特点
期限匹配融资策略	（1）波动性流动资产＝临时性流动负债 （2）非流动资产＋永久性流动资产＝股东权益资本＋长期负债＋自发性流动负债	风险收益适中
激进融资策略	（1）波动性流动资产＜临时性流动负债 （2）非流动资产＋永久性流动资产＞股东权益资本＋长期负债＋自发性流动负债	资本成本低，风险收益均高
保守融资策略	（1）波动性流动资产＞临时性流动负债 （2）非流动资产＋永久性流动资产＜股东权益资本＋长期负债＋自发性流动负债	资本成本高，风险收益均低

要点小贴士

（1）长期来源＝股东权益资本＋长期负债＋自发性流动负债；短期来源＝临时性流动负债

（2）长期性资金占用＝非流动资产＋永久性流动资产；短期性资金占用＝波动性流动资产

（3）期限匹配策略：短源＝短用，长源＝长用

（4）激进策略：短源＞短用，会出现短源长用

（5）保守策略：长源＞长用，会出现长源短用。

【提示】临时性流动负债属于短期筹资性负债，筹资风险大，但资本成本低；三种策略中激进融资策略的临时性流动负债占全部资金来源比重最大；保守融资策略的临时性流动负债占全部资金来源比重最小。

经典题解

【真题13·单选题】关于保守型流动资产融资策略，下列表述正确的是（　　）。（2021年卷Ⅰ）

A. 长期资金来源＝非流动资产＋永久性流动资产

B. 长期资金来源＞非流动资产＋永久性流动资产

C. 短期资金来源＞波动性流动资产

D. 长期资金来源＜非流动资产＋永久性流动资产

【解析】在保守融资策略中，长期融资支持非流动资产、永久性流动资产和部分波动性流动资产。企业通常以长期融资来源为波动性流动资产的平均水平融资，短期融资仅用于融通剩余的波动性流动资产。因此长期资金来源＞非流动资产＋永久性流动资产。

【答案】B

【真题14·单选题】某公司资产总额为400万元，其中波动性流动资产为50万元；全部资金来源中，短期来源占85万元。则该公司的流动资产融资策略属于（　　）。（2021年卷Ⅲ）

A. 激进融资策略　　B. 保守融资策略

C. 期限匹配融资策略　　D. 折中融资策略

【解析】因为波动性流动资产小于短期资金来源（临时性流动负债），所以该公司的融资策略为激进融资策略。

【答案】A

【真题15·多选题】企业在制定流动资产融资策略时，下列各项中被视为长期资金来源的有（　　）。（2021年卷Ⅱ）

A. 股东权益资本 B. 临时性流动负债

C. 自发性流动负债 D. 长期负债

【解析】在流动资产的融资策略中，融资的长期来源包括自发性流动负债、长期负债以及股东权益资本；短期来源主要是指临时性流动负债，例如短期银行借款。

【答案】ACD

【真题 16·判断题】一般而言，企业依靠大量短期负债来满足自身资金需求的做法体现出一种较为保守的融资策略。（ ）（2018 年卷Ⅱ）

【解析】短期负债在较短期限内就需要还本付息，过多地使用短期融资会导致较高的流动性风险，因此是较为激进的。

【答案】×

【真题 17·单选题】某公司资产总额为 9000 万元，其中永久性流动资产为 2400 万元，波动性流动资产为 1600 万元，该公司长期资金来源金额为 8100 万元，不考虑其他情形，可以判断该公司的融资策略属于（ ）。（2017 年卷Ⅰ）

真题点拨

遇到判断筹资策略类型的题目，首先看是否是匹配策略，即是否满足短源＝短用，长源＝长用；如果不满足就按照“激进短源多，保守长源多”的原则即可快速判断。

A. 期限匹配融资策略 B. 保守融资策略

C. 激进融资策略 D. 风险匹配融资策略

【解析】在保守融资策略中，长期融资支持非流动资产、永久性流动资产和部分波动性流动资产。永久性流动资产为 2400 万元，波动性流动资产为 1600 万元，因此非流动资产 =9000−2400−1600=5000（万元），非流动资产 + 永久性流动资产 = 5000+2400=7400（万元）＜ 8100 万元，由于长期资金来源比较多，说明是保守融资策略，选项 B 正确。

【答案】B

【真题 18·单选题】下列流动资产融资策略中，收益和风险均较低的是（ ）。（2016 年）

A. 产权匹配融资策略 B. 期限匹配融资策略

C. 保守融资策略 D. 激进融资策略

【解析】保守融资策略融资成本较高，风险、收益均较低。

【答案】C

【真题 19·单选题】某公司用长期资金来源满足非流动资产和部分永久性流动资产的需要，而用短期资金来源满足剩余部分永久性流动资产和全部波动性资产的需要，则该公司的流动资产融资策略是（ ）。（2015 年）

A. 激进融资策略 B. 保守融资策略

C. 折中融资策略 D. 期限匹配融资策略

【解析】在激进融资策略中，公司以长期资金来源为所有的非流动资产融资，仅对一部分永久性流动资产使用长期融资方式融资，短期融资方式支持剩下的永久性流动资产和所有的波动性流动资产，说明出现了短源长用的情况，所以是激进融资策略。选项 A 正确。

【答案】A

第二节 现金管理

使用“会计云课堂”App 或“微信”扫码查看本节视频，快速 GET 知识点。

一、持有现金的动机★

动机	含义	影响因素
交易性需求	企业为了维持日常周转及正常商业活动所需持有的现金额	商业信用条件、企业业务的季节性
预防性需求	企业需要持有一定量的现金，以应付突发事件 【提示】突发事件可能是社会经济环境的变化，也可能是客户违约导致企业突发性偿付等	（1）企业愿冒现金短缺风险的程度 （2）企业预测现金收支可靠的程度 （3）企业临时融资的能力
投机性需求	企业为了抓住突然出现的获利机会而持有的现金	—

要点小贴士

三个影响因素与预防性需求的现金持有量之间均为反向变动关系：即越愿意冒险、预测越可靠、融资能力越强，预防性需求的现金持有量越小。

【提示】企业各种需求的现金彼此可以相互使用，因此：企业的现金持有量＜交易性需求的现金持有量＋预防性需求的现金持有量＋投机性需求的现金持有量。

经典题解

【真题 20·判断题】公司为应对未来可能出现的突发事件而持有一定量的现金，该现金持有动机在于满足预防性需求。（ ）（2021 年卷Ⅱ）

【解析】预防性需求是指企业需要持有一定量的现金，以应付突发事件。

【答案】√

【真题 21·判断题】为满足每年“双十一”大促销的备货需求而增持现金，反映了企业持有现金的交易性需求。（ ）（2021 年卷Ⅲ）

【解析】企业的交易性需求是指企业为了维持日常周转及正常商业活动所需持有的现金额。“双十一”属于正常的销售旺季，既不是突发事件也不是突然出现的获利机会，因此不属于预防性需求和投机性需求。

【答案】√

真题点拨

考试经常是按教材中的表述出题，教材对交易性需求的影响主要从两个方面考虑：一是为满足季节性库存的需求而持有现金；二是为提供更长的商业信用期而持有现金。考试也非常喜欢从这两方面考查交易性需求。

【真题 22·单选题】由于供应商不提供商业信用，公司需要准备足够多的现金以满足材料采购的需求，这种现金持有动机属于（ ）。（2020 年卷Ⅰ）

A. 交易性需求　　B. 投机性需求

C. 预防性需求　　D. 储蓄性需求

【解析】企业的交易性需求是指企业为了维持日常周转及正常商业活动所需持有的现金额。企业支付给供应商的现金是由于维持日常经营导致的，选项 A 正确。

【答案】A

【真题23·单选题】某公司发现某股票的价格因突发事件而大幅度下降，预判有很大的反弹空间，但苦于没有现金购买。这说明该公司持有的现金未能满足（ ）。（2019年卷Ⅰ）

A. 投机性需求

B. 预防性需求

C. 决策性需求

D. 交易性需求

【解析】投机性需求是企业需要持有一定量的现金以抓住突然出现的获利机会。

【答案】A

【真题24·单选题】企业在销售旺季为方便向客户提供商业信用而持有更多现金，该现金持有动机主要表现为（ ）。（2019年卷Ⅱ）

A. 交易性需求

B. 投资性需求

C. 投机性需求

D. 预防性需求

【解析】企业的交易性需求是指企业为了维持日常周转及正常商业活动所需持有的现金额，企业在销售旺季为方便向客户提供商业信用而持有更多现金是为了正常生产经营活动，属于满足交易性需求的需要。

【答案】A

【真题25·判断题】不考虑其他因素的影响，如果企业临时融资能力较强，则其预防性需求的现金持有量一般较低。（ ）（2019年卷Ⅰ）

【解析】预防性需求是指企业需要持有一定量的现金，以应付突发事件。企业临时融资的能力较强，当发生突发事件时，可以进行临时筹资，所以预防性需求的现金持有量一般较低。

【答案】√

【真题26·多选题】企业持有现金，主要出于交易性、预防性和投机性三大需求，下列各项中体现了交易性需求的有（ ）。（2018年卷Ⅰ）

A. 为满足季节性库存的需求而持有现金

B. 为避免因客户违约导致的资金链意外断裂而持有现金

C. 为提供更长的商业信用期而持有现金

D. 为在证券价格下跌时买入证券而持有现金

【解析】企业的交易性需求是指企业为了维持日常周转及正常商业活动所需持有的现金额。预防性需求是指企业需要持有一定量的现金，以应付突发事件。投机性需求是企业需要持有一定量的现金以抓住突然出现的获利机会。选项B属于应付突发事件，因此是预防性需求；选项D是企业需要持有一定量的现金以抓住突然出现的获利机会，因此是投机性需求。

【答案】AC

二、目标现金余额的确定★★

（一）成本模型

相关成本	机会成本	管理成本	短缺成本
与现金持有量的关系	正比例变动	无明显的比例关系（固定成本）	反向变动
决策原则	最佳现金持有量是使上述三项成本之和最小的现金持有量		
图析法的结论	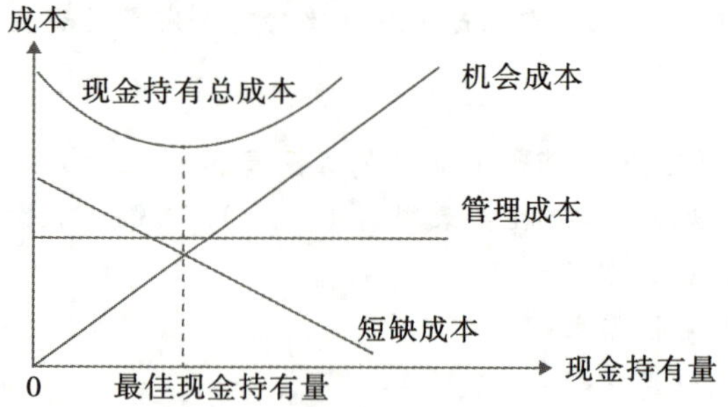 （1）总成本线的最低点对应的现金持有量正好是机会成本线和短缺成本线的交点对应的现金持有量 （2）当机会成本＝短缺成本时，现金持有总成本最小		

要点小贴士

由于管理成本是固定成本，因此成本模型下使机会成本和短缺成本之和最小的现金持有量就是最佳现金持有量。

经典题解

【真题27·单选题】在利用成本模型进行最佳现金持有量决策时，下列成本因素中未被考虑在内的是（　　）。（2019年卷Ⅱ）

A. 机会成本　　B. 交易成本　　C. 短缺成本　　D. 管理成本

【解析】成本模型强调的是：持有现金是有成本的，最优的现金持有量是使得现金持有总成本最小化的持有量。成本模型考虑的现金持有成本包括：机会成本、管理成本、短缺成本。

【答案】B

（二）存货模型

要点小贴士

指有价证券转回现金而发生的手续费、佣金等。

相关成本	机会成本	交易成本
与现金持有量关系	正比例变动	反向变动
决策原则	使机会成本与交易成本相等时所对应的现金持有量是最佳现金持有量	
图析法的结论	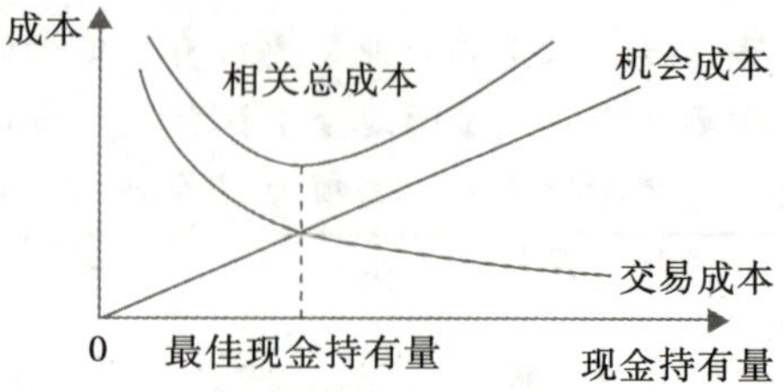 最佳现金持有量 C^* 是机会成本线与交易成本线交叉点所对应的现金持有量	

基本计算公式	（1）机会成本 = 平均现金持有量 × 持有现金的机会成本率= $\frac{C}{2}\times K$ （2）交易成本 = 交易次数 × 每次交易成本= $\frac{T}{C}\times F$ （3）最佳现金持有量 $C^*=\sqrt{\frac{2\times T\times F}{K}}$ （4）最小相关总成本 $TC(C^*)=\sqrt{2\times T\times F\times K}$ 式中：C——现金持有量 T——一定期间的现金需求量 F——每次交易成本 K——持有现金的机会成本率

经典题解

【真题 28 · 判断题】根据存货模型，最佳现金持有量是机会成本线和交易成本线交叉点所对应的现金持有量。（ ）（2020 年卷 Ⅰ）

【解析】现金的机会成本和交易成本是两条随现金持有量呈不同方向发展的线，两条线的交叉点对应的现金持有量，即相关总成本最低的现金持有量，也就是最佳现金持有量。

【答案】√

【真题 29 · 判断题】在确定目标现金余额时，无论成本模型还是存货模型，都需要考虑持有现金的机会成本。（ ）（2020 年卷 Ⅱ）

【解析】成本模型需要考虑的成本有机会成本、管理成本和短缺成本。存货模型需要考虑的成本有机会成本和交易成本。所以两种模型都需要考虑持有现金的机会成本。

【答案】√

真题点拨

机会成本是指占用资金的应计利息，或占用资金丧失的再投资机会的收益。在营运资金管理中无论是哪种模型，无论是哪种流动资产的控制决策，机会成本都是需要考虑的。

【真题 30 · 判断题】企业持有现金的机会成本主要是指企业为了取得投资机会而发生的佣金、手续费等有关成本。（ ）（2019 年卷 Ⅰ）

【解析】现金的机会成本，是指企业因持有一定现金余额丧失的再投资收益。企业为了取得投资机会而发生的佣金、手续费等有关成本属于交易成本，不是机会成本。

【答案】×

【真题 31 · 单选题】某公司当年的资本成本率为 10%，现金平均持有量为 30 万元，现金管理费用为 2 万元，现金与有价证券之间的转换成本为 1.5 万元，则该公司当年持有现金的机会成本是（ ）万元。（2018 年卷 Ⅰ）

A. 5　　B. 3.5　　C. 6.5　　D. 3

【解析】持有现金的机会成本 =30×10%=3（万元）。

【答案】D

【真题32·多选题】在确定目标现金余额的存货模型中，需要考虑的相关现金成本有（　　）。（2018年卷Ⅱ）

A. 机会成本　　　　B. 短缺成本

C. 管理成本　　　　D. 交易成本

【解析】存货模型的现金成本包括机会成本和交易成本。

【答案】AD

【例题33·单选题】甲公司采用存货模型确定最佳现金持有量。如果在其他条件保持不变的情况下，资本市场的投资回报率从4%上涨为16%，那么公司在现金管理方面应采取的对策是（　　）。

A. 将最佳现金持有量提高29.29%

B. 将最佳现金持有量降低29.29%

C. 将最佳现金持有量提高50%

D. 将最佳现金持有量降低50%

【解析】$C_1^* = \sqrt{\dfrac{2TF}{4\%}}$，$C_2^* = \sqrt{\dfrac{2TF}{16\%}}$

$$\frac{C_2^*-C_1^*}{C_1^*}=\frac{\sqrt{\dfrac{2TF}{16\%}}-\sqrt{\dfrac{2TF}{4\%}}}{\sqrt{\dfrac{2TF}{4\%}}}=\frac{\sqrt{\dfrac{2TF}{4\%}}\times\sqrt{\dfrac{1}{4}}-\sqrt{\dfrac{2TF}{4\%}}}{\sqrt{\dfrac{2TF}{4\%}}}=\frac{0.5-1}{1}=-50\%。$$

【答案】D

（三）随机模型

相关成本	机会成本	交易成本
与现金持有量关系	正方向变动	反方向变动
基本原理	企业根据历史经验和现实需要，测算出一个现金持有量的控制范围，即制定出现金持有量的上限和下限，将现金持有量控制在上下限之内 随机模型如下图所示： 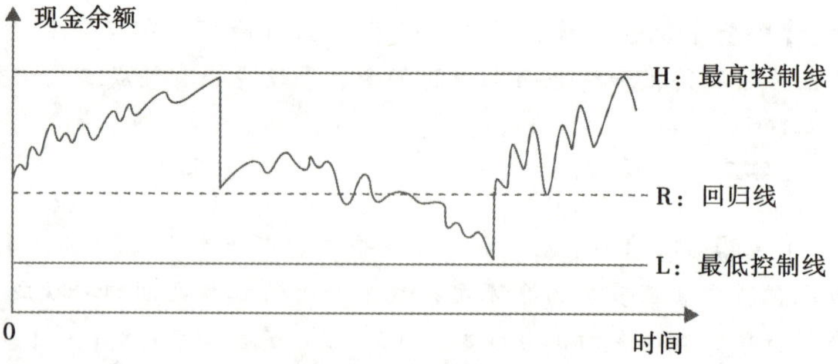 【提示】只要现金持有量在上限和下限之内就不用进行控制，但当现金余额达到上限，就应进行证券投资（H−R），使其返回到回归线。当现金余额下降到下限，就应变现有价证券（R−L）补足现金，使其达到回归线	

要点小贴士

三条线之间的关系：$H-R=2(R-L)$。

基本计算公式	（1）最低控制线（L）的确定：由现金管理部经理在综合考虑短缺现金的风险程度、企业借款能力、企业日常周转所需资金、银行要求的补偿性余额等因素的基础上确定 （2）回归线（R）的计算公式：$R=\sqrt[3]{\frac{3b\times\delta^2}{4i}}+L$ 式中：b——证券转换为现金或现金转换为证券的成本 δ——企业每日现金流量变动的标准差 i——以日为基础计算的现金机会成本 （3）最高控制线 H 的计算公式：H=3R−2L
特点	该模型适用范围广，随机模型建立在企业的现金未来需求总量和收支不可预测的前提下，计算出来的现金持有量比较保守

名师点拨

（1）注意联动的影响，L 的影响因素也会影响 R；

（2）日利息率 i、管理人员风险承受倾向、企业借款能力和 R 是反向变动，其他因素是同向变动。

经典题解

【真题 34·单选题】某公司基于随机模型进行现金管理，目标现金余额为 42 万元，现金余额下限为 27 万元，公司当前的现金持有量为 60 万元，此时公司应采取的策略为（　　）。（2021 年卷Ⅲ）

A. 买入有价证券 21 万元

B. 无需调整现金持有量

C. 卖出有价证券 12 万元

D. 卖出有价证券 18 万元

【解析】现金余额上限 H=3R−2L=3×42−2×27=72（万元），目前现金余额 60 万元处于上限和下限之间，因此无需调整。

【答案】B

【真题 35·单选题】某公司采用随机模型计算得出目标现金余额为 200 万元，最低限额为 120 万元，则根据该模型计算的现金上限为（　　）万元。（2019 年卷Ⅰ）

A. 280　　B. 360

C. 240　　D. 320

【解析】H=3R−2L=3×200−2×120=360（万元）。

【答案】B

【真题 36·单选题】某企业根据现金持有量随机模型进行现金管理，已知现金最低持有量为 15 万元，现金余额回归线为 80 万元，如果公司现有现金 220 万元，此时应当投资于有价证券的金额是（　　）万元。（2016 年）

A. 65　　B. 205

C. 140　　D. 95

【解析】H=3R−2L=3×80−2×15=210（万元），当现金持有量达到 220 万元时，应投资于有价证券，投资额 =220−80=140（万元）。

【答案】C

要点小贴士

主要介绍了资金集中管理的模式。

三、现金管理模式★★

（一）“收支两条线”的管理模式

目的		（1）对企业范围内的现金进行集中管理，减少现金持有成本，加速资金周转，提高资金使用效率 （2）以实施“收支两条线”为切入点，通过高效的价值化管理来提高企业效益
模式构建	资金的流向方面	（1）要求各部门或分支机构在内部银行或当地银行设立两个账户（收入户和支出户） （2）所有收入的现金都必须进入收入户（外地分支机构的收入户资金还必须及时、足额地回笼到总部），收入户资金由企业资金管理部门（内部银行或财务结算中心）统一管理 （3）所有的货币性支出都必须从支出户里支付，支出户里的资金只能根据一定的程序由收入户划拨而来，严禁现金坐支
	资金的流量方面	（1）加快资金的结算速度，尽量压缩资金在结算环节的沉淀量 （2）在调度环节上通过动态的现金流量预算和资金收支计划实现对资金的精确调度 （3）在支出环节上，根据“以收定支”和“最低限额资金占用”的原则从收入户按照支出预算安排将资金定期划拨到支出户，支出户平均资金占用额应压缩到最低限度
	资金的流程方面	是“收支两条线”内部控制体系的重要组成部分，主要包括： （1）关于账户管理、货币资金安全性等规定 （2）收入资金管理与控制 （3）支出资金管理与控制 （4）资金内部结算与信贷管理与控制 （5）“收支两条线”的组织保障等

经典题解

【例题37·单选题】企业“收支两条线”管理模式要求各部门或分支机构在内部银行或当地银行设立收入户和支出户两个账户，下列表述不正确的是（　　）。

A. 所有收入的现金都必须进入收入户

B. 外地分支机构的收入户资金必须及时、足额地回笼到总部

C. 收入户资金由企业资金管理部门（内部银行或财务结算中心）统一管理

D. 所有的货币性支出可以从支出户里支付，也可以现金坐支

【解析】支出户里的资金只能根据一定的程序由收入户划拨而来，严禁现金坐支。

【答案】D

【例题38·多选题】采用“收支两条线”的管理模式，支出账户资金的拨付原则有（　　）。

A. 以收定支原则

B. 最低限额资金占用原则

C. 充足余额原则

D. 零余额原则

【解析】采用“收支两条线”的管理模式，企业在支出环节上，根据“以收定支”和“最低限额资金占用”的原则从收入户按照支出预算安排将资金定期划拨到支出户，支出户平均资金占用额应压缩到最低限度。

【答案】AB

（二）集团企业资金集中管理模式

1. 资金集中管理模式的概念

资金集中管理，也称司库制度，指集团企业借助商业银行网上银行功能及其他信息技术手段，将分散在集团各所属企业的资金集中到总部，由总部统一调度、统一管理和统一运用。

2. 现行的资金集中管理模式

模式	内容	
统收统支模式	含义	企业的一切现金收入都集中在集团总部的财务部门，各分支机构或子企业不单独设立账号，一切现金支出都通过集团总部财务部门付出，现金收支的批准权高度集中
	适用范围	通常适用于规模比较小的企业
拨付备用金模式	含义	集团按照一定的期限统拨给所有所属分支机构或子企业备其使用的一定数额的现金，各分支机构或子企业发生现金支出后，持有关凭证到集团财务部门报销以补足备用金
	特点	拨付备用金模式相比统收统支模式具有一定的灵活性
	适用范围	通常适用于那些经营规模比较小的企业
结算中心模式	含义	是企业集团发展到一定阶段，应企业内部资金管理需求而生的一个内部资金管理机构，通常设于财务部门
	特点	该机构通过为成员企业办理现金收付和往来结算业务，降低了企业成本、提高了资金使用效率
内部银行模式	含义	将社会银行的基本职能与管理方式引入企业内部管理机制而建立起来的一种内部资金管理机构，它将“企业管理”“金融信贷”和“财务管理”三者融为一体，一般是将企业的自有资金和商业银行的信贷资金统筹运作，在内部银行统一调剂、融通运用
	适用范围	一般适用于具有较多责任中心的企事业单位
财务公司模式	含义	是一种经营部分银行业务的非银行金融机构
	特点	集团各子公司具有完全独立的财权；集团对各子公司的现金控制是建立在各自具有独立的经济利益基础上的 【提示】一般是集团公司发展到一定水平后，需要经过中国人民银行审核批准才能设立的

四、现金收支日常管理★★

（一）现金周转期

含义	指介于企业支付现金与收到现金之间的时间段
周转期内容	（1）存货周转期，指从收到原材料开始，到将原材料转化为产成品并销售为止所需要的时间 （2）应收账款周转期，指从产品卖出后，形成应收账款到收回现金所需要的时间 （3）应付账款周转期，指从购买原材料形成应付账款开始，到以现金偿还应付账款为止所需要的时间
计算公式	经营周期 = 存货周转期 + 应收账款周转期 现金周转期 = 经营周期 – 应付账款周转期 即：现金周转期 = 存货周转期 + 应收账款周转期 – 应付账款周转期 其中： 存货周转期 = 存货平均余额 / 每天的销货成本 应收账款周转期 = 应收账款平均余额 / 每天的销货收入 应付账款周转期 = 应付账款平均余额 / 每天的购货成本
减少现金周转期的措施	（1）加快制造与销售产成品（减少存货周转期） （2）加速应收账款的回收（减少应收账款周转期） （3）减缓支付应付账款（延长应付账款周转期）

相关链接

利用第 10 章通用公式记忆：

$$\times\times周转率 = \frac{周转额}{\times\times平均数}$$

↓

周转额的区别：

存货：销售成本

其他资产：销售收入

应付账款：购货成本

$$\times\times周转期 = \frac{360}{\times\times周转率}$$

经典题解

【真题 39·单选题】已知存货周转期为 45 天，应收账款周转期为 60 天，应付账款周转期为 40 天，则现金周转期为（　　）。（2021 年卷Ⅰ）

A. 145 天　B. 65 天　C. 105 天　D. 25 天

【解析】经营周期 = 存货周转期 + 应收账款周转期 =45+60=105（天），现金周转期 = 经营周期 – 应付账款周转期 =105–40=65（天）。

【答案】B

【真题 40·单选题】关于现金周转期的计算，下列公式正确的是（　　）。（2018 年卷Ⅱ）

A. 现金周转期 = 存货周转期 + 应收账款周转期 + 应付账款周转期

B. 现金周转期 = 应收账款周转期 + 应付账款周转期 – 存货周转期

C. 现金周转期 = 存货周转期 + 应收账款周转期 – 应付账款周转期

D. 现金周转期 = 存货周转期 + 应付账款周转期 – 应收账款周转期

【解析】现金周转期 = 存货周转期 + 应收账款周转期 – 应付账款周转期。

【答案】C

【真题 41·多选题】下列管理措施中，可以缩短现金周转期的有（　　）。（2016 年）

A. 提前偿还短期融资券　　　　B. 利用商业信用延期付款
C. 加大应收账款催收力度　　　　D. 加快制造和销售产品

【解析】现金周转期 = 存货周转期 + 应收账款周转期 − 应付账款周转期，提前偿还短期融资券跟现金周转期无关，选项 A 错误。

【答案】BCD

（二）收款管理

高效率收款系统	能够使收款成本和收款浮动期达到最小，同时能够保证与客户汇款及其他现金流入来源相关的信息的质量 【提示】收款浮动期主要是由纸基支付工具导致的，有下列三种类型：①邮寄浮动期；②处理浮动期；③结算浮动期
收款方式的改善	电子支付方式对比纸基（或称纸质）支付方式是一种改进

（三）付款管理

要点小贴士

总体目标是在不损害企业信誉条件下，尽可能推迟现金的支出。

延缓现金支出的策略	说明
使用现金浮游量	指由于企业提高收款效率和延长付款时间所产生的企业账户上的现金余额和银行账户上的企业存款余额之间的差额
推迟应付款的支付	指企业在不影响自己信誉的前提下，充分运用供货方所提供的信用优惠，尽可能地推迟应付款的支付期
汇票代替支票	与支票不同的是，承兑汇票并不是见票即付。它推迟了企业调入资金支付汇票的实际所需时间
改进员工工资支付模式	企业可以为支付工资专门设立一个工资账户，通过银行向职工支付工资
透支	企业开出支票的金额大于活期存款余额
争取现金流出与现金流入同步	应尽量使现金流出与流入同步，这样，就可以降低交易性现金余额，同时可以减少有价证券转换为现金的次数，提高现金的利用效率，节约转换成本
使用零余额账户	企业与银行合作，保持一个主账户和一系列子账户。企业只在主账户保持一定的安全储备，而在一系列子账户不需要保持安全储备

经典题解

【例题 42·多选题】下列属于控制现金支出有效措施的有（　　）。

A. 运用坐支　　　　B. 使用透支
C. 提前支付账款　　　　D. 使用现金浮游量

【解析】现金支出管理的主要任务是尽可能延缓现金的支出时间，延期支付账款的方法一般有：使用现金浮游量、推迟应付款的支付、汇票代替支票、改进员工工资支付模式、透支、争取现金流出与现金流入同步、使用零余额账户。

【答案】BD

第三节　应收账款管理

使用“会计云课堂”App 或“微信”扫码查看本节视频，快速 GET 知识点。

一、应收账款的功能与成本★

功能	增加销售、减少存货
成本	机会成本、管理成本、坏账成本

二、应收账款信用政策★★★

（一）应收账款信用政策的主要内容

内容	含义
信用标准	信用标准是指信用申请者获得企业提供信用所必须达到的最低信用水平，通常以预期的坏账损失率作为判别标准
信用条件	信用条件是销货企业要求赊购客户支付货款的条件，由信用期限、折扣期限和现金折扣三个要素组成，折扣期限和现金折扣构成折扣条件
收账政策	收账政策是指信用条件被违反时，企业采取的收账策略

（二）信用标准确定

1. 信用的定性分析

信用的定性分析是指对申请人“质”的分析。常用的信用定性分析法是 5C 信用评价系统。

“5C”	含义
品质 character	指个人或企业申请人诚实和正直的表现
能力 capacity	指申请人的偿债能力，着重了解申请人流动资产的数量、质量以及流动比率的高低
资本 capital	指如果申请人当期的现金流不足以还债，申请人在短期和长期内可供使用的财务资源，反映对于负债的保障程度
抵押 collateral	指当申请人不能满足还款余款时，可以用作债务担保的资产或其他担保物
条件 condition	指影响申请人还款能力和还款意愿的各种外在因素

要点小贴士

品质是“5C”信用评价中最重要的因素。

相关链接

重点是考查客户的短期偿债能力。第 10 章会介绍短期偿债能力的具体指标，包括流动比率、速动比率和现金比率等。

经典题解

【例题 43·单选题】在依据“5C”信用评价系统原理确定信用标准时，应掌握“能力”方面的信息，下列各项指标中最能反映申请人“能力”的是（　　）。

A. 营业净利率　　B. 资产周转率

C. 流动比率　　D. 资产负债率

【解析】所谓“5C”信用评价系统是指评估申请人信用品质的五个方面，即品质、能力、资本、抵押和条件。其中“能力”指申请人的偿债能力，着重了解申请人流动资产的数量、质量以及流动比率的高低，因此主要指短期偿债能力，只有选项 C 属于评价短期偿债能力的指标。

【答案】C

2. 信用的定量分析

可以从考察信用申请人的财务报表开始。通常使用比率分析法评价顾客的财务状况。

考核指标类别	具体指标
流动性和营运资本比率	流动比率、速动比率以及现金对负债总额比率
债务管理和支付比率	利息保障倍数、长期债务对资本比率、带息债务对资产总额比率以及负债总额对资产总额比率
盈利能力指标	销售回报率、总资产回报率和净资产收益率

相关链接

（1）流动性和营运资本比率属于第 10 章的短期偿债能力比率。

（2）债务管理和支付比率属于第 10 章的长期偿债能力比率。

（3）盈利能力指标属于第 10 章的盈利能力比率。

经典题解

【例题 44·多选题】企业进行商业信用的定量分析可以从考察信用申请人的财务报表开始，通常使用比率分析法评价顾客的财务状况，主要考察的财务指标包括（　　）。

A. 流动性和营运资本比率　　B. 债务管理和支付比率

C. 盈利能力指标　　D. 资产管理能力指标

【解析】商业信用的定量分析主要考察的财务指标包括流动性和营运资本比率、债务管理和支付比率、盈利能力三方面指标。

【答案】ABC

（三）应收账款信用政策决策

总额分析法	差量分析法
（1）计算各个方案的盈利： 盈利 = 销售收入 - 变动成本 - 固定成本 = 边际贡献 - 固定成本 = 销售量 × 单位边际贡献 - 固定成本	（1）计算盈利的增加： 盈利的增加 = 增加的销售收入 - 增加的变动成本 - 增加的固定成本 = 增加的边际贡献 - 增加的固定成本 = 销售量的增加 × 单位边际贡献 - 增加的固定成本

相关链接

第 8 章：增加的边际贡献 = 增加的销售收入 × 边际贡献率。

总额分析法	差量分析法
（2）计算各个方案实施信用政策的成本费用： 第一：计算占用资金的应计利息（机会成本） ①应收账款占用资金应计利息 = 应收账款占用资金 × 资本成本 其中：应收账款占用资金 = 应收账款平均余额 × 变动成本率 = 日赊销额 × 平均收现期 × 变动成本率 ②存货占用资金的应计利息 = 存货占用资金 × 资本成本 其中：存货占用资金 = 存货平均余额 ③应付账款占用资金的应计利息 = 应付账款占用资金 × 资本成本 其中：应付账款占用资金 = 应付账款平均余额 第二：计算收账费用和坏账损失 第三：计算折扣成本（若提供现金折扣时） 折扣成本 = Σ（赊销额 × 折扣率 × 享受折扣的客户比例）	（2）计算改变信用政策成本费用的增加： 第一：计算占用资金的应计利息增加 第二：计算收账费用和坏账损失增加 第三：计算折扣成本的增加（若提供现金折扣时）
（3）计算各方案税前损益： 税前损益 = 盈利 - 成本费用	（3）计算改变信用政策增加的税前损益： 增加的税前损益 = 盈利增加 - 成本费用增加
决策原则：选择税前损益最大的方案	决策原则：如果改变信用政策增加的税前损益大于 0，可以改变

要点小贴士

应收账款账户按售价登记，而真正占用的资金是变动成本部分，所以要将应收账款平均余额乘以变动成本率来确定应收账款占用资金；存货账户是按成本入账，所以存货平均余额即为存货平均占用资金，不用乘以变动成本率；应付账款账户登记的是我们占用别人的全部资金，也不用乘以变动成本率。

【提示】

（1）应收账款平均收现期的确定：

①只有信用期、没有折扣期、没有逾期客户：

平均收现期 = 信用期

②既有信用期、又有折扣期、没有逾期客户：

平均收现期 = 折扣期 × 享受折扣客户比例 + 信用期 × 放弃折扣客户比例

③有信用期、有折扣期、有逾期客户：

平均收现期 = 折扣期 × 享受折扣客户比例 + 信用期 × 放弃折扣但未逾期客户比例 + 逾期付款期 × 逾期客户比例

（2）存货占用资金 = 存货平均余额

①当已知平均库存量时：存货占用资金 = 平均库存量 × 单位变动成本

②当已知存货周转率时：存货占用资金 = 营业成本 / 存货周转率

相关链接

应收账款平均收现期也就是第 10 章介绍的应收账款周转天数。

经典题解

【真题 45 · 单选题】某公司信用条件为“0.8/10，N/30”，预计有 25%（按销售额计算）的客户选择现金折扣优惠，其余客户在信用期满时付款，则平均收现期为（　　）。（2021 年卷 Ⅱ）

A. 15 天　　B. 20 天　　C. 30 天　　D. 25 天

【解析】平均收现期 =25%×10+（1-25%）×30=25（天）。

【答案】D

【真题 46·单选题】下列各项中，可用来表示应收账款机会成本的是（　　）。（2018 年卷Ⅱ）

A. 坏账损失

B. 给予客户的现金折扣

C. 应收账款占用资金的应计利息

D. 应收账款日常管理费用

【解析】因投放于应收账款而放弃其他投资所带来的收益，即为应收账款的机会成本，也称为应收账款占用资金的应计利息。

【答案】C

【例题 47·单选题】某企业预计下年度销售净额为 1800 万元，应收账款周转天数为 90 天（一年按 360 天计算），变动成本率为 60%，资本成本为 10%，则应收账款的机会成本是（　　）万元。

A. 27　　B. 45　　C. 108　　D. 180

【解析】应收账款机会成本 =1800/360×90×60%×10%=27（万元）。

【答案】A

三、应收账款的监控★

<table>
<tr><td>应收账款周转天数</td><td colspan="2">应收账款周转天数=$\frac{\text{应收账款平均余额}}{\text{平均日销售额}}$
平均逾期天数 = 应收账款周转天数 – 平均信用期天数</td></tr>
<tr><td>账龄分析表</td><td colspan="2">账龄分析法可以确定逾期应收账款
【提示】账龄分析既可以按照应收账款总额进行，也可以分顾客进行</td></tr>
<tr><td>应收账款账户余额的模式</td><td colspan="2">反映一定期间（如 1 个月）的赊销额，在发生赊销的当月月末及随后的各月仍未偿还的百分比</td></tr>
<tr><td rowspan="5">ABC 分析法</td><td colspan="2">ABC 分析法是现代经济管理中广泛应用的一种“抓重点、照顾一般”的管理方法，又称重点管理法。它是将企业的所有欠款客户按其金额的多少进行分类排队，然后分别采用不同的收账策略的一种方法</td></tr>
<tr><td>分类</td><td>某类客户应收账款逾期金额占应收账款逾期金额总额的比重</td></tr>
<tr><td>A 类客户</td><td>较大</td></tr>
<tr><td>B 类客户</td><td>居中</td></tr>
<tr><td>C 类客户</td><td>较小</td></tr>
</table>

相关链接

可利用第 10 章的公式记忆：应收账款周转天数 = 计算期天数 / 应收账款周转率

应收账款周转率 = 计算期营业收入 / 应收账款平均余额。

要点小贴士

超过信用期未付款的金额。

【提示】A类客户是催款的重点对象，可采取较为严格的收账方法，甚至可以采取法律措施来催收。

四、应收账款日常管理★★

（一）调查客户信用

方法	含义
直接调查	指调查人员通过与被调查单位进行直接接触，通过当面采访、询问、观看等方式获取信用资料的一种方法
间接调查	是以被调查单位以及其他单位保存的有关原始记录和核算资料为基础，通过加工整理获得被调查单位信用资料的一种方法

（二）评估客户信用

企业一般采用“5C”系统来评价，并对客户信用进行等级划分。

（三）收账的日常管理

在对收账的收益与成本进行比较分析的基础上，制定切实可行的收账政策。

要点小贴士

ABC分析法，是针对超过信用期的逾期金额比重大小判断欠款客户的种类；应收账款保理是针对未超过信用期的应收账款的保理，不要混淆。

（四）应收账款保理

含义	应收账款保理是企业将赊销形成的未到期应收账款，在满足一定条件的情况下，转让给保理商，以获得流动资金，加快资金的周转	
种类	有追索权保理（非买断型）	供应商将债权转让给保理商，如果购货商拒绝付款或无力付款，保理商有权向供应商进行追索
	无追索权保理（买断型）	保理商将销售合同完全买断，并承担全部的收款风险
	明保理	保理商和供应商需要将销售合同被转让的情况通知购货商，并签订保理商、供应商、购货商之间的三方合同
	暗保理	供应商为了避免让客户知道自己因流动资金不足而转让应收账款，并不将债权转让情况通知客户，货款到期时仍由销售商出面催款，再向银行偿还借款
	折扣保理	又称为融资保理，即在销售合同到期前，保理商将剩余未收款部分先预付给销售商，一般不超过全部合同额的70%~90%
	到期保理	保理商并不提供预付账款融资，而是在赊销到期时才支付，届时不管货款是否收到，保理商都必须向销售商支付货款
作用	（1）融资功能：实质是一种将未到期应收账款作为抵押从而获得银行短期借款的融资方式 （2）减轻企业应收账款的管理负担 （3）减少坏账损失、降低经营风险 （4）改善企业的财务结构：增强了企业资产的流动性，提高了企业的债务清偿能力	

要点小贴士（种类）

（1）有追索权保理：保理商具有全部“追索权”，坏账风险由供应商承担。

（2）无追索权保理、到期保理：坏账风险由保理商承担。

（3）其余保理：无法确定坏账风险的承担人。

经典题解

【真题48·多选题】关于企业应收账款保理，下列表述正确的有（　　）。（2021年卷Ⅱ）

A. 增强了资产的流动性

B. 是资产证券化的一种形式

C. 具有融资功能

D. 能够减少坏账损失

【解析】应收账款保理不属于资产证券化。企业应收账款资产支持证券，是指证券公司、基金管理公司子公司作为管理人，通过设立资产支持专项计划开展资产证券化业务，以企业应收账款债权为基础资产或基础资产现金流来源所发行的资产支持证券。

【答案】ACD

【真题49·判断题】应收账款保理的主要意图在于将逾期未能收回的应收账款转让给保理商，从而获取相应的资金。（　　）（2020年卷Ⅲ）

真题点拨：超过信用期的应收账款不能进行保理。

【解析】应收账款保理是企业将赊销形成的未到期应收账款（而不是逾期未能收回的应收账款），在满足一定条件的情况下转让给保理商，以获得流动资金，加快资金的周转。

【答案】×

【真题50·单选题】在应收账款保理业务中，保理商和供应商将应收账款被转让的情况通知购货商，并签订三方合同，同时，供应商向保理商融通资金后，如果购货商拒绝付款，保理商有权向供应商要求偿还融通的资金，则这种保理是（　　）。（2017年卷Ⅰ）

A. 暗保理，且是无追索权的保理

B. 明保理，且是有追索权的保理

C. 暗保理，且是有追索权的保理

D. 明保理，且是无追索权的保理

【解析】保理商和供应商将应收账款被转让的情况通知购货商，这说明属于明保理；又因为保理商有权向供应商要求偿还融通的资金，说明保理商具有全部"追索权"，这属于有追索权保理。因此本题选项B正确。

【答案】B

【真题51·判断题】在应收账款保理中，从风险角度看，有追索权的保理相对于无追索权的保理对供应商更有利，对保理商更不利。（　　）（2016年）

【解析】有追索权保理指保理商有追索权，坏账风险由供应商承担，对供应商不利，而对保理商有利。

【答案】×

第四节 存货管理

使用“会计云课堂”App 或“微信”扫码查看本节视频，快速 GET 知识点。

一、存货管理目标★

（1）保证生产正常进行；
（2）提高销售机动性；
（3）维持均衡生产，降低生产成本；
（4）降低存货取得成本；
（5）防止意外事件发生。

二、存货的成本★★

- 持有成本
  - 取得成本
    - 订货成本
      - 订货固定成本——与订货次数无关
      - 订货变动成本——与订货次数相关：年订货次数 × 每次订货变动成本
    - 购置成本：年需要量 × 单价
  - 储存成本
    - 固定储存成本——与存货占用量无关
    - 变动储存成本——与存货占用量相关：年平均库存量 × 单位存货的年变动储存成本
  - 缺货成本

【提示】变动储存成本与存货的数量有关，如存货占用资金的应计利息、存货的破损和变质损失、存货的保险费用等。

经典题解

【真题 52·多选题】下列成本费用中，一般属于存货变动储存成本的有（ ）。（2017 年卷Ⅱ）

A. 库存商品保险费　　B. 存货资金应计利息
C. 存货毁损和变质损失　　D. 仓库折旧费

【解析】选项 D 属于固定储存成本。

【答案】ABC

三、最优存货量的确定★★★

（一）经济订货基本模型

1. 经济订货量的概念

使存货的总成本最低的进货批量，叫做经济订货量或经济批量。

2. 经济订货基本模型的假设条件及基本公式

需满足的假设	基本公式
（1）存货总需求量是已知常数 （2）不存在订货提前期，即可以随时补充存货 （3）货物是一次性入库 （4）单位货物成本为常数，无批量折扣 （5）库存储存成本与库存水平呈线性关系 （6）货物是一种独立需求的物品，不受其他货物影响 （7）不允许缺货，即无缺货成本，TC_s 为零	（1）经济订货批量：$EOQ=\sqrt{\frac{2KD}{K_C}}$ （2）与批量相关的存货总成本 = 订货变动成本 + 变动储存成本 $TC(EOQ)=K\times\frac{D}{Q}+\frac{Q}{2}\times K_C$ $TC(EOQ)=\sqrt{2KDK_C}$ （3）最佳订货次数$N^*=\frac{D}{EOQ}$ （4）最佳订货周期$t^*=\frac{360}{N^*}$ （5）经济订货量平均占用资金 = $\frac{EOQ}{2}\times U$ 式中：D——存货年需要量 K——每次订货的变动成本 K_C——单位变动储存成本 U——存货单价

考点妙记

经济订货批量的基本模型与目标现金余额确定中存货模型公式的基本原理是一致的，可以按照统一的模式记忆。

要点小贴士

K_C 的单位是从量计算的单位成本，比如元 / 件。有时考试会给出从价计算的单位储存成本率，这时需要将成本率乘以单位购置成本计算 K_C，例如资金成本率为 8%，单位购置成本为 100 元 / 件，则单件存货年占用资金的应计利息 = 单位购置成本 × 资金成本率 = 100×8%=8（元 / 件）。除此之外，再加上其余单位变动储存成本作为 K_C。

【提示】基本模型下，当变动订货成本 = 变动储存成本时的订货批量是经济订货批量。

经典题解

【真题 53 · 多选题】原材料年需求量为 90000 千克（一年按 360 天计算），采购单价为 30 元 / 千克，每次订货变动成本为 50 元，单位变动储存成本为 1 元 / 千克。基于经济订货基本模型，下列说法正确的有（　　）。（2021 年卷Ⅰ）

A. 变动订货成本为 1500 元

B. 经济订货量平均占用资金为 90000 元

C. 最佳订货周期为 12 天

D. 经济订货批量为 3000 千克

【解析】经济订货批量=$\sqrt{2\times50\times90000/1}$ =3000（千克），选项 D 正确。经济订货量平均占用资金 =3000/2×30=45000（元），选项 B 错误。每年最佳订货次数 =90000/3000=30（次），最佳订货周期 =360/30=12（天），选项 C 正确。变动订货成本 =50×30=1500（元），选项 A 正确。

【答案】ACD

【真题 54 · 单选题】某公司存货年需求量为 36000 千克，经济订货批量为 600 千克，一年按 360 天计算，则最佳订货期为（　　）天。（2020 年卷Ⅲ）

A. 100　　B. 1.67

C. 60　　D. 6

【解析】最佳订货次数 =36000/600=60（次），最佳订货期 =360/60=6（天）。

【答案】D

【真题55·单选题】根据存货的经济订货基本模型，影响经济订货批量的因素是（　　）。（2018年卷Ⅱ）

A. 购置成本

B. 每次订货变动成本

C. 固定储存成本

D. 缺货成本

【解析】存货经济订货批量=$\sqrt{\frac{2\times \text{存货年需要量} \times \text{每次订货变动成本}}{\text{单位变动储存成本}}}$，只有选项B会影响经济订货批量。

【答案】B

（二）经济订货基本模型的扩展

1. 存在订货提前期

名师点拨

再订货点相当于一个提醒：即当库存降到多少时要发出订单了。

要点小贴士

提前订货对经济订货量的计算并无影响。

再订货点的含义	指企业再次发出订货单时，尚有存货的库存量
再订货点（R）的确定	在不存在保险储备的情况下： R= 平均交货时间 × 每日平均需求量 =L×d
经济订货量的确定	相关公式与基本模型完全一致：$EOQ=\sqrt{\frac{2KD}{K_C}}$

经典题解

【真题56·单选题】某材料日需用量为50千克，经济订货批量为4500千克，订货后平均交货时间为6天，基于扩展的经济订货模型，再订货点为（　　）。（2021年卷Ⅱ）

A. 750千克　　B. 150千克

C. 540千克　　D. 300千克

【解析】再订货点 = 平均交货时间 × 每日平均需用量 =6×50=300（千克）。

【答案】D

2. 存货陆续供应和使用

相关成本	（1）订货变动成本 = 年订货次数 × 每次订货变动成本 = $\frac{D}{Q}\times K$ （2）储存变动成本 = 年平均库存量 × 单位存货的年储存变动成本=$\frac{Q}{2}\times(1-\frac{d}{p})\times K_C$ 式中：p—每日送货量；d—每日耗用量

基本公式	（1）经济订货量 $EOQ=\sqrt{\frac{2KD}{K_C}\times\frac{p}{p-d}}=\sqrt{\frac{2KD}{K_C\times(1-\frac{d}{p})}}$ （2）与批量相关的存货总成本 = 变动订货成本 + 变动储存成本 $TC(EOQ)=\sqrt{2KDK_C\times(1-\frac{d}{p})}$ （3）最佳订货次数 $N^*=D/EOQ$ （4）最佳订货周期 $t^*=360/N^*$ （5）经济订货量平均占用资金= $\frac{EOQ}{2}\times(1-\frac{d}{p})\times U$

【总结】基本模型与陆续供应和使用模型的比较：

项目	基本模型	陆续供应和使用模型
最高库存	Q	$Q\times(1-\frac{d}{p})$
平均库存	$\frac{Q}{2}$	$\frac{Q}{2}\times(1-\frac{d}{p})$
经济订货量	$EOQ=\sqrt{\frac{2KD}{K_C}}$	$EOQ=\sqrt{\frac{2KD}{K_C\times(1-\frac{d}{p})}}$
相关成本（订货变动成本、储存变动成本）	$TC(EOQ)=\sqrt{2KDK_C}$	$TC(EOQ)=\sqrt{2KDK_C\times(1-\frac{d}{p})}$
经济订货量平均占用资金	$\frac{EOQ}{2}\times U$	$\frac{EOQ}{2}\times(1-\frac{d}{p})\times U$

要点小贴士

陆续供应和使用模型与基本模型相比，订货成本不会改变，但凡是与存货量有关的指标都会改变，即要多乘以一个系数$(1-\frac{d}{p})$。

经典题解

【例题 57 · 单选题】某零件年需要量 16200 件，日供应量 60 件，一次订货成本 25 元，单位储存成本 1 元 / 年。假设一年按 360 天计算。需求是均匀的，不设置保险储备并且按照经济订货量进货，则下列各项计算结果中错误的是（ ）。

A. 经济订货量为 1800 件　　B. 最高库存量为 450 件

C. 平均库存量为 225 件　　D. 与进货批量有关的存货总成本为 600 元

【解析】本题适用的是存货陆续供应和使用模型，日耗用量 =16200/360=45（件），$EOQ=\sqrt{\frac{2\times16200\times25}{1\times(1-\frac{45}{60})}}$ =1800（件），选项 A 正确；最高库存量 =1800×$(1-\frac{45}{60})$=450（件），选项 B 正确；平均库存量 = $\frac{1800}{2}\times(1-\frac{45}{60})$=225（件），选项 C 正确；$TC(EOQ)=\sqrt{2\times16200\times25\times1\times(1-\frac{45}{60})}$ =450（元），选项 D 不正确。

【答案】D

（三）保险储备

含义	为防止由于发生需求量增大或交货时间延误造成的缺货损失，就需要多储备一些存货以备应急之需，称为保险储备
考虑保险储备的再订货点	再订货点 = 预计交货期内的需求 + 保险储备 = 平均交货时间 × 每日平均需用量 + 保险储备 =L×d+B
与保险储备量相关的总成本	与保险储备量相关的总成本 = 缺货成本 + 保险储备的储存成本 $=N\times S\times K_u+B\times K_C$ 式中：N——年订货次数；S——每次订货的平均缺货量 = Σ（缺货量 × 缺货概率）；K_u——单位缺货损失；B——保险储备量；K_C——单位存货的年变动储存成本
确定原则	最佳的保险储备应该是使缺货损失和保险储备的储存成本之和达到最低

名师点拨

每日平均需用量d考试通常需要自己计算确定，用年需用量D除以一年的工作天数。即：d=D/一年的工作天数。

要点小贴士

B的确定只能采用逐步测试法：从0开始测，按照需要量的间隔累加，一直测到没有缺货为止；S的确定受B的影响，按照概率求期望值确定。

经典题解

【真题58·判断题】存货管理中，较高的保险储备增加了存货的储存成本，但降低了缺货成本。（　　）（2021年卷Ⅱ）

【解析】较高的保险储备可降低缺货损失，进而降低缺货成本，但同时也增加了存货的储存成本。

【答案】√

【真题59·多选题】在存货订货量决策中，下列关于保险储备的表述正确的有（　　）。（2020年卷Ⅰ）

A. 保险储备增加，存货的缺货损失减小

B. 保险储备增加，存货中断的概率变小

C. 保险储备增加，存货的再订货点降低

D. 保险储备增加，存货的储存成本提高

【解析】较高的保险储备可降低存货中断的概率和存货中断的损失，即降低缺货损失，但也增加了存货的储存成本。因此，最佳的保险储备应该是使缺货损失和保险储备的储存成本之和达到最低。所以选项A、B、D正确。再订货点 = 预计交货期内的需求 + 保险储备，保险储备增加，存货的再订货点提高，所以选项C错误。

【答案】ABD

【真题60·单选题】某公司全年（按360天计）材料采购量预计为7200吨，假定材料日耗均衡，从订货到送达正常需要3天，鉴于延迟交货会产生较大损失，公司按照延误天数2天建立保险储备。不考虑其他因素，材料再订货点为（　　）吨。（2019年卷Ⅰ）

A. 80　　B. 40　　C. 60　　D. 100

【解析】每日平均需用量d= 全年采购量 / 全年天数 =7200/360=20（吨）。“公司按照延误天数2天建立保险储备”，所以保险储备量 =2×20=40（吨）。再订货点 = 平均交货时间L× 每日平均需用量d+ 保险储备量 =3×20+40=100（吨）。

【答案】D

【真题 61·单选题】下列关于存货保险储备的表述中，正确的是（　　）。（2017 年卷Ⅱ）

A. 较低的保险储备可降低存货缺货成本

B. 保险储备的多少取决于经济订货量的大小

C. 最佳保险储备能使缺货损失和保险储备的储存成本之和达到最低

D. 较高的保险储备可降低存货储存成本

【解析】较低的保险储备会增加存货缺货成本，选项 A 错误；保险储备与经济订货批量无关，选项 B 错误；最佳的保险储备应该是使缺货损失和保险储备的储存成本之和达到最低，选项 C 正确；较高的保险储备会增加存货储存成本，选项 D 错误。

【答案】C

【真题 62·单选题】某公司全年需要零配件 72000 件，假设一年按 360 天计算，按经济订货基本模型计算的最佳订货量为 9000 件，订货日至到货日的时间为 3 天，公司确定的保险储备为 1000 件，则再订货点为（　　）件。（2017 年卷Ⅱ）

A. 1600　　B. 4000

C. 600　　D. 1075

【解析】再订货点 =72000/360×3+1000=1600（件），选项 A 正确。

【答案】A

四、存货的控制系统★

（一）ABC 控制系统

项目	特征	分类标准		管理方法
		存货价值大小或者资金占用	存货品种数量	
A 类	金额巨大，品种数量较少	大	少	实行重点控制、严格管理
B 类	金额一般，品种数量相对较多	居中	居中	对 B 类和 C 类存货的重视程度可依次降低，采取一般管理
C 类	品种数量繁多，价值金额却很小	小	多	

要点小贴士

存货的 ABC 控制系统与应收账款的 ABC 分析法，都是“抓重点、照顾一般”的管理方法。要注意分类的标准。

经典题解

【例题 63·单选题】采用 ABC 控制法对存货进行控制时，应当重点控制的是（　　）。

A. 数量较多的存货

B. 品种数量少但占用资金较多的存货

C. 品种较多的存货

D. 库存时间较长的存货

【解析】采用 ABC 控制法对存货进行控制时应重点控制 A 类存货，A 类存货属于金额较多，品种数量较少的存货。

【答案】B

（二）适时制库存控制系统（零库存管理、看板管理系统）

基本原理	制造企业事先与供应商协调好：只有当制造企业在生产过程中需要原料或零件时，供应商才会将原料或零件送来 制造企业事先与客户协调好：每当产品生产出来就被客户拉走
优点	减少甚至消除对存货的需求，提高了企业运营管理效率
缺点	适时制库存控制系统要求生产程序稳定而标准，供应商要诚信，否则，任何一环出现差错都将导致整个生产线的停止

要点小贴士

经营风险大。

第五节　流动负债管理

使用“会计云课堂”App 或“微信”扫码查看本节视频，快速 GET 知识点。

一、短期借款 ★★★

（一）借款的分类

分类标准	分类
按照目的和用途不同	生产周转借款、临时借款、结算借款、票据贴现借款等
按偿还方式不同	一次性偿还借款和分期偿还借款
按利息支付方式不同	收款法借款、贴现法借款和加息法借款
按有无担保	抵押借款和信用借款

要点小贴士

短期借款由于期限短，常见的担保借款主要是抵押借款，但不排除保证贷款和质押贷款。

（二）短期借款的信用条件

条件	含义	需注意的问题
信贷额度	即贷款限额，是借款企业与银行在协议中规定的借款最高限额，信贷额度的有效期限通常为 1 年	无法律效应，银行并不承担必须支付全部信贷数额的义务
周转信贷协定	银行具有法律义务地承诺提供不超过某一最高限额的贷款协定	（1）有法律效应，银行必须满足企业在协定的有效期内，不超过最高限额的借款 （2）贷款限额未使用的部分，企业需要支付承诺费

条件	含义	需注意的问题
补偿性余额	银行要求借款企业在银行中保持按贷款限额或实际借用额一定比例（通常为10%～20%）计算的最低存款余额	补偿性余额提高了借款的实际利率
借款抵押	发放贷款时要求企业有抵押品担保	—
偿还条件	到期一次偿还和在贷款期内定期等额偿还两种方式	贷款期内定期等额偿还会提高借款的实际年利率
其他承诺	为取得贷款而作出的其他承诺	—

经典题解

【真题 64 · 判断题】银行借款如果附带补偿性余额条款，则会降低银行借款的实际利率。（　　）（2020 年卷Ⅱ）

【解析】补偿性余额是银行要求借款企业在银行中保持按贷款限额或实际借用额一定比例（通常为 10%～20%）计算的最低存款余额。对借款企业来说，补偿性余额提高了借款的实际利率，加重了企业负担。

【答案】×

【提示】2019 年卷Ⅰ试题与此题的考查角度一致。

【真题 65 · 判断题】在银行授予企业的信贷额度内，企业可以按需借款，银行应当承担满足企业在贷款限额内的全部需求的法律义务。（　　）（2018 年卷Ⅱ）

【解析】信贷额度亦即贷款限额，是借款企业与银行在协议中规定的借款最高限额，信贷额度的有效期限通常为 1 年。一般情况下，在信贷额度内，企业可以随时按需要支用借款。但是，银行并不承担必须支付全部信贷数额的义务。

【答案】×

【真题 66 · 单选题】某企业获 100 万元的周转信贷额度，约定年利率为 10%，承诺费率为 0.5%，年度内企业实际动用贷款 60 万元，使用了 12 个月，则该笔业务在当年实际的借款成本为（　　）万元。（2017 年卷Ⅰ）

A. 10　　B. 10.2　　C. 6.2　　D. 6

【解析】利息 =60×10%=6（万元），承诺费 =（100-60）×0.5%=0.2（万元），则实际的借款成本 =6+0.2=6.2（万元），本题选项 C 正确。

【答案】C

（三）短期借款的成本

1. 借款利率

种类	含义
优惠利率	优惠利率是银行向财力雄厚、经营状况良好的企业贷款时采用的利率，为贷款利率的最低限

种类	含义
浮动优惠利率	浮动优惠利率是一种随其他短期利率的变动而浮动的优惠利率，即随市场条件的变化而随时调整变化的优惠利率
非优惠利率	非优惠利率是银行贷款给一般企业时收取的高于优惠利率的利率 【提示】非优惠利率与优惠利率之间差距的大小，由借款企业的信誉、与银行的往来关系及当时的信贷状况所决定

2. 短期借款的付息方式

付息方式	含义
收款法付息（到期一次还本付息）	收款法是在借款到期时向银行支付利息的方法
贴现法付息（预扣利息）	贴现法又称折价法，是指银行向企业发放贷款时，先从本金中扣除利息部分，到期时借款企业偿还全部贷款本金的一种利息支付方法
加息法付息（分期等额偿还本息）	加息法是银行发放分期等额偿还贷款时采用的利息收取方法

3. 短期借款实际利率的计算

考点妙记

按通用公式掌握，不用单独记忆公式。通用公式：实际利率＝实际支付的年利息/实际可用贷款额。

项目	实际利率	名义利率和实际利率的关系
补偿性余额	实际利率 $=\dfrac{\text{贷款额}\times\text{名义利率}}{\text{贷款额}\times(1-\text{补偿性余额比例})}\times 100\%$ $=\dfrac{\text{名义利率}}{1-\text{补偿性余额比例}}\times 100\%$	实际利率＞名义利率
收款法（利随本清法）	实际利率$=\dfrac{\text{贷款额}\times\text{名义利率}}{\text{贷款额}}\times 100\%$ ＝名义利率	实际利率＝名义利率
贴现法（预扣利息）	实际利率$=\dfrac{\text{贷款额}\times\text{名义利率}}{\text{贷款额}\times(1-\text{名义利率})}\times 100\%$ $=\dfrac{\text{名义利率}}{1-\text{名义利率}}\times 100\%$	实际利率＞名义利率
加息法付息（分期等额偿还本息）	实际利率$\approx\dfrac{\text{贷款额}\times\text{名义利率}}{\text{贷款额}/2}$ $=2\times$名义利率	实际利率＞名义利率

经典题解

【真题67·判断题】某公司从银行取得1年期借款100万元，年利率5%。若按贴现法付息，则实际利率大于5%。（　　）（2021年卷Ⅰ）

【解析】按贴现法付息，企业可以利用的贷款只是本金减去利息部分后的差额，因此，贷款的实际利率要高于名义利率5%。

【答案】√

【真题68·单选题】某公司借入名义年利率为10%的银行借款6000万元，分12个月等额偿还本息，则按照加息法计算的该借款的实际年利率为（　　）。（2020年卷Ⅲ）

A. 20%　　B. 10.25%　　C. 21%　　D. 10%

【解析】按照加息法计算的该借款的实际年利率=10%×2=20%。

【答案】A

【真题69·单选题】某公司向银行借款2000万元，期限为1年，年利率为6.5%，银行要求的补偿性余额比例为12%，则该借款的实际利率为（　　）。（2019年卷Ⅱ）

A. 7.28%　　B. 6.5%　　C. 7.39%　　D. 12%

【解析】借款的实际利率=2000×6.5%/［2000×（1-12%）］=6.5%/（1-12%）=7.39%。

【答案】C

【例题70·单选题】某企业年初从银行贷款100万元，期限1年，年利率为10%，按照贴现法付息，则年末应偿还的金额为（　　）万元。

A. 70　　B. 90　　C. 100　　D. 110

【解析】贴现法计息是指银行向企业发放贷款时，先从本金中扣除利息部分，到期时借款企业再偿还全部贷款本金的一种利息支付方法。

【答案】C

二、短期融资券★★

要点	内容
含义	是由企业依法发行的无担保短期本票
种类	（1）按发行人分类，分为金融企业的融资券和非金融企业的融资券 （2）按发行方式分类，分为经纪人承销的融资券和直接销售的融资券 【提示】非金融企业发行融资券一般采用间接承销方式进行，金融企业发行融资券一般采用直接发行方式进行
我国短期融资券的发行条件	（1）发行人为非金融企业 （2）发行和交易对象：银行间债券市场的机构投资者 （3）企业不能自行销售，只能委托符合条件的金融机构承销（间接承销方式） （4）采用实名记账方式 （5）债务融资工具发行利率、发行价格和所涉费率以市场化方式确定
优缺点	优点： （1）短期融资券的筹资成本较低（相对于发行公司债券筹资而言） （2）短期融资券筹资数额比较大（相对于银行借款筹资而言） 缺点：发行短期融资券的条件比较严格。只有实力强的具备一定信用等级的企业才能发行

要点小贴士

短期融资券不能向社会公众发行和交易。

经典题解

【真题 71·多选题】根据我国对短期融资券的相关规定，下列说法正确的有（　　）。（2021 年卷Ⅰ）

A. 与银行借款相比，短期融资券发行条件较为严格

B. 企业需要为发行的短期融资券提供担保

C. 短期融资券面向社会公众发行和交易

D. 与企业债券相比，短期融资券的筹资成本较低

【解析】短期融资券是由企业依法发行的无担保短期本票。选项 B 错误。短期融资券发行和交易的对象是银行间债券市场的机构投资者，不向社会公众发行和交易。选项 C 错误。

【答案】AD

【真题 72·多选题】在我国，关于短期融资券，正确的有（　　）。（2019 年卷Ⅱ）

A. 相对于银行借款，其信用等级要求较高

B. 相对于商业信用，其偿还方式比较灵活

C. 相对于企业债券，其筹资成本较高

D. 相对于银行借款，其一次性筹资金额较大

【解析】商业信用是企业之间的信用，灵活性比短期融资券高，选项 B 错误。相对于企业债券，短期融资券筹资成本较低，选项 C 错误。

【答案】AD

【真题 73·判断题】相对于企业长期债券筹资，短期融资券的筹资成本较高。（　　）（2018 年卷Ⅱ）

【解析】短期融资券在较短期间内就可以收回本息，投资风险小，因此筹资成本低。

【答案】×

要点小贴士：商业信用产生于企业生产经营的商品、劳务交易之中，是一种“自动性筹资”，属于自发性流动负债。

三、商业信用★★

要点	内容		
概念	指企业在商品或劳务交易中，以延期付款或预收货款方式进行购销活动而形成的借贷关系，是企业之间的直接信用行为		
商业信用的形式	应付账款	含义	供应商给企业提供的一种商业信用
		决策指标	（1）放弃折扣的信用成本率= $\frac{折扣\%}{1-折扣\%} \times \frac{360天}{信用期-折扣期}$ （2）销售折扣净收益 = 享受的折扣额 − 相比信用期提前付款的应计利息 = 享受的折扣额 − 付款额 ×（年利率 /360）×（信用期 − 折扣期）

要点	内容		
商业信用的形式	应付账款	决策原则	（1）单一折扣时： 放弃现金折扣的信用成本率大于短期借款利率（或短期投资收益率），应选择享受折扣 放弃现金折扣的信用成本率小于短期借款利率（或短期投资收益率），应选择放弃折扣 （2）对于多重折扣：应选择享受折扣净收益最大且为正值的方案
	应付票据	因采用商业汇票结算方式而产生的商业信用	
	预收货款	指销货单位按照合同和协议规定，在发出货物之前向购货单位预先收取部分或全部货款的信用行为	
	应计未付款	是企业在生产经营和利润分配过程中已经计提但尚未以货币支付的款项 主要包括应付职工薪酬、应交税费、应付利润或应付股利等	
优缺点	（1）优点： ①商业信用容易获得。②企业有较大的机动权。③企业一般不用提供担保 （2）缺点： ①商业信用筹资成本高。在附有现金折扣条件的应付账款融资方式下，放弃折扣筹资成本与银行信用相比较高。②容易恶化企业的信用水平。③受外部环境影响较大		

要点小贴士

应付账款是需要考虑商业信用条件的，商业信用条件通常包括两种：第一，有信用期，但无现金折扣，此时是没有成本的；第二，有信用期和现金折扣，此时是要考虑放弃现金折扣的信用成本的。

经典题解

【真题 74·单选题】下列筹资方式中，由企业之间商品或劳务交易活动形成的，能够作为企业短期资金经常性来源的是（　　）。（2021 年卷Ⅱ）

A. 租赁

B. 留存收益

C. 短期借款

D. 商业信用

【解析】商业信用是指企业在商品或劳务交易中，以延期付款或预收货款方式进行购销活动而形成的借贷关系，是企业之间的直接信用行为，也是企业短期资金的重要来源。

【答案】D

【真题 75·判断题】如果购货付款条件为“2/10，N/30”，一年按 360 天计算，则放弃现金折扣的信用成本率为 20%。（　　）（2020 年卷Ⅲ）

【解析】放弃现金折扣的信用成本率 =2%/（1−2%）×360/（30−10）=36.73%。

【答案】×

【**真题76·多选题**】商业信用作为企业短期资金的一种来源，主要表现形式有（　　）。（2019年卷Ⅱ）

A. 应付票据

B. 季节性周转贷款

C. 应付账款

D. 预收账款

【**解析**】商业信用的形式：应付账款、应付票据、预收货款和应计未付款。

【**答案**】ACD

【**真题77·判断题**】企业利用商业信用筹资比较机动、灵活，而且期限较短，不会恶化企业的信用水平。（　　）（2019年卷Ⅱ）

【**解析**】商业信用的期限短，还款压力大，如果长期和经常性地拖欠账款，会恶化企业的信用水平。

【**答案**】×

【**真题78·判断题**】应付账款是供应商给企业的一种商业信用，采用这种融资方式是没有成本的。（　　）（2017年卷Ⅰ）

【**解析**】应付账款是需要考虑商业信用条件的，商业信用条件通常包括两种：第一，有信用期，但无现金折扣，此时是没有成本的；第二，有信用期和现金折扣，此时是要考虑放弃现金折扣的信用成本的，这种融资方式并非一定是没有成本的。

【**答案**】×

四、流动负债的利弊★

经营优势	容易获得，具有灵活性，能够有效满足企业季节性信贷需求。另外，短期借款相比长期借款的约束性条款少
经营劣势	需要持续地重新谈判或滚动安排负债

本章小结

用“会计云课堂”App扫码学习

您已成功完成“第七章”的学习，本章共18个考点，您都学会了吗？

为了让您对章节有更清晰的理解，加倍巩固。本书作者闫华红老师将通过“**视频导图课**”的方式，带您回顾重要考点。

名师点拨，视听结合，高效提分。

※ 欢迎您扫码，免费观看学习。

历年经典主观题回顾

使用“会计云课堂”App或“微信”扫码快速做题、对答案、
看解析、掌握解题思路，开启轻松过关之旅。

计算分析题

1. 甲公司当年销售额为3000万元（全部为赊销），变动成本率为50%，固定成本总额为100万元，应收账款平均收现期为30天，坏账损失占销售额的0.2%。公司为扩大市场份额，计划于次年放宽信用期限并开始提供现金折扣。经测算，采用新信用政策后销售额将增至3600万元（全部为赊销），应收账款平均收现期延长到36天，客户享受到的现金折扣占销售额的0.5%，坏账损失占销售额的0.3%，变动成本率与固定成本总额保持不变。一年按360天计算，不考虑企业所得税等其他因素，并假设公司进行等风险投资的必要收益率为10%。

要求：

（1）计算公司采用新信用政策而增加的应收账款机会成本。

（2）计算公司采用新信用政策而增加的坏账损失与现金折扣成本。

（3）计算公司采用新信用政策而增加的边际贡献。

（4）计算新信用政策增加的损益，并据此判断改变信用政策是否合理。（2021年卷Ⅱ）

2. 甲公司2018年度全年营业收入为4500万元（全部为赊销收入），应收账款平均收现期为60天。公司产品销售单价为500元/件，单位变动成本为250元/件，若将应收账款所占用的资金用于其他风险投资，可获得的收益率为10%。2019年公司调整信用政策，全年销售收入（全部为赊销收入）预计增长40%，应收账款平均余额预计为840万元。假定全年按照360天计算。

要求：

（1）计算2018年应收账款平均余额。

（2）计算2018年变动成本率。

（3）计算2018年应收账款的机会成本。

（4）计算2019年预计的应收账款的周转率和应收账款周转天数。（2019年卷Ⅰ）

3. 甲公司是一家标准件分销商，主要业务是采购并向固定客户供应某种标准件产品。有关资料如下：

（1）该标准件上一年订货次数为60次，全年订货成本为80万元，其中固定成本总额为26万元，其余均为变动成本。单位变动成本和固定成本总额不变。

（2）该标准件仓储总费用中，每年固定租金为 120 万元，每增加一件标准件就增加 1 元仓储费。每件标准件的占用资金为 50 元，资金利息率为 6%。

（3）该标准件年需要量为 180 万件。一年按照 360 天计算。

（4）该标准件从发出订单到货物送达需要 5 天。

要求：

（1）计算每次订货变动成本。

（2）计算单位变动储存成本。

（3）根据经济订货模型，计算该标准件的经济订货批量和最佳订货周期（按天表示）。

（4）计算再订货点。（2019 年卷Ⅱ）

4. 乙公司 2017 年采用“N/30”的信用条件，全年销售额（全部为赊销）为 10000 万元，平均收现期为 40 天。2018 年初乙公司为了尽快收回货款提出了“2/10，N/30”的信用条件，新的折扣条件对销售额没有影响，但坏账损失及收账费用共减少 200 万元，预计占销售额一半的客户将享受现金折扣优惠，享受现金折扣优惠的客户均在第 10 天付款，不享受现金折扣的客户平均付款期是 40 天。该公司资本成本为 15%，变动成本率为 60%。

假设一年按 360 天计算，不考虑增值税及其他因素的影响。

要求：

（1）计算改变信用条件引起的现金折扣成本的增加额；

（2）计算改变信用条件后应收账款的平均收现期；

（3）计算改变信用条件引起的应收账款的机会成本增加额；

（4）计算改变信用条件引起税前利润增加额；

（5）判断提出的信用条件是否可行并说明理由。（2018 年卷Ⅰ）

5. 丙公司是一家设备制造企业，每年需要外购某材料 108000 千克，现有 S 和 T 两家符合要求的材料供应企业，他们所提供的材料质量和价格都相同。公司计划从两家企业中选择一家作为供应商。相关数据如下。

（1）从 S 企业购买该材料，一次性入库。每次订货费用为 5000 元，年单位材料变动储存成本为 30 元 / 千克。假设不存在缺货。

（2）从 T 企业购买该材料，每次订货费用为 6050 元，年单位材料变动储存成本为 30 元 / 千克。材料陆续到货并使用，每日送货量为 400 千克，每日耗用量为 300 千克。

要求：

（1）利用经济订货基本模型。计算从 S 企业购买材料的经济订货批量和相关存货总成本。

（2）利用经济订货扩展模型。计算从 T 企业购买材料的经济订货批量和相关存货总成本。

（3）基于成本最优原则。判断丙公司应该选择哪家企业作为供应商。（2017 年卷Ⅰ）

6. 丙商场季节性采购一批商品，供应商报价为 1000 万元。付款条件为“3/10，2.5/30，N/90”。目前丙商场资金紧张，预计到第 90 天才有资金用于支付，若要在 90 天内付款只能通过借款解决，银行借款年利率为 6%。假定一年按 360 天计算。有关情况如下表所示。

应付账款折扣分析表

单位：万元

付款日	折扣率	付款额	折扣额	放弃折扣的信用成本率	银行借款利息	享受折扣的净收益
第 10 天	3%	*	30	*	（A）	（B）
第 30 天	2.5%	*	（C）	（D）	*	15.25
第 90 天	0	1000	0	0	0	0

注：表中“*”表示省略的数据。

要求：

（1）确定表中字母代表的数值（不需要列示计算过程）;

（2）请做出选择，并说明理由。（2016 年）

7. 乙公司使用存货模型确定最佳现金持有量。根据有关资料分析，2015 年该公司全年现金需求量为 8100 万元，每次现金转换的成本为 0.2 万元，持有现金的机会成本率为 10%。

要求：

（1）计算最佳现金持有量。

（2）计算最佳现金持有量下的现金转换次数。

（3）计算最佳现金持有量下的现金交易成本。

（4）计算最佳现金持有量下持有现金的机会成本。

（5）计算最佳现金持有量下的相关总成本。（2015 年）

历年经典主观题参考答案及解析

使用“会计云课堂”App 或“微信”扫码对答案、看解析、掌握解题思路，开启轻松过关之旅。

计算分析题

1.【答案】

（1）公司采用新信用政策而增加的应收账款机会成本 =3600/360×36×50%×10%-3000/360×30×50%×10%=5.5（万元）

（2）公司采用新信用政策而增加的坏账损失 =3600×0.3%-3000×0.2%=4.8（万元）

公司采用新信用政策而增加的现金折扣成本 =3600×0.5%=18（万元）

（3）公司采用新信用政策而增加的边际贡献 =（3600–3000）×（1–50%）=300（万元）

（4）新信用政策增加的损益 =300–5.5–4.8–18=271.7（万元）

因为新信用政策增加的损益大于 0，所以改变信用政策合理。

2.【答案】

（1）2018 年应收账款平均余额 =4500 × 60/360=750（万元）

（2）2018 年变动成本率 =250/500=50%

（3）2018 年应收账款的机会成本 =750 × 50% × 10%=37.5（万元）

（4）2019 年预计的应收账款的周转率 =4500 ×（1+40%）/840=7.5（次）

2019 年应收账款周转天数 =360/7.5=48（天）。

【提示】第（4）问涉及的是第 10 章内容。

3.【答案】

（1）变动订货成本总额 =80–26=54（万元）=540000（元）

每次订货变动成本 =540000/60=9000（元）

（2）单位变动储存成本 =1+50 × 6%=4（元 / 件）

（3）经济订货批量=$\sqrt{\dfrac{2\times 9000\times 1800000}{4}}$=90000（件）

每年最佳订货次数 =1800000/90000=20（次）

最佳订货周期 =360/20=18（天）

（4）每日平均需用量 =1800000/360=5000（件）

再订货点 =5 × 5000=25000（件）。

4.【答案】

（1）改变信用条件引起的现金折扣成本的增加额 =10000 × 2% × 50%=100（万元）

（2）改变信用条件后应收账款的平均收现期 =10 × 50%+40 × 50%=25（天）

（3）应收账款的机会成本增加额 = 改变信用条件后应收账款机会成本 – 改变信用条件前应收账款机会成本 =10000/360 × 25 × 60% × 15%–10000/360 × 40 × 60% × 15%=（10000/360 × 25–10000/360 × 40）× 60% × 15%=–37.5（万元）

（4）改变信用条件引起税前利润增加额 = 盈利增加额 – 现金折扣成本增加额 – 应收账款机会成本增加额 – 坏账损失及收账费用增加额 =0–100–（–37.5）–（–200）=137.5（万元）

（5）因为增加的税前损益 137.5 万元大于 0，所以改变信用政策是可行的。

5.【答案】

（1）从 S 企业购买材料：

经济订货批量=$\sqrt{\dfrac{2\times 108000\times 5000}{30}}$=6000（千克）

相关存货总成本=$\sqrt{2\times 108000\times 5000\times 30}$=180000（元）

（2）从 T 企业购买材料：

经济订货批量 =$\sqrt{\dfrac{2\times 108000\times 6050}{30\times\left(1-\dfrac{300}{400}\right)}}$=13200（千克）

相关存货总成本=$\sqrt{2\times108000\times6050\times30\times（1-\frac{300}{400}）}$=99000（元）

（3）基于成本最优原则，从 T 企业购买材料的相关存货总成本小于从 S 企业购买材料的相关存货总成本，因此应该选择 T 企业作为供应商。

6.【答案】

（1）A=1000×（1-3%）×6%/360×（90-10）=12.93（万元）

B=1000×3%-12.93=17.07（万元）

C=1000×2.5%=25（万元）

D=［2.5%/（1-2.5%）］×［360/（90-30）］=15.38%

（2）应当选择在第 10 天付款。

理由：在第 10 天付款，净收益为 17.07 万元，在第 30 天付款，净收益为 15.25 万元，在第 90 天付款，净收益为 0，因此应当选择净收益最大的第 10 天付款。

7.【答案】

（1）最佳现金持有量=$\sqrt{\frac{2\times8100\times0.2}{10\%}}$=180（万元）

（2）最佳现金持有量下的现金转换次数 =8100/180=45（次）

（3）最佳现金持有量下的现金交易成本 =45×0.2=9（万元）

（4）最佳现金持有量下持有现金的机会成本 =180/2×10%=9（万元）

（5）最佳现金持有量下的相关总成本 =9+9=18（万元）

或：按照公式计算，最佳现金持有量下的相关总成本=$\sqrt{2\times8100\times0.2\times10\%}$=18（万元）。

同步强化练习题

一、单项选择题

1. 下列各项中，不属于营运资金特点的是（ ）。

A. 来源具有多样性

B. 数量具有波动性

C. 实物形态具有变动性和易变现性

D. 投资的集中性和收回的分散性

2. 某公司在营运资金管理中，为了降低流动资产的持有成本、提高资产的收益性，决定保持一个低水平的流动资产与销售收入比率，据此判断，该公司采取的流动资产投资策略是（ ）。

A. 紧缩的流动资产投资策略

B. 宽松的流动资产投资策略

C. 匹配的流动资产投资策略
D. 稳健的流动资产投资策略

3. 某企业以长期融资方式满足非流动资产、永久性流动资产和部分波动性流动资产的资金需要，短期融资仅满足剩余的波动性流动资产的资金需要，该企业所采用的流动资产融资策略是（　　）。
A. 激进融资策略
B. 保守融资策略
C. 折中融资策略
D. 期限匹配融资策略

4. 以下流动资产融资策略中，临时性负债占全部资金来源比重最大的是（　　）。
A. 期限匹配融资策略
B. 激进融资策略
C. 保守融资策略
D. 紧缩融资策略

5. 某企业非流动资产为3000万元，永久性流动资产为800万元，波动性流动资产为1000万元。已知长期负债、自发性流动负债和股东权益资本可提供的资金为3600万元，则该企业采取的是（　　）。
A. 期限匹配融资策略
B. 激进融资策略
C. 保守融资策略
D. 保守或期限匹配融资策略

6. 各种持有现金的动机中，属于应付未来现金流入和流出随机波动的动机是（　　）。
A. 交易性需求
B. 预防性需求
C. 投机性需求
D. 长期投资性需求

7. 运用成本模型计算最佳现金持有量下的现金持有总成本时，下列公式中，正确的是（　　）。
A. 最佳现金持有量下的现金持有总成本 =min（管理成本 + 机会成本 + 转换成本）
B. 最佳现金持有量下的现金持有总成本 =min（管理成本 + 机会成本 + 短缺成本）
C. 最佳现金持有量下的现金持有总成本 =min（机会成本 + 经营成本 + 转换成本）
D. 最佳现金持有量下的现金持有总成本 =min（机会成本 + 经营成本 + 短缺成本）

8. 企业置存现金主要是为了满足（　　）。
A. 交易性、预防性、收益性需求
B. 交易性、投机性、收益性需求
C. 交易性、预防性、投机性需求
D. 预防性、收益性、投机性需求

9. 持有过量现金可能导致的不利后果是（　　）。
A. 财务风险加大
B. 收益水平下降
C. 偿债能力下降
D. 资产流动性下降

10. 下列项目中属于持有现金的机会成本的是（　　）。
A. 现金管理人员工资
B. 现金安全措施费用
C. 现金被盗损失
D. 现金的再投资收益

11. 某公司的最低现金持有量为1500元，现金余额的回归线为8000元。如果公司现有现金20000元，根据现金管理的随机模型，此时应当投资于有价证券的金额是（　　）元。
A. 0　　B. 6500
C. 12000　　D. 18500

12. 在确定最佳现金持有量时，成本模型、存货模型和随机模型均需考虑的因素是（　　）。
A. 持有现金的机会成本
B. 转换成本

C. 现金短缺成本
D. 现金管理费用

13. 下列关于现金回归线的表述中，正确的是（ ）。
A. 现金回归线的确定与企业现金持有量下限无关
B. 有价证券日利息率增加，会导致现金回归线上升
C. 有价证券的每次固定转换成本上升，会导致现金回归线上升
D. 当现金的持有量高于或低于现金回归线时，应立即购入或出售有价证券

14. 采用随机模型控制现金持有量，下列参数中不影响现金回归线水平的是（ ）。
A. 每次现金与有价证券转换时发生的转换成本
B. 现金存量的上限
C. 有价证券的日利息率
D. 预期每日现金流量变动的标准差

15. 某公司存货周转期为 80 天，应收账款周转期为 45 天，应付账款周转期为 50 天，则该公司现金周转期为（ ）天。
A. 15　　B. 30
C. 75　　D. 130

16. 下列各项中，不属于现金支出管理措施的是（ ）。
A. 推迟支付应付款
B. 提高信用标准
C. 以汇票代替支票
D. 争取现金收支同步

17. 企业在进行现金管理时，可利用的现金浮游量是指（ ）。
A. 企业账户所记存款余额
B. 银行账户所记企业存款余额
C. 企业账户与银行账户所记存款余额之间的差额
D. 企业实际现金余额与最佳现金持有量之间的差额

18. 企业 6 月 10 日赊购商品时双方约定的信用条件为“2/10，N/20”。该企业在 6 月 15 日有能力付款，但直到 6 月 20 日才支付这笔款项。其目的是运用现金日常管理策略中的（ ）。
A. 力争现金流量同步
B. 使用现金浮游量
C. 加速收款
D. 推迟应付款的支付

19. 下列相关表述中，不正确的是（ ）。
A. 应收账款周转期是指企业将产品卖出后到收到顾客支付的货款的时间段
B. 存货周转期是指将原材料转化成产成品所需要的时间
C. 应付账款周转期是指从收到尚未付款的材料开始到现金支出之间所用的时间
D. 现金周转期是指介于公司支付现金与收到现金之间的时间段

20. 企业在进行商业信用定量分析时，应当重点关注的指标是（ ）。
A. 发展创新评价指标
B. 企业社会责任指标
C. 流动性和债务管理指标
D. 战略计划分析指标

21. 在依据“5C”系统原理确定信用标准时，应掌握客户“能力”方面的信息，下列各项指标中最能反映客户“能力”的是（ ）。
A. 盈利能力　　B. 增长能力
C. 偿债能力　　D. 营运能力

22. 信用评价的“5C”系统中，条件是指（ ）。
A. 当申请人不能满足还款条款时，可以用作债务担保的资产或其他担保物
B. 影响申请人还款能力和还款意愿的各种外在因素

C. 申请人在短期和长期内可供使用的财务资源

D. 个人或公司申请人的诚实和正直表现

23. 根据营运资金管理理论，下列各项中不属于企业应收账款成本内容的是（　　）。

A. 机会成本　　B. 管理成本

C. 短缺成本　　D. 坏账成本

24. 企业将资金投放于应收账款而放弃其他投资项目，就会丧失这些投资项目可能带来的收益，则该收益是（　　）。

A. 应收账款的管理成本

B. 应收账款的机会成本

C. 应收账款的坏账成本

D. 应收账款的短缺成本

25. 企业目前信用条件为“N/30”，赊销额为9000万元，若将信用期延长为“N/60”，预计赊销额将变为18000万元。该企业变动成本率为60%，资金成本率为10%。一年按360天计算。那么，该企业应收账款占用资金将增加（　　）万元。

A. 135　　B. 225

C. 1350　　D. 2250

26. 某公司2022年3月的应收账款平均余额为476万元，信用条件为“N/30”，过去三个月的赊销情况为：1月份240万元，2月份205万元，3月份320万元。每月按30天计算，则应收账款的平均逾期天数为（　　）天。

A. 26　　B. 36

C. 46　　D. 56

27. 按照ABC分析法，作为催款的重点对象是（　　）。

A. 应收账款逾期金额占应收账款逾期总额的比重大的客户

B. 应收账款账龄长的客户

C. 应收账款数额占全部应收账款数额比重大的客户

D. 应收账款比重小的客户

28. 供应商为了避免让客户知道自己因流动资金不足而转让应收账款时应采取（　　）。

A. 折扣保理　　B. 到期保理

C. 明保理　　D. 暗保理

29. 下列成本中属于订货变动成本的是（　　）。

A. 采购部门管理费用

B. 采购人员的固定工资

C. 订货差旅费

D. 预付定金的机会成本

30. 以下各项与存货有关的成本费用中，不影响经济订货批量的是（　　）。

A. 常设采购机构的基本开支

B. 采购员的差旅费

C. 存货资金占用费

D. 存货的保险费

31. 下列各项中，不属于建立存货经济订货批量基本模型假设前提的是（　　）。

A. 存货总需求量是已知常数

B. 允许出现缺货

C. 货物是一种独立需求的物品，不受其他货物影响

D. 存货是一次性入库

32. 根据经济订货批量的基本模型，下列各项中，可能导致经济订货批量提高的是（　　）。

A. 每期对存货的总需求降低

B. 每次订货费用降低

C. 每期单位存货存储费降低

D. 存货的采购单价降低

33. 已知某种存货的全年需要量为126000个单位（一年按360天计算），该种存货不考虑保险储备的再订货点为1750

个单位，则其平均交货期应为（　　）天。

A. 35　　B. 25

C. 15　　D. 5

34. 某公司全年需用X材料18000件，计划开工360天，假定材料日耗均衡，从订货到送达正常需要5天，鉴于延迟交货会产生较大损失，公司按照延误天数1天建立保险储备。该材料的再订货点是（　　）件。

A. 100　　B. 150

C. 250　　D. 300

35. 在交货期内，如果存货需求量增加或供应商交货时间延迟，就可能发生缺货。为此，企业应保持的最佳保险储备量是（　　）。

A. 使保险储备的订货成本与储存成本之和最低的存货量

B. 使缺货损失和保险储备的储存成本之和最低的存货量

C. 使保险储备的持有成本最低的存货量

D. 使缺货损失最低的存货量

36. 某企业需要借入资金1000万元，由于贷款银行要求将贷款金额的20%作为补偿性余额，故企业需要向银行申请的贷款数额为（　　）万元。

A. 1250　　B. 1200

C. 1000　　D. 800

37. 企业取得2021年为期一年的周转信贷，金额为1000万元，承诺费率为0.4%。2021年1月1日从银行借入500万元，8月1日又借入300万元，如果年利率8%，则企业2021年年末向银行支付的利息和承诺费共为（　　）万元。

A. 49.5　　B. 51.5

C. 64.8　　D. 66.7

38. 某企业向银行取得一年期贷款4000万元，按6%计算全年利息，银行要求贷款本息分4个季度等额偿还，则该项借款的实际利率大约为（　　）。

A. 6%　　B. 10%

C. 12%　　D. 18%

39. 企业采用贴现法从银行贷款，年利率10%，则该项贷款的实际年利率约为（　　）。

A. 9%　　B. 10%

C. 11%　　D. 12%

40. 某企业向银行借款500万元，贷款年利率为5.4%，银行要求保留10%的补偿性余额，存款利率为1%，则该借款的实际利率是（　　）。

A. 6%　　B. 5.89%

C. 4.86%　　D. 4.91%

41. 某企业拟以“3/10，N/60”的信用条件购进原料一批，则企业放弃现金折扣的信用成本率为（　　）。（一年按360天计算）

A. 18.33%　　B. 22.27%

C. 31.18%　　D. 33.67%

42. 短期融资券筹资相对于发行公司债券筹资而言的优点是（　　）。

A. 筹资风险小

B. 筹资成本较低

C. 筹资数额比较小

D. 发行条件比较宽松

43. 银行向财力雄厚、经营状况良好的企业贷款时采用的利率是（　　）。

A. 贴现利率

B. 优惠利率

C. 浮动优惠利率

D. 非优惠利率

二、多项选择题

1. 企业选用流动资产投资策略时需要考虑的影响因素包括（　　）。

A. 企业对资产风险和收益的权衡

B. 企业经营的内外部环境
C. 产业因素
D. 影响企业政策的决策者

2. 下列适合采用宽松的流动资产投资策略的企业有（　　）。
A. 销售边际毛利较高的产业
B. 融资较为困难的企业
C. 管理政策趋于保守的企业
D. 主要考虑配合生产经理和销售经理要求的企业

3. 下列属于紧缩的流动资产投资策略特点的有（　　）。
A. 较低的流动资产与销售收入比率
B. 承担较大的流动资产持有成本，但短缺成本较小
C. 承担较小的流动资产持有成本，但短缺成本较大
D. 经营风险和财务风险较大

4. 下列属于波动性流动资产的有（　　）。
A. 季节性存货
B. 最佳现金余额
C. 保险储备存货量
D. 销售旺季增加的应收账款

5. 在流动资产的融资策略中，关于激进融资策略表述正确的有（　　）。
A. 收益与风险较高
B. 该策略资本成本高
C. 长期资金来源小于长期性资产
D. 短期资金来源大于波动性流动资产

6. 企业在持续经营过程中，会自发地、直接地产生一些企业经营需要的自发性流动负债，如（　　）。
A. 预收账款
B. 应付职工薪酬
C. 应付票据
D. 根据周转信贷协定取得的限额内借款

7. 下列各项中，决定预防性现金需求数额的因素有（　　）。
A. 企业临时融资的能力
B. 企业预测现金收支的可靠性
C. 金融市场上的投资机会
D. 企业愿意承担短缺风险的程度

8. 运用成本模型确定企业最佳现金持有量时，现金持有量与持有成本之间的关系表现为（　　）。
A. 现金持有量越小，总成本越大
B. 现金持有量越大，机会成本越大
C. 现金持有量越小，短缺成本越大
D. 现金持有量越大，管理成本越大

9. 某公司根据存货模型确定的最佳现金持有量为 5000 万元，有价证券的年利率为 8%。在最佳现金持有量下，下列表述正确的有（　　）。
A. 该公司持有现金的机会成本为 200 万元
B. 该公司与现金持有量相关的总成本为 400 万元
C. 该公司持有现金的交易成本为 200 万元
D. 该公司持有现金的管理成本为 400 万元

10. 按照随机模型确定现金存量的下限时，应考虑的因素有（　　）。
A. 企业日常周转所需资金
B. 有价证券的日利息率
C. 有价证券的每次转换成本
D. 短缺现金的风险程度

11. 甲公司采用随机模型确定最佳现金持有量，回归线水平为 7000 元，现金存量下限为 2000 元。下列表述中正确的有（　　）。
A. 当持有的现金余额为 1500 元时，转让 5500 元的有价证券
B. 当持有的现金余额为 5000 元时，转让 2000 元的有价证券

C. 当持有的现金余额为 12000 元时，购买 5000 元的有价证券
D. 当持有的现金余额为 20000 元时，购买 13000 元的有价证券

12. 下列各项措施中，能够缩短现金周转期的有（　　）。
A. 减少对外投资
B. 延迟支付货款
C. 加速应收账款的回收
D. 加快产品的生产和销售

13. 客户的汇款从纸基方式转向电子方式的优点有（　　）。
A. 结算时间和资金可用性可以预计
B. 向任何一个账户或任何金融机构的支付具有灵活性
C. 更容易更新应收账款
D. 可以减少或消除收款浮动期

14. 下列有关现金周转期公式正确的有（　　）。
A. 现金周转期 = 经营周期 - 应付账款周转期
B. 现金周转期 = 存货周转期 + 应收账款周转期 - 应付账款周转期
C. 现金周转期 = 经营周转期 + 应付账款周转期
D. 现金周转期 = 存货周转期 + 应收账款周转期 + 应付账款周转期

15. 赊销在企业生产经营中所发挥的作用有（　　）。
A. 增加现金　　B. 减少存货
C. 促进销售　　D. 减少借款

16. 为了确保公司能一致性地运用信用和保证公平性，公司必须保持恰当的信用政策，信用政策必须明确地规定（　　）。
A. 信用标准　　B. 信用条件
C. 收账政策　　D. 商业折扣

17. 企业如果延长信用期限，可能导致的结果有（　　）。
A. 扩大当期销售
B. 延长平均收账期
C. 增加坏账损失
D. 增加收账费用

18. 甲公司准备变更信用政策，拟选用缩短信用期或提供现金折扣两项措施之一。下列关于两项措施相同影响的说法中，正确的有（　　）。
A. 均增加销售收入
B. 均增加应收账款
C. 均减少收账费用
D. 均减少坏账损失

19. 下列各项措施中，可降低应收账款周转天数的有（　　）。
A. 提高信用标准
B. 延长信用期限
C. 提高坏账准备计提比率
D. 提高现金折扣率

20. 在应收账款信用政策中企业采用现金折扣政策的目的在于（　　）。
A. 吸引顾客为享受优惠而提前付款
B. 减轻企业税负
C. 缩短企业平均收款期
D. 扩大销售量

21. 动用应收账款账户余额模式进行应收账款管理可以发挥的作用有（　　）。
A. 预测公司的现金流量
B. 预计应收账款的水平
C. 反映应付账款的周转速度
D. 评价应收账款的收账效率

22. 保理商承担全部风险的保理方式有（　　）。
A. 有追索权保理
B. 无追索权保理
C. 到期保理
D. 暗保理

23. 应收账款保理是企业将赊销形成的未到期应收账款在满足一定条件的情况下，转让给保理商，其作用体现在（　　）。
A. 提高企业投资收益
B. 减少坏账损失、降低经营风险
C. 改善企业的财务结构
D. 减轻企业应收账款的管理负担

24. 存货在企业生产经营过程中所具有的作用主要有（　　）。
A. 提高销售机动性
B. 保证生产正常进行
C. 降低储存成本
D. 维持均衡生产

25. 下列属于存货的变动储存成本的有（　　）。
A. 存货占用资金的应计利息
B. 存货储备不足而造成的损失
C. 存货的破损和变质损失
D. 存货的保险费用

26. 缺货成本指由于存货供应中断而造成的损失，它包括（　　）。
A. 商誉（信誉）损失
B. 延期交货的损失
C. 紧急采购发生的超额费用
D. 停工待料损失

27. 在确定经济订货批量时，下列表述中正确的有（　　）。
A. 随每次订货批量的变动，相关订货成本和相关储存成本呈反方向变化
B. 相关储存成本的高低与每次订货批量成正比
C. 相关订货成本的高低与每次订货批量成反比
D. 年相关储存成本与年相关订货成本相等时的采购批量，即经济订货批量

28. 根据存货陆续供应和使用模型，下列情形中能够导致经济订货量增加的有（　　）。
A. 存货需求量增加
B. 一次订货成本增加
C. 单位变动储存成本增加
D. 每日消耗量增加

29. 确定再订货点，需要考虑的因素有（　　）。
A. 保险储备量
B. 每天消耗的原材料数量
C. 预计交货时间
D. 每次订货成本

30. 下列有关适时制库存控制系统表述中，正确的有（　　）。
A. 供应商要提前将制造企业在生产过程中需要的原料或零件送到企业，提前时间越多，越有利于企业安排生产
B. 每当产品生产出来就被客户拉走
C. 当有诚信的供应商且企业的生产程序稳定而标准时，可以采用适时制库存控制系统
D. 利用适时制库存控制系统可以减少甚至消除对库存的需求

31. 在短期借款的利息计算和偿还方法中，企业实际负担利率高于名义利率的有（　　）。
A. 收款法付息
B. 贴现法付息
C. 存在补偿性余额的信用条件
D. 加息法付息

32. 下列关于短期融资券的表述中，正确的有（　　）。
A. 短期融资券不向社会公众发行
B. 只有具备一定信用等级的企业才能发行短期融资券
C. 短期融资券的筹资成本通常高于发行公司债券的成本
D. 短期融资券一次性筹资数额通常高于银行借款筹资

33. 在我国，以下属于发行短期融资券需满足的条件有（　　）。
A. 发行对象可以是机构投资者，也可以是社会公众
B. 融资券采用实名记账方式在中央结算公司登记托管
C. 发行人为金融企业
D. 融资券的发行由符合条件的金融机构承销，企业不得自行销售融资券

34. 下列各项中，属于企业利用商业信用进行筹资的形式有（　　）。
A. 应付票据　　B. 应付账款
C. 租赁　　D. 预收账款

35. 在确定因放弃现金折扣而发生的信用成本时，需要考虑的因素有（　　）。
A. 数量折扣百分比
B. 现金折扣百分比
C. 折扣期
D. 信用期

36. 一般而言，与短期融资券相比，商业信用融资的特点有（　　）。
A. 融资数额较大
B. 融资条件宽松
C. 融资机动权大
D. 不需提供担保

三、判断题

1. 营运资金是指在企业生产经营活动中占用在流动资产上的资金，广义的营运资金是指流动资产减去流动负债后的余额。（　　）

2. 根据期限匹配融资策略，固定资产比重较大的上市公司主要应通过自发性负债、长期负债和发行股票筹集资金。（　　）

3. 应交税费属于应付金额不确定的流动负债。（　　）

4. 企业之所以持有一定数量的现金，主要是出于交易性需求、预防性需求和投机性需求。（　　）

5. 预期股票价格会上升，企业进行短期证券投资活动所需要的现金属于交易性需求所需现金。（　　）

6. 为满足季节性库存的需求而持有现金属于出于交易性需求而持有的现金。（　　）

7. 在随机模型下，当现金余额在最高控制线和最低控制线之间波动时，表明企业现金持有量处于合理区域，无须调整。（　　）

8. 企业内部银行是一种经营部分银行业务的非银行金融机构，需要经过中国人民银行审核批准才能设立。（　　）

9. 企业实行“收支两条线”管理模式可以对企业范围内的现金进行各个单位或部门的分散管理，减少现金持有成本，加速资金周转。（　　）

10. 在使用零余额账户付款管理模式下，企业在一系列子账户上不需要保持安全储备。（　　）

11. 应收账款保理实质就是一种委托收账管理的方式。（　　）

12. 企业采用无追索权保理方式筹资时，如果应收账款发生坏账，其坏账风险必须由本企业承担。（　　）

13. 存货管理的目标是在保证生产或销售经营需要的前提下，最大限度地降低存货成本。（　　）

14. 企业采用严格的信用标准，虽然会增加应收账款的机会成本，但能扩大商品销售额，从而给企业带来更多的收益。（　　）

15. 存货的取得成本包括存货的购置成本、订货成本和储存成本。（　　）

16. 一般来讲，当某种存货品种数量比重达到 70% 左右时，可将其划分为 A 类存货，进行重点管理和控制。（　　）

17. 信贷额度是银行从法律上承诺向企业提供不超过某一最高限额的贷款协定。（　　）

18. 补偿性余额的约束有助于降低银行贷款风险，但同时也减少了企业实际可动用借款额，提高了借款的实际利率。（　　）

19. 企业采用贴现法从银行贷入一笔款项，年利率 8%，银行要求的补偿性余额为 10%，则该项贷款的实际利率是 9.76%。（　　）

20. 短期融资券通常是由企业发行的有担保短期本票。（　　）

21. 浮动优惠利率是一种随优惠利率的变化而随时调整变化的利率。（　　）

四、计算分析题

1. 某公司正在采用成本模型和存货模型确定其最佳现金持有量，相关资料如下：

资料一：利用成本模型预测，企业有四种现金持有方案，各方案有关成本资料如下表所示。

单位：元

项目	甲	乙	丙	丁
现金持有量（平均）	30000	40000	50000	60000
现金的机会成本率	8%	8%	8%	8%
管理成本	2000	2000	2000	2000
短缺成本	3000	2000	500	0

资料二：利用存货型进行预测，假设公司现金收支平衡，预计全年（按 360 天计算）现金需要量为 250000 元，现金与有价证券的交易成本为每次 500 元，有价证券年利率为 10%。

要求：

（1）根据资料一确定该企业的最佳现金持有量。

（2）根据资料二计算以下内容：①该企业的最佳现金持有量；②最佳现金持有量下的全年现金管理相关总成本、全年现金交易成本和全年现金持有机会成本；③最佳现金持有量下的全年有价证券交易次数和有价证券交易间隔期。

2. 某企业预测 2022 年度销售收入净额为 4500 万元，现销与赊销比例为 1∶4，应收账款平均收账天数为 60 天，变动成本率为 50%，企业的资金成本率为 10%。一年按 360 天计算。

要求：

（1）计算 2022 年度赊销额。

（2）计算 2022 年度应收账款的平均余额。

（3）计算 2022 年度应收账款占用资金。

（4）计算 2022 年度应收账款的机会成本。

（5）若 2022 年应收账款平均余额需要控制在 400 万元，在其他因素不变的条件下，应收账款平均收账天数应调整为多少天？

3. B公司是一家制造类企业，产品的变动成本率为60%，一直采用赊销方式销售产品，信用条件为“N/60”。如果继续采用“N/60”的信用条件，预计2022年赊销收入净额为1000万元，坏账损失为20万元，收账费用为12万元。

为扩大产品的销售量，B公司拟将信用条件变更为“2/10,N/90”。在其他条件不变的情况下，预计2022年赊销收入净额为1200万元，估计有50%的客户会享受折扣，其余在信用期付款，预计坏账损失为25万元，收账费用为15万元。假定等风险投资最低收益率为10%，一年按360天计算。

要求：

（1）计算信用条件改变后B公司盈利的增加额。

（2）计算信用条件改变后B公司应收账款成本增加额。

（3）为B公司做出是否应改变信用条件的决策并说明理由。

4. A公司信用条件为60天按全额付款，2021年1~4季度的销售额分别为380万元、150万元、250万元和300万元。根据公司财务部一贯执行的收款政策，销售额的收款进度为销售当季度收款40%，次季度收款30%，第三个季度收款20%，第四个季度收款10%。

公司预计2022年全年销售收入为1152万元，公司为了加快资金周转决定对应收账款采取两项措施：首先，提高现金折扣率，预计可使2022年年末应收账款周转天数（均按年末应收账款数计算）比上年减少20天；其次，将2022年年末的应收账款全部进行保理，保理资金回收比率为90%。（一年按360天计算）

要求：

（1）计算2021年年末的应收账款余额合计。

（2）计算2021年公司应收账款的平均逾期天数。

（3）计算2021年第4季度的现金流入合计。

（4）计算2022年年末应收账款保理资金回收额。

5. 甲公司是一家制造类企业，全年平均开工250天。为生产产品，全年需要购买A材料250000件，该材料进货价格为150元/件，每次订货需支付运费、订单处理费等变动成本500元，材料年单位变动储存成本为10元/件。A材料平均交货时间为4天。该公司A材料满足经济订货基本模型各项前提条件。

要求：

（1）利用经济订货基本模型，计算A材料的经济订货批量和全年订货次数。

（2）计算按经济订货批量采购A材料的年存货相关总成本。

（3）计算A材料每日平均需用量和再订货点。

6. 某企业每年需耗用A材料45000件，单位材料年变动储存成本20元，每次订货变动成本为180元，A材料全年平均单价为240元。假定不存在数量折扣，不会出现缺货的现象，假设一年的工作天数300天，A材料的平均交货时间为4天。

要求：

（1）若供应商集中送货：

①计算A材料的经济订货批量；②计算A材料年度最佳订货次数；③计算A材料与批量相关的存货总成本；④计算A材料的再订货点。

（2）若供应商提出陆续供货，每天送货量为200件：

①计算A材料的经济订货批量；②计算A材料年度最佳订货次数；③计算A材料与批量相关的存货总成本；④计算A材料的再订货点。

（3）分析集中订货与陆续供货对企业的再订货点是否有影响，为什么？

7. 丙公司是一家汽车配件制造企业，近期的销售量迅速增加。为满足生产和销售的需求，丙公司需要筹集资金495000元用于增加存货，占用期限为30天。现有三个可满足资金需求的筹资方案：

方案1：利用供应商提供的商业信用，选择放弃现金折扣，信用条件为“2/10，N/40”。

方案2：向银行贷款，借款期限为30天，年利率为8%。银行要求的补偿性余额为借款额的20%。

方案3：以贴现法向银行借款，借款期限为30天，年利率为12%。

要求：

（1）如果丙公司选择方案1，计算其放弃现金折扣的机会成本。

（2）如果丙公司选择方案2，为获得495000元的实际用款额，计算该公司应借款总额和该笔借款的实际年利率。

（3）如果丙公司选择方案3，为获得495000元的实际用款额，计算该公司应借款总额和该笔借款的实际年利率。

（4）根据以上各方案的计算结果，为丙公司选择最优筹资方案。

8. 某公司拟采购一批零件，价值5400元，供应商规定的付款条件如下：

立即付款，付5238元；

第20天付款，付5292元；

第40天付款，付5346元；

第60天付款，付全额。

一年按360天计算。

要求：

（1）假设银行短期贷款利率为15%：

①计算各个时点付款的现金折扣率；

②计算各个时点放弃现金折扣的信用成本率；

③填写下表各个时点付款的净收益；

单位：元

付款日	折扣额	银行借款利息	享受折扣的净收益
立即付款			
第20天			
第40天			
第60天			

④分析确定对该公司最有利的付款日期。

（2）假设目前有一短期投资的收益率为40%，结合（1）的计算结果确定对该公司最有利的付款日期。

五、综合题

1. D公司是一家服装加工企业，2021年营业收入为3600万元，营业成本为1800万元，日购货成本为5万元。该公司与经营有关的购销业务均采用赊账方式。假设一年按360天计算。D公司简化的资产负债表如下表所示。

资产负债表简表

2021 年 12 月 31 日　　单位：万元

资产	金额	负债和所有者权益	金额
货币资金	211	短期借款	200
应收账款	600	应付账款	120
存货	150	应付职工薪酬	255
流动资产合计	961	流动负债合计	575
固定资产	850	长期借款	300
非流动资产合计	850	负债合计	875
		实收资本	600
		留存收益	336
		所有者权益合计	936
资产合计	1811	负债和所有者权益合计	1811

要求：

（1）计算 D 公司 2021 年的营运资金数额。

（2）计算 D 公司 2021 年的应收账款周转期、应付账款周转期、存货周转期以及现金周转期（为简化计算，应收账款、存货、应付账款的平均余额均以期末数据代替）。

（3）在其他条件相同的情况下，如果 D 公司利用供应商提供的现金折扣，则对现金周转期会产生何种影响？

（4）在其他条件相同的情况下，如果 D 公司增加存货，则对现金周转期会产生何种影响？

2. B 公司只经销一种产品，产品单价 5 元，单位变动成本 4 元，每年收账费用预算为销售收入的 4%。2021 年采用 30 天按发票金额付款的信用政策，年销量为 72000 件，坏账损失率占赊销额的 5%，平均存货水平为 10000 件。为了扩大销售，公司 2022 年拟改变现有的信用政策，采用“2/10，1/20，N/30”，预计销量会增加 10%，估计会有 20% 的顾客（按销售量计算，下同）在 10 天内付款、30% 的顾客在 20 天内付款，其余的顾客在 30 天内付款，预计坏账损失率占未享受折扣额的 5%，平均存货水平为 11000 件，其他条件保持和上年一致。假设该项投资的资本成本为 10%；一年按 360 天计算。

要求：

（1）确定改变信用政策增加的边际贡献。

（2）确定改变信用政策增加的应收账款占用资金应计利息。

（3）确定改变信用政策增加的存货占用资金应计利息。

（4）确定改变信用政策增加的收账费用、坏账损失及折扣成本。

（5）确定改变信用政策增加的税前净损益，并分析是否应改变信用政策。

3. 上海东方公司是亚洲地区的玻璃套装门分销商，套装门在 A 地区生产然后运至上海。管理当局预计年度需求量为 10000 套。套装门购进单价为 395 元(包括运费，币种是人民币，下同)。订购和储存套装门的相关资料如下。

（1）去年订单共22份，总处理成本13400元，其中固定成本10760元，预计未来成本性态不变。

（2）虽然对于A地区原产地商品进入大陆已经免除关税，但是对于每一张订单都要经双方海关检查，其费用为280元。

（3）套装门从A地区运抵上海后，接收部门要进行检查。为此雇佣一名检验人员，每月支付工资3000元，每个订单检验工作需要8小时，发生变动费用每小时2.50元。

（4）公司租借仓库来储存套装门，估计成本为每年2500元，另外加上每套门4元。

（5）在储存过程中会出现破损，估计破损成本为平均每套门28.75元。

（6）存货占用资金应计利息率为5%。

（7）从发出订单到货物运到上海需要6个工作日。

（8）为防止供货中断，东方公司设置了100套的保险储备。

（9）东方公司每年营业50周，每周营业6天。

（10）假设企业没有缺货成本。

要求：

（1）计算经济订货模型中“每次订货变动成本”。

（2）计算经济订货模型中“单位变动储存成本”。

（3）计算经济订货批量。

（4）计算每年与经济订货批量相关的存货总成本。

（5）计算再订货点。

4. 假设某公司每年需外购零件4900千克，该零件单价为100元，单位变动储存成本400元，一次订货成本5000元，单位缺货成本200元，企业目前建立的保险储备量是50千克。在交货期内的需要量及其概率如下。

需要量（千克）	概率
240	0.10
260	0.20
280	0.40
300	0.20
320	0.10

要求：

（1）计算经济订货批量以及年最佳订货次数。

（2）按企业目前的保险储备标准，存货水平为多少时应补充订货？

（3）企业目前的保险储备标准是否恰当？

（4）按合理保险储备标准，企业的再订货点为多少？

同步强化练习题参考答案及解析

使用“会计云课堂”App或“微信”扫码对答案、看解析、掌握解题思路，开启轻松过关之旅。

一、单项选择题

1.【答案】D

【解析】投资的集中性和收回的分散性不属于营运资金的特点，属于固定资产的特点。

2.【答案】A

【解析】在紧缩的流动资产投资策略下，企业维持较低水平的流动资产与销售收入比率。紧缩的流动资产投资策略可以节约流动资产的持有成本、提高资产的收益性。选项A是正确的。

3.【答案】B

【解析】长期融资支持非流动资产、永久性流动资产和部分波动性流动资产的资金需要说明出现了长源短用，所以企业采取的是保守融资策略。

4.【答案】B

【解析】在期限匹配融资策略下，临时性负债等于波动性流动资产。在保守融资策略下，临时性负债小于波动性流动资产，相比其他策略，临时性负债占全部资金来源比重最小。在激进融资策略下，临时性负债大于波动性流动资产，相比其他策略，临时性负债占全部资金来源比重最大。

5.【答案】B

【解析】营运资金融资策略包括期限匹配、激进和保守融资策略。本题长期性资金占用=3000+800=3800（万元），高于长期资金来源3600万元，所以该企业采取的营运资金融资策略为激进融资策略。或：临时性流动负债=（3000+800+1000）-3600=1200（万元），大于波动性流动资产1000万元，所以该企业采取的是激进融资策略。

6.【答案】B

【解析】预防性需求是企业为应付突发事件而需要保持的现金支付能力。

7.【答案】B

【解析】成本模型是根据现金持有总成本，分析预测其总成本最低时现金持有量的一种方法。其计算公式为：最佳现金持有量下的现金持有总成本=min（管理成本+机会成本+短缺成本），选项B是正确的。

8.【答案】C

【解析】企业置存现金的动机主要有三个：交易性、预防性、投机性需求，现金属于流动性最强，盈利性最差的资产，企业置存现金不可能是出于收益性需求。

9.【答案】B

【解析】持有过量现金会导致机会成本加大，从而使收益水平下降。

10.【答案】D

【解析】现金作为企业的一项资金占用，是有代价的，这种代价就是它的机会成本。现金的再投资收益属于持有现金的机会成本。

11.【答案】A

【解析】上限 H=3R−2L=3×8000−2×1500=21000（元），根据现金管理的随机模型，如果现金持有量控制在上下限之内，不必进行现金与有价证券的转换。由于现有现金20000元小于上限21000元，不需要投资。

12.【答案】A

【解析】成本模型只考虑持有现金的机会成本、管理成本和短缺成本；存货模型只考虑现金的机会成本和交易成本；随机模型考虑的有：持有现金的机会成本、每日现金流量变动的标准差、最低控制线和转换成本，因此现金的机会成本是均需考虑的因素。

13.【答案】C

【解析】现金回归线 $R=\sqrt[3]{\frac{3b\times\delta^2}{4i}}+L$，从公式中可以看出现金回归线与下限L呈正相关，与有价证券的日利息率i呈负相关，与有价证券的每次转换成本b呈正相关，因此选项A、B错误，选项C正确；当现金的持有量达到上下限时，应立即购入或出售有价证券，因此选项D错误。

14.【答案】B

【解析】根据现金回归线的公式 $R=\sqrt[3]{\frac{3b\times\delta^2}{4i}}+L$，这里b指每次现金与有价证券转换时发生的转换成本，δ为每日现金流量变动的标准差，i为有价证券的日利息率，L为现金存量的下限，可以看出现金存量的上限对现金回归线没有影响。

15.【答案】C

【解析】现金周转期＝存货周转期＋应收账款周转期－应付账款周转期＝80+45−50=75（天），选项C正确。

16.【答案】B

【解析】现金支出管理的措施：①使用现金浮游量；②推迟应付款的支付；③汇票代替支票；④改进员工工资支付模式；⑤透支；⑥争取现金流出与现金流入同步；⑦使用零余额账户。选项A、C、D都属于现金支出管理措施。提高信用标准会使企业的现金收入减少，不属于现金支出管理措施。

17.【答案】C

【解析】现金浮游量类似于会计上所说的未达账项，是企业账户与银行账户所记存款余额之差。

18.【答案】D

【解析】推迟应付款的支付，是指企业在不影响自己信誉的前提下，充分运用供货方所提供的信用优惠，尽可能地推迟应付款的支付期。

19.【答案】B

【解析】存货周转期是指将原材料转化成产成品并出售所需要的时间。

20.【答案】C

【解析】商业信用属于短期负债筹资，因此在进行定量分析时要关注偿债能力及盈利能力指标。选项C是正确的。

21.【答案】C

【解析】所谓“5C”系统是指评估顾客信用品质的五个方面，即品质、能力、资本、抵押和条件。其中“能力”指顾客的偿债能力，主要指企业流动资产的数量和质量以及流动比率的高低。

22.【答案】B

【解析】所谓“5C”系统，是评估申请人信用品质的五个方面，即“品质”“能力”“资本”“抵押”和“条件”。本题中选项 A 指抵押，选项 B 指条件，选项 C 指资本，选项 D 指品质。

23.【答案】C

【解析】应收账款的成本主要包括机会成本、管理成本、坏账成本。应收账款是别人占用本企业的资金，没有短缺之说，现金和存货有短缺成本。

24.【答案】B

【解析】因投放于应收账款而放弃其他投资所带来的收益，即应收账款的机会成本，本题选项 B 正确。

25.【答案】C

【解析】增加的应收账款占用资金 =（18000/360）× 60 × 60% –（9000/360）× 30 × 60%=1350（万元）。

26.【答案】A

【解析】平均日赊销额 $=\dfrac{240+205+320}{90}=$ 8.5（万元）

应收账款周转天数 = $\dfrac{\text{应收账款平均余额}}{\text{平均日赊销额}}=\dfrac{476}{8.5}$ =56（天）

平均逾期天数 = 应收账款周转天数 – 信用期天数 =56–30=26（天）。

27.【答案】A

【解析】应收账款逾期金额占应收账款逾期总额的比重大的客户属于 A 类客户，这类客户是催款的重点对象。

28.【答案】D

【解析】明保理是指保理商和供应商需要将销售合同被转让的情况通知购货商，并签订保理商、供应商、购货商之间的三方合同。暗保理是指供应商为了避免让客户知道自己因流动资金不足而转让应收账款，并不将债权转让情况通知客户，货款到期时仍由销售商出面催款，再向银行偿还借款。

29.【答案】C

【解析】订货变动成本是指与订货次数相关的成本。选项 A、B、D 与订货次数没有直接关系，其中预付定金的机会成本是与总采购金额有关的，而总采购金额不变，选项 D 是固定的。选项 C 与订货次数成正比。

30.【答案】A

【解析】常设采购机构的基本开支属于订货的固定成本，和订货次数及订货批量无关，属于决策无关成本；采购员的差旅费与订货次数相关，属于订货变动成本；存货资金占用费、存货的保险费和存货储存数量有关，属于变动储存成本，均属于决策相关成本。

31.【答案】B

【解析】经济订货基本模型以如下假设为前提：①存货总需求量是已知常数；②不存在订货提前期，即可以随时补充存货；③货物是一次性入库；④单位货物成本为常数，无批量折扣；⑤库存储存成本与库存水平呈线性关系；⑥货物是一种独立需求的物品，不受其他货物影响；⑦不允许缺货，即无缺货成本。

32.【答案】C

【解析】根据经济订货批量基本模型的公式，EOQ= $\sqrt{\dfrac{2KD}{K_C}}$ ，只有选项 C 正确。

33.【答案】D

【解析】因为不考虑保险储备的再订货点 = 平均日需用量 × 平均交货期，依题意，平均日需用量 =126000/360=350（个单位），所以平均交货期 =1750/350=5（天）。

34.【答案】D

【解析】每天耗用量 =18000/360=50（件）

再订货点 = 预计正常交货期内的需求 + 保险储备 =50×5+50=300（件）。

35.【答案】B

【解析】最佳的保险储备应该是使缺货损失和保险储备的储存成本之和达到最低的存货量。

36.【答案】A

【解析】因为需要的借款金额 = 申请贷款的数额 ×（1- 补偿性余额比率），所以，本题中需要向银行申请的贷款数额 =1000/（1-20%）=1250（万元），选项 A 是正确的。

37.【答案】B

【解析】利息 =500×8%+300×8%×5/12=50（万元），承诺费 =（1000-500-300）×0.4%+300×0.4%×7/12=0.8+0.7=1.5（万元），则支付的利息和承诺费合计 =50+1.5=51.5（万元）。

38.【答案】C

【解析】在加息法付息的条件下，实际利率大约相当于名义利率的 2 倍。

39.【答案】C

【解析】实际年利率 =10%/（1-10%）=11%。

40.【答案】B

【解析】该借款的实际利率 =（500×5.4%-500×10%×1%）/（500-500×10%）=5.89%。

41.【答案】B

【解析】放弃现金折扣的信用成本率 =[3%/（1-3%）]×[360/（60-10）]=22.27%。

42.【答案】B

【解析】短期融资券期限短，还本压力大，相比公司债券筹资风险大，选项 A 错误；筹资数额比较小是缺点不是优点，选项 C 错误；短期融资券的发行条件比较严格，选项 D 错误。

43.【答案】B

【解析】优惠利率是银行向财力雄厚、经营状况良好的企业贷款时采用的利率，为贷款利率的最低限。

二、多项选择题

1.【答案】ABCD

【解析】本题的考点是企业选用流动资产投资策略时需要考虑的影响因素，选项 A、B、C、D 均为决策时需要考虑的因素。

2.【答案】ACD

【解析】选项 B 属于适合采用紧缩的流动资产投资策略的企业。

3.【答案】ACD

【解析】紧缩的流动资产投资策略，表现为较低的流动资产与销售收入比率。该策略可以节约流动资产的持有成本，同时公司要承担较大的风险，例如增加经营中断和丢失销售收入等风险，也就是会增加短缺成本。

4.【答案】AD

【解析】波动性流动资产是指那些受季节性、周期性影响的流动资产。

5.【答案】ACD

【解析】激进融资策略由于较多地利用短期融资方式，通常其资本成本低。

6.【答案】ABC

【解析】自发性流动负债是指直接产生于企业持续经营中的负债；临时性流动负债是指为了满足临时性流动资金需要所发生的负债。选项 D 属于临时性流动负债。

7.【答案】ABD

【解析】确定预防性需求的现金数额时，需要考虑以下因素：①企业愿冒现金短缺风险的程度；②企业预测现金收支可靠的程度；③企业临时融资的能力。

8.【答案】BC

【解析】现金持有量越大，机会成本越大，选项 B 正确；现金持有量越大，短缺成本越小，选项 C 正确。

9.【答案】ABC

【解析】在存货模型下，达到最佳现金持有量时，机会成本等于交易成本，即与现金持有量相关的总成本应为机会成本的 2 倍，交易成本 = 机会成本 =（$C^*/2$）× K=（5000/2）× 8%=200（万元），与最佳现金持有量相关的总成本 =2 × 200=400（万元），选项 A、B、C 正确。存货模型不考虑固定的管理成本，选项 D 错误。

10.【答案】AD

【解析】最低控制线 L 取决于模型之外的因素，其数额是由现金管理部经理在综合考虑短缺现金的风险程度、企业借款能力、企业日常周转所需资金、银行要求的补偿性余额等因素的基础上确定的。

11.【答案】AD

【解析】当现金余额为 1500 元时，低于现金持有量下限，应转让有价证券 7000−1500=5500（元），使现金持有量回升为 7000 元，选项 A 正确；H=3R−2L=3 × 7000−2 × 2000=17000（元），现金余额为 5000 元和 12000 元时，均介于 17000 元和 2000 元之内，不必采取任何措施，选项 B、C 不正确；当现金余额为 20000 元时，超过现金持有量上限，应购买有价证券 20000−7000=13000（元），使现金持有量回落为 7000 元，选项 D 正确。

12.【答案】BCD

【解析】因为现金周转期 = 存货周转期 + 应收账款周转期 − 应付账款周转期。延迟支付货款可以增加应付账款周转期，选项 B 正确；加速应收账款的回收可以缩短应收账款周转期，选项 C 正确；加快产品的生产和销售，可以减少存货周转期，选项 D 正确；选项 A 不影响现金周转期。

13.【答案】ABCD

【解析】本题的考点是客户的汇款从纸基方式转向电子方式的优点。

14.【答案】AB

【解析】现金周转期 = 存货周转期 + 应收账款周转期 − 应付账款周转期 = 经营周期 − 应付账款周转期。

15.【答案】BC

【解析】本题考查的是应收账款的功能：增加销售；减少存货。

16.【答案】ABC

【解析】信用政策包括信用标准、信用条件和收账政策。

17.【答案】ABCD

【解析】通常，延长信用期限，可以在一定程度上扩大销售量，从而增加毛利。但是会给企业带来不良后果：一是使平均收账期延长，应收账款占用的资金相应增加，引起机会成本增加；二是不适当地延长信用期限，引起坏账损失和收账费用的增加。选项 A、B、C、D 均正确。

18.【答案】CD

【解析】缩短信用期，会降低对顾客的吸引力，可能减少销售收入和应收账款。而提供现金折扣，会提高对顾客的吸引力，可能增加销售收入。也可能导致客户提前付款，减少应收账款。选项 A、B 错误。

19.【答案】AD

【解析】提高信用标准可以减少信用品质差的客户，从而增加应收账款周转效率，降低应收账款周转天数，选项 A 正确；延长信用期限，会增加应收账款周转天数，选项 B 错误；提高坏账准备计提比率，不影响应收账款周转天数，因为应收账款周转天数是根据未扣除坏账准备的应收账款的余额计算的，选项 C 错误；提高现金折扣率，会吸引客户提前付款，从而降低应收账款周转天数，选项 D 正确。

20.【答案】ACD

【解析】现金折扣是企业对顾客在商品价格上的扣减，其主要目的在于吸引顾客为享受优惠而提前付款，缩短企业的平均收款期，另外，现金折扣也能招揽一些视折扣为减价出售的顾客前来购货，借此扩大销售量。

21.【答案】ABD

【解析】选项 A、B、D 为动用应收账款账户余额模式进行应收账款管理可以发挥的作用。选项 C 与应收账款账户余额模式无关，选项 C 错误。

22.【答案】BC

【解析】有追索权保理是指保理商有追索权，所以坏账风险由供应商承担，保理商不承担风险，选项 A 错误；无追索权保理是指保理商将销售合同完全买断，并承担全部的收款风险，选项 B 正确；到期保理是指保理商并不提供预付账款融资，而是在赊销到期时才支付，届时不管货款是否收到，保理商都必须向销售商支付货款，选项 C 正确。暗保理是指供应商为了避免让客户知道自己因流动资金不足而转让应收账款，并不将债权转让情况通知客户，货款到期时仍由销售商出面催款，再向银行偿还借款，选项 D 错误。

23.【答案】BCD

【解析】应收账款保理实质是将未到期应收账款作为抵押从而获得银行短期借款的融资方式，而不是投资方式。所以选项 A 不正确。

24.【答案】ABD

【解析】存货的存在会增加储存成本。

25.【答案】ACD

【解析】存货储备不足而造成的损失属于缺货成本。

26.【答案】ABCD

【解析】缺货成本是指由于存货供应中断而造成的损失，包括材料供应中断造成的停工损失、产成品库存缺货造成的拖欠发货损失和丧失销售机会的损失及造成的商誉损失等。如果生产企业以紧急采购代用材料解决库存材料中断之急，那么缺货成本表现为紧急额外购入成本。

27.【答案】ABCD

【解析】相关储存成本的计算公式为：相关储存成本 =（每次订货批量 /2）× 单位存货的年变动储存成本，可见选项 B 正确。相关订货成本 =（存货全年需要量 / 每次订货批量）× 每次订货变动成本，因此选项 C 正确。选项 B、C 正确则可说明选项 A 正确。年变动储存成本与年订货变动成本相等时，存货总成本最低，能使两者相等的采购批量为经济订货批量，选项 D 正确。

28.【答案】ABD

【解析】根据存货陆续供应和使用模型的经济订货量公式 $EOQ=\sqrt{\frac{2KD}{K_C}\times\frac{p}{p-d}}$ 可以看出，存货需求量增加、一次订货成本增加、每日消耗量增加都会使经济订货量增加，而单位变动储存成本增加会使经济订货量降低。

29.【答案】ABC

【解析】再订货点 = 预计交货期内的需求 + 保险储备 = 平均交货时间 × 平均日需用量 + 保险储备，从公式可以看出，每次订货成本与再订货点无关。

30.【答案】BCD

【解析】适时制库存控制系统只有当制造企业在生产过程中需要原料或零件时，供应商才会将原料或零件送来，选项 A 错误。

31.【答案】BCD

【解析】贴现法付息会使企业实际可用贷款额降低，企业实际负担利率高于名义利率。对贷款企业来说，补偿性余额则提高了贷款的实际利率，加重了企业负担。加息法付息实际利率大约是名义利率的 2 倍。

32.【答案】ABD

【解析】短期融资券的筹资成本通常低于发行公司债券的成本，选项 C 的说法不正确。

33.【答案】BD

【解析】我国短期融资券的发行对象为银行间债券市场的机构投资者，不向社会公众发行和交易，选项 A 不正确；我国短期融资券的发行人为非金融企业，选项 C 不正确。

34.【答案】ABD

【解析】商业信用的形式包括应付账款、应付票据、预收货款和应计未付款。

35.【答案】BCD

【解析】放弃折扣的信用成本率 = 折扣百分比 /（1− 折扣百分比）× 360 天 /[付款期（信用期）− 折扣期]，这里的折扣百分比是指现金折扣百分比，而不是数量折扣百分比。

36.【答案】BC

【解析】商业信用筹资的优点：商业信用容易获得、企业有较大的机动权、企业一般不用提供担保。短期融资券的融资数额一般比商业信用筹资数额大，选项 A 错误；短期融资券也不需要担保，选项 D 错误。

三、判断题

1.【答案】×

【解析】营运资金是指在企业生产经营活动中占用在流动资产上的资金，广义的营运资金是指一个企业流动资产的总额，狭义的营运资金是指流动资产减去流动负债后的余额。

2.【答案】√

【解析】在期限匹配融资策略中，永久性流动资产和非流动资产以长期融资方式来融资，波动性流动资产用短期融资来融通。因此固定资产比重较大的上市公司主要应通过自发性负债、长期负债和发行股票筹集资金，本题的说法是正确的。

3.【答案】√

【解析】应付金额不确定的流动负债是指那些要根据企业生产经营状况，到一定时期或具备一定条件时才能确定的流动负债，或应付金额需要估计的流动负债，如应交税费、应付产品质量担保债务等。

4.【答案】√

【解析】企业之所以持有一定数量的现金，主要是基于三个方面的动机需求：交易性需求、预防性需求和投机性需求。

5.【答案】×

【解析】交易性需求是为了维持日常周转及正常商业活动所需持有的现金额。短期证券投资属于金融资产投资，不是正常的生产经营活动，进行短期证券投资活动所需要的现金属于投机性需求所需现金。

6.【答案】√

【解析】企业的交易性需求是指企业为了维持日常周转及正常商业活动所需持有的现金额。为满足季节性库存的需求而持有现金属于维持日常周转及正常商业活动所需持有的现金额。

7.【答案】√

【解析】在随机模型下，当企业现金余额在上限和下限之间波动时，表明企业现金持有量处于合理的水平，无须进行调整。

8.【答案】×

【解析】只有财务公司模式需要经过中国人民银行审核批准才能设立。财务公司是一种经营部分银行业务的非银行金融机构。内部银行是企业内部资金管理机构，不需要经过中国人民银行审核批准。

9.【答案】×

【解析】企业实行“收支两条线”主要出于两个目的：第一，对企业范围内的现金进行集中管理，减少现金持有成本，加速资金周转，提高资金使用效率；第二，以实施“收支两条线”为切入点，通过高效的价值化管理来提高企业效益。

10.【答案】√

【解析】使用零余额账户，即企业与银行合作，保持一个主账户和一系列子账户。企业只在主账户保持一定的安全储备，而在一系列子账户不需要保持安全储备。当从某个子账户签发的支票需要现金时，所需要的资金立即从主账户划拨过来，从而使更多的资金可以用作他用。

11.【答案】×

【解析】保理是一项综合性的金融服务方式，同单纯的融资或收账管理有本质区别。

12.【答案】×

【解析】无追索权保理是指保理商将销售合同完全买断，并承担全部的收款风险。

13.【答案】√

【解析】本题考查的是存货管理的目标。

14.【答案】×

【解析】如果企业执行的信用标准过于严格，可能会降低对符合可接受信用风险标准客户的赊销额，因此会限制企业的销售机会，会减少商品销售额，从而减少应收账款的机会成本。本题的说法是错误的。

15.【答案】×

【解析】存货取得成本由存货的购置成本和订货成本构成。

16.【答案】×

【解析】按照存货ABC控制系统，将存货划分为A、B、C三类，A类存货为价值高、但品种数量较少的存货，C类存货是品种数量多、价值较低的存货，B类存货的价值、品种数量都居中。本题的存货品种数量比重达到70%，说明品种数量较多，属于C类存货，采取一般管理。

17.【答案】×

【解析】周转信贷协定是银行从法律上承诺向企业提供不超过某一最高限额的贷款协定。而信贷额度没有法律效应。

18.【答案】√

【解析】本题的考点是短期借款的信用条件。要注意信用条件对借款实际利率的影响。

19.【答案】√

【解析】贷款的实际利率 =8%/（1-8%-10%）=9.76%。

20.【答案】×

【解析】短期融资券不需要担保，所以应该是无担保短期本票。

21.【答案】×

【解析】浮动优惠利率是一种随其他短期利率的变动而浮动的优惠利率，即随市场条件的变化而随时调整变化的优惠利率。

四、计算分析题

1.【答案】

（1）甲方案总成本 =30000×8%+2000+3000=7400（元）

乙方案总成本 =40000×8%+2000+2000=7200（元）

丙方案总成本 =50000×8%+2000+500=6500（元）

丁方案总成本 =60000×8%+2000+0=6800（元）

因为丙方案总成本最小，所以该企业的最佳现金持有量是 50000 元。

（2）①最佳现金持有量 =

$$\sqrt{\frac{2\times250000\times500}{10\%}}=50000（元）$$

②全年现金管理相关总成本 =

$$\sqrt{2\times250000\times500\times10\%}=5000（元）$$

全年现金交易成本 =（250000/50000）×500=2500（元）

全年现金持有机会成本 =（50000/2）×10%=2500（元）

③有价证券交易次数 =250000/50000=5（次）

有价证券交易间隔期 =360/5=72（天）。

2.【答案】

（1）现销与赊销比例为 1∶4，即现销额 = 赊销额 /4，赊销额 + 赊销额 /4=4500，因此赊销额 =3600（万元）。

（2）应收账款的平均余额 = 日赊销额 × 平均收账天数 =3600/360×60=600（万元）

（3）应收账款占用资金 = 应收账款的平均余额 × 变动成本率 =600×50%=300（万元）

（4）应收账款的机会成本 = 应收账款占用资金 × 资金成本率 =300×10%=30（万元）

（5）应收账款的平均余额 = 日赊销额 × 平均收账天数，即 3600/360× 平均收账天数 =400，因此平均收账天数 =40（天）。

3.【答案】

（1）盈利的增加额 =（1200-1000）×（1-60%）=80（万元）

（2）平均收现期 =10×50%+90×50%=50（天）

应收账款占用资金应计利息的增加额 =1200/360×50×60%×10%-1000/360×60×60%×10%=0（万元）

坏账损失的增加额 =25-20=5（万元）

收账费用的增加额 =15-12=3（万元）

现金折扣成本的增加额 =1200×2%×50%=12（万元）

信用条件改变后 B 公司应收账款成本增加额 =0+5+3+12=20（万元）

（3）结论：应改变信用条件。

理由：改变信用条件增加的税前损益 =80-20=60（万元），大于零，因此应改变信用条件。

4.【答案】

（1）2021 年年末的应收账款余额 =150×10%+250×（10%+20%）+300×（10%+20%+30%）=270（万元）

（2）平均日销售额 =（380+150+250+300）/360=3（万元）

应收账款周转天数 = 期末应收账款余额 / 平均日销售额 =270/3=90（天）

应收账款的平均逾期天数 =90−60=30（天）

（3）2021 年第 4 季度的现金流入 =300×40%+250×30%+150×20%+380×10%=263（万元）

（4）2022 年平均日销售额 =1152/360=3.2（万元）

2022 年年末应收账款余额 = 平均日销售额 × 应收账款周转天数 =3.2×（90−20）=224（万元）

应收账款保理资金回收额 =224×90%=201.6（万元）。

5.【答案】

（1）A 材料的经济订货批量 = $\sqrt{2\times250000\times500/10}$ =5000（件）

全年订货次数 = 全年需求量 / 经济订货批量 =250000/5000=50（次）

（2）A 材料的年存货相关总成本 = $\sqrt{2\times250000\times500\times10}$ =50000（元）

（3）每日平均需用量 =250000/250=1000（件），再订货点 =1000×4=4000（件）。

6.【答案】

（1）①A 材料的经济订货批量 = $\sqrt{\frac{2\times45000\times180}{20}}$ =900（件）

②A 材料年度最佳订货次数 = $\frac{45000}{900}$ = 50（次）

③A 材料与批量相关的存货总成本 = $\sqrt{2\times45000\times180\times20}$ =18000（元）

④A 材料每天耗用量 =45000/300=150（件）

再订货点 =4×150=600（件）

（2）①A 材料的经济订货批量 = $\sqrt{\frac{2\times45000\times180}{20\times(1-150/200)}}$ =1800（件）

②A 材料年度最佳订货次数 =45000/1800=25（次）

③A 材料与批量相关的存货总成本 = $\sqrt{2\times45000\times180\times20\times(1-150/200)}$ = 9000（元）

④再订货点 =600 件

（3）没有影响。再订货点受交货时间、每天耗用量及保险储备的影响，与供应商的送货方式无关。

7.【答案】

（1）放弃现金折扣的机会成本 =2%/（1−2%）×360/（40−10）=24.49%

（2）应借款总额 =495000/（1−20%）=618750（元）

借款的实际年利率 = 实际支付的年利息 / 实际可用的借款额 =618750×8%/［618750×（1−20%）］=10%

（3）月利率 =12%/12=1%

应借款总额 =495000/（1−1%）=500000（元）

借款的实际年利率 = 实际支付的月利息 / 实际可用的借款额 ×12=（500000×1%）/［500000×（1−1%）］×12=12.12%

（4）方案 2 的成本最小，应该选择方案 2。

8.【答案】

（1）①立即付款：折扣率 =（5400−5238）/5400=3%

第 20 天付款：折扣率 =（5400−5292）/5400=2%

第 40 天付款：折扣率 =（5400−5346）/5400=1%

②付款条件可以写为“3/0，2/20，1/40，N/60”

立即付款：放弃折扣的信用成本率 =［3%/（1−3%）］×［360/（60−0）］=18.56%

第 20 天付款：放弃折扣的信用成本率 =［2%/（1−2%）］×［360/（60−20）］=18.37%

第 40 天付款：放弃折扣的信用成本率 =［1%/（1−1%）］×［360/（60−40）］=18.18%

③

单位：元

付款日	折扣额	银行借款利息	享受折扣的净收益
立即付款	5400−5238=162	5238/360×60×15%=130.95	31.05
第 20 天	5400−5292=108	5292/360×40×15%=88.2	19.8
第 40 天	5400−5346=54	5346/360×20×15%=44.55	9.45
第 60 天	0	0	0

④应选择立即付款。因为放弃折扣的资金成本均大于银行短期贷款利率 15%，所以应选择享受折扣，但存在多重折扣的情况下，应选择享受折扣净收益最大的方案，立即付款享受折扣净收益最大。

（2）因为短期投资收益率 40% 比放弃各折扣的代价（②的计算结果）均高，所以应放弃折扣去追求更高的收益，即应选择第 60 天付款。

五、综合题

1.【答案】

（1）营运资金 =961−575=386（万元）

（2）①应收账款周转率 =3600/600=6（次）

应收账款周转期 =360/6=60（天）

②年购货成本 =5×360=1800（万元）

应付账款周转率 =1800/120=15（次）

应付账款周转期 =360/15=24（天）

③存货周转率 =1800/150=12（次）

存货周转期 =360/12=30（天）

④现金周转期 =60+30−24=66（天）

【提示】利用第 10 章的通用公式：某某周转率 = 年周转额 / 某某平均余额；周转期 =360/ 某某周转率。

（3）如果 D 公司利用供应商提供的现金折扣，则应付账款周转期将会缩短，在其他条件不变的情况下，会使现金周转期增加（或：现金周转期延长。或：现金周转减速）。

（4）如果 D 公司增加存货，则存货周转期将会增加，在其他条件不变的情况下，会使现金周转期增加（或：现金周转期延长。或：现金周转减速）。

2.【答案】

（1）增加的边际贡献 = 增加的销量 ×（单价 − 单位变动成本）=72000×10%×（5−4）=7200（元）

（2）变动成本率 =4/5=80%

新方案平均收现期 =10×20%+20×30%+30×50%=23（天）

改变信用政策增加的应收账款占用资金应计利息 =［72000×（1+10%）×5/360］×23×80%×10%−（72000×5/360）×30×80%×10%=−376（元）

（3）改变信用政策增加的存货占用资金应计利息 = 增加的平均库存量 × 单位变动成本 × 资本成本率 =（11000−10000）×4×10%=400（元）

（4）改变信用政策增加的收账费用 =72000×5×10%×4%=1440（元）

改变信用政策增加的坏账损失 =72000×5×（1+10%）×50%×5%−72000×5×5%=−8100（元）

改变信用政策增加的折扣成本 =72000×5×（1+10%）×2%×20%+72000×5×（1+10%）×1%×30%−0=2772（元）

（5）增加的边际贡献 =7200 元

增加的成本 =−376+400+1440−8100+2772=−3864（元）

增加的税前净损益 =7200-（-3864）= 11064（元）

应该改变信用政策。

3.【答案】

（1）每次订货变动成本 $=\dfrac{13400-10760}{22}+280+8\times2.50=420$（元）

（2）单位变动储存成本 $=4+28.75+395\times5\%=52.50$（元）

（3）经济订货批量 $=\sqrt{\dfrac{2\times10000\times420}{52.50}}=400$（套）

（4）每年与经济订货批量相关的存货总成本 $=\sqrt{2\times10000\times420\times52.50}=21000$（元）

或：每年与经济订货批量相关的存货总成本 $=\dfrac{10000}{400}\times420+\dfrac{400}{2}\times52.50=21000$（元）

（5）再订货点 $=6\times\dfrac{10000}{50\times6}+100=300$（套）。

4.【答案】

（1）经济订货批量 $=\sqrt{\dfrac{2\times4900\times5000}{400}}=350$（千克）

最佳订货次数 =4900/350=14（次）

（2）交货期内平均需求 =240×0.1+260×0.2+280×0.4+300×0.2+320×0.1=280（千克）

含有保险储备的再订货点 =280+50=330（千克）

按企业目前的保险储备标准，存货水平为 330 千克时应补充订货。

（3）①设保险储备为 0 千克，再订货点 = 280 千克；缺货量 =（300-280）×0.2+（320-280）×0.1=8（千克）

缺货损失与保险储备储存成本之和 = 8×14×200+0×400=22400（元）

②设保险储备为 20 千克，再订货点 = 280+20=300（千克）；缺货量 =（320-300）×0.1=2（千克）

缺货损失与保险储备储存成本之和 = 2×14×200+20×400=13600（元）

③设保险储备为 40 千克，再订货点 = 280+40=320（千克）；缺货量为 0 千克

缺货损失与保险储备储存成本之和 =40×400=16000（元）

因此，合理保险储备为 20 千克，此时相关成本最小。企业目前的保险储备标准太高。

（4）按合理保险储备标准，企业的再订货点 =280+20=300（千克）。

第八章　成本管理

CHAPTER-8

本章学习指南

一、考情分析

本章论述了本量利分析、标准成本控制与分析、作业成本与责任成本等内容。从近 3 年的考试来看，平均分为 11 分左右。本章可考题型既有客观题，也有主观题。

最近 3 年题型、题量分析表

题型	2019 年		2020 年			2021 年		
	试卷Ⅰ	试卷Ⅱ	试卷Ⅰ	试卷Ⅱ	试卷Ⅲ	试卷Ⅰ	试卷Ⅱ	试卷Ⅲ
单项选择题	2 题 2 分	4 题 4 分	1 题 1.5 分	2 题 3 分	3 题 4.5 分	2 题 3 分	2 题 3 分	1 题 1.5 分
多项选择题	2 题 4 分	1 题 2 分	1 题 2 分	—	1 题 2 分	—	1 题 2 分	1 题 2 分
判断题	2 题 2 分	1 题 1 分	—	1 题 1 分	1 题 1 分	1 题 1 分	—	—
计算分析题	1 题 5 分	—	1 题 5 分	1 题 5 分	1 题 5 分	1 题 5 分	—	—
综合题	0.2 题 2.6 分	0.2 题 2.4 分	—	0.4 题 5 分	0.15 题 2 分	0.5 题 6 分	0.42 题 5 分	—
合计	7.2 题 15.6 分	6.2 题 9.4 分	3 题 8.5 分	4.4 题 14 分	6.15 题 14.5 分	4.5 题 15 分	3.42 题 10 分	2 题 3.5 分

二、教材变化

本章与 2021 年的教材相比，主要变化有：（1）增加了“本量利分析的优缺点”“敏感分析法的优缺点”“标准成本法的优缺点”的相关内容；（2）删除了多种产品盈亏平衡分析方法中的顺序法；（3）增加了“作业成本信息报告”“作业成本法的适用范围、优缺点”等相关内容；（4）对作业成本计算程序中的相关内容进行了补充完善。

核心考点精讲

第一节　成本管理概述

使用“会计云课堂”App或“微信”扫码查看本节视频，快速GET知识点。

一、成本管理的意义★

（1）通过成本管理降低成本，为企业扩大再生产创造条件。
（2）通过成本管理增加企业利润，提高企业经济效益。
（3）通过成本管理帮助企业取得竞争优势，增强企业的竞争能力和抗风险能力。

二、成本管理的目标★

要点小贴士

企业所实施的战略不同会影响总体目标的不同，也会影响到成本控制目标的具体表现。

目标	特点	内容	
总体目标	成本管理的总体目标主要依据企业竞争战略制定	成本领先战略	成本管理的总体目标是追求成本水平的绝对降低
		差异化战略	成本管理的总体目标则是在保证实现产品、服务等方面差异化的前提下，对产品全生命周期成本进行管理，实现成本的持续降低
具体目标	对总体目标的进一步细分，主要包括成本计算的目标和成本控制的目标	成本计算的目标	为所有内、外部信息使用者提供成本信息
		成本控制的目标	降低成本水平

经典题解

【例题1·判断题】企业成本管理的总体目标是追求成本水平的绝对降低。（　　）

【解析】成本管理的总体目标主要依据企业竞争战略制定，实施的战略不同，总体目标也不同。

【答案】×

三、成本管理的原则★

融合性原则	成本管理应以企业业务模式为基础，将成本管理嵌入业务的各领域、各层次、各环节，实现成本管理责任到人、控制到位、考核严格、目标落实

适应性原则	成本管理应与企业生产经营特点和目标相适应，尤其要与企业发展战略或竞争战略相适应
成本效益原则	成本管理应用相关工具方法时，应权衡其为企业带来的收益和付出的成本，避免获得的收益小于其投入的成本
重要性原则	成本管理应重点关注对成本具有重大影响的项目，对于不具有重要性的项目可以适当简化处理

经典题解

【例题 2·单选题】成本管理应以企业业务模式为基础，将成本管理嵌入业务的各领域、各层次、各环节，实现成本管理责任到人、控制到位、考核严格、目标落实，体现了成本管理的（　　）。

A. 融合性原则　　B. 适应性原则

C. 责任性原则　　D. 业务性原则

【解析】成本管理的原则包括融合性原则、适应性原则、成本效益原则和重要性原则。选项 C、D 不是成本管理的原则，适应性原则是指成本管理应与企业生产经营特点和目标相适应，尤其要与企业发展战略或竞争战略相适应，选项 B 错误。

【答案】A

四、成本管理的主要内容 ★★★

（一）内容

内容	要点
成本预测	对未来的成本水平及其发展趋势进行描述和判断的成本管理活动
成本决策	对各个成本方案进行分析并选择最优方案的成本管理活动
成本计划	对计划期企业的生产耗费和成本水平进行的具有约束力的成本筹划管理活动
成本控制	对成本发生和形成过程以及影响成本的各种因素条件施加主动的影响或干预，把实际成本控制在预期目标内的成本管理活动
成本核算	对营运过程中实际发生的各种耗费按照规定的成本项目进行归集、分配和结转，并向有关使用者提供成本信息的成本管理活动 【提示】成本核算分为财务成本核算和管理成本核算。财务成本核算采用历史成本计量，而管理成本核算既可以用历史成本，又可以用现在成本或未来成本
成本分析	分析成本水平与构成的变动情况，查明影响成本变动的各种因素和产生的原因，并采取有效措施控制成本的成本管理活动
成本考核	对成本计划及其有关指标实际完成情况进行定期总结和评价，并根据考核结果和责任制的落实情况，进行相应奖励和惩罚，提高成本管理水平的成本管理活动

要点小贴士

事前：成本预测、成本决策、成本计划
事中：成本控制
事后：成本核算、成本考核
成本分析贯穿事前、事中、事后。

【提示】成本管理的主要内容相互之间的关系：

（1）成本预测是进行成本管理的第一步，也是组织成本决策和编制成本计划的前提。

（2）成本分析贯穿于成本管理的全过程。

（3）成本预测、成本决策与成本计划在战略上对成本控制、成本核算、成本分析和成本考核进行指导。

（4）成本预测、成本决策与成本计划的变动是企业外部经济环境和企业内部竞争战略变动的结果，而成本控制、成本核算、成本分析和成本考核则通过成本信息的流动互相联系。

经典题解

【真题3·单选题】下列各项中，利用有关成本资料或其他信息，从多个成本方案中选择最优方案的成本管理活动是（　　）。（2020年卷Ⅲ）

A. 成本分析　　B. 成本计划

C. 成本预测　　D. 成本决策

【解析】成本决策是在成本预测及有关成本资料的基础上，综合经济效益、质量、效率和规模等指标，运用定性和定量的方法对各个成本方案进行分析并选择最优方案的成本管理活动。

【答案】D

【真题4·多选题】成本管理是一系列成本管理活动的总称。下列各项中，属于成本管理内容的有（　　）。（2020年卷Ⅲ）

A. 成本考核　　B. 成本计划

C. 成本控制　　D. 成本预测

【解析】成本管理具体包括成本预测、成本决策、成本计划、成本控制、成本核算、成本分析和成本考核等七项内容。

【答案】ABCD

（二）企业战略对成本管理内容的影响

企业实施的战略	对成本核算精度的要求	成本考核指标的特点	成本控制的目标	成本控制的表现
成本领先战略	较高	主要选用财务指标	在保证一定产品质量和服务的前提下，最大限度地降低企业内部成本	对生产成本和经营费用的控制
差异化战略	较低	非财务指标应用较多	在保证企业实现差异化战略的前提下，降低产品全生命周期成本，实现持续性的成本节省	对产品所处生命周期不同阶段发生成本的控制，如对研发成本、供应商成本和消费成本等的控制

经典题解

【例题 5 · 多选题】下列相关表述中正确的有（　　）。

A. 差异化战略对成本核算精度的要求比成本领先战略要高

B. 在进行成本考核时实施成本领先战略的企业相比实施差异化战略的企业较多选用非财务指标

C. 实施成本领先战略的企业成本管理的总体目标是追求成本水平的绝对降低

D. 按照成本管理的重要性原则，对于成本不具有重要性的项目可以适当简化处理

【解析】成本核算的精度与企业发展战略相关，成本领先战略对成本核算精度的要求比差异化战略要高，选项 A 错误；实施成本领先战略的企业应主要选用财务指标，而实施差异化战略的企业则大多选用非财务指标，选项 B 错误。

【答案】CD

第二节　本量利分析与应用

使用“会计云课堂”App 或“微信”扫码查看本节视频，快速 GET 知识点。

一、本量利分析概述 ★★

（一）本量利分析（CVP 分析）的基本假设

假设	说明
总成本由固定成本和变动成本两部分组成	按成本性态划分成本是本量利分析的基本前提条件
营业收入与业务量呈完全线性关系	即表明当销售量在相关范围内变化时，产品的单价不会发生变化
产销平衡	主要是在盈亏平衡分析时不考虑存货的影响。因为盈亏平衡分析是一种短期决策，仅仅考虑特定时期全部成本的收回，而存货中包含了以前时期的成本，所以不在考虑范围之内
产品产销结构稳定	因为在产销多种产品的情况下，盈亏平衡点会受到多种产品贡献和产销结构的影响，只有在产销结构不变的基础上进行的盈亏平衡分析才是有效的

名师点拨

本量利分析相对简单，但是也不可掉以轻心，属于考试中的“常客”。经常会和第 5 章的杠杆系数、每股收益无差别点相结合考查。

要点小贴士

相关范围内固定成本总额不变，单位变动成本不变。

要点小贴士

针对多品种本量利分析的假设。

经典题解

【真题 6 · 单选题】下列关于本量利分析基本假设的表述中，不正确的是（　　）。（2015 年）

A. 产销平衡

B. 产品产销结构稳定

C. 营业收入与业务量呈完全线性关系

D. 总成本由营业成本和期间费用两部分组成

【解析】本量利分析主要基于以下四个假设前提：①总成本由固定成本和变动成本两部分组成；②营业收入与业务量呈完全线性关系；③产销平衡；④产品产销结构稳定。因此选项D不正确。

【答案】D

要点小贴士

本量利分析的基本模型应用最关键的就是找到固定成本总额F和单位变动成本V。

（1）F统一到考试要求的预计期间长度（元/期间）。

（2）V统一到某一产品或服务上，与单位售价一致（元/单位）。

（二）本量利分析的基本原理

1. 本量利分析的基本关系式

计算公式	利润＝单价×销售量－单位变动成本×销售量－固定成本＝（单价－单位变动成本）×销售量－固定成本＝P×Q－V×Q－F=（P－V）×Q－F
应注意的问题	这个关系式是最基本、最重要的关系式，要求给定其中4个变量，能够求出另1个变量的值

经典题解

解题攻略

（1）V的确定考试常见有三种情况：

①从量确定（元/单位）=V

②从价确定（%）×P=V

③变动成本总额/销量=V

（2）F=固定付现成本＋非付现的折旧、摊销。

【例题7·单选题】某公司5月份甲产品的销量为20000件，单位售价500元，单件产品的材料成本为100元，生产工人工资采用计件制，5月份的生产工人工资总额为250000元，技术转让费为收入的5%，每月固定付现成本为20万元，此外公司每年发生固定资产折旧费120万元，则5月份的息税前利润为（ ）元。

A. 8950000　　B. 7950000

C. 6950000　　D. 5950000

【解析】单位变动成本V=100+250000/20000+500×5%=137.5（元/件）

固定成本总额F=200000+1200000/12=300000（元）

息税前利润＝（500－137.5）×20000－300000=6950000（元）。

【答案】C

2. 边际贡献（边际利润、贡献毛益）

两个基本概念	边际贡献总额	边际贡献总额＝营业收入－变动成本总额＝（单价－单位变动成本）×销售量
	单位边际贡献	单位边际贡献＝单价－单位变动成本
两个率	边际贡献率	边际贡献率＝边际贡献总额/营业收入＝单位边际贡献/单价
	变动成本率	变动成本率＝变动成本总额/营业收入＝单位变动成本/单价
应注意的问题	关系公式：变动成本率＋边际贡献率=1	

经典题解

【真题 8·判断题】不考虑其他因素的影响，固定成本每增加 1 元，边际贡献就减少 1 元。(　　)(2019 年卷Ⅰ)

【解析】边际贡献总额 = 营业收入 − 变动成本总额，固定成本不影响边际贡献。

【答案】×

【真题 9·单选题】某企业生产某一产品，年营业收入为 100 万元，变动成本总额为 60 万元，固定成本总额为 16 万元，则该产品的边际贡献率为(　　)。(2017 年卷Ⅰ)

A. 40%　　B. 76%　　C. 24%　　D. 60%

【解析】边际贡献率 = 边际贡献总额 / 营业收入 =(100−60)/100=40%，选项 A 正确。

【答案】A

(三) 本量利分析的优缺点

优点	可以广泛应用于规划企业经济活动和营运决策等方面，简便易行、通俗易懂且容易掌握
缺点	仅考虑单因素变化的影响，是一种静态分析方法，且对成本性态较为依赖

二、盈亏平衡分析与安全边际分析 ★★★

(一) 单一产品盈亏平衡分析与安全边际分析

1. 盈亏平衡分析的含义与基本原理

含义	盈亏平衡分析又称保本分析，是指分析、测定盈亏平衡点，以及有关因素变动对盈亏平衡点的影响等，是本量利分析的核心内容
基本原理	企业的业务量 = 盈亏平衡点的业务量，企业处于盈亏平衡状态 企业的业务量 > 盈亏平衡点的业务量，企业处于盈利状态 企业的业务量 < 盈亏平衡点的业务量，企业处于亏损状态

2. 本量利关系图

种类	坐标轴	图形
传统式本量利关系图	横轴：销售量 Q 纵轴：销售收入或成本 总成本线的斜率：单位变动成本 V 销售收入线的斜率：单价 P 盈亏平衡点：总成本线和销售收入线的交点	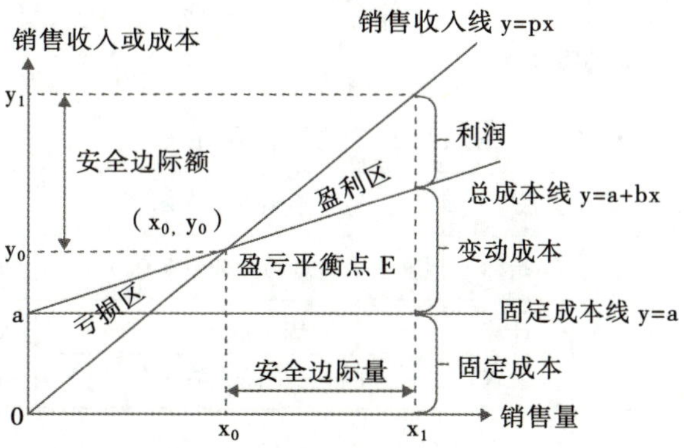

名师点拨

利量式单独记忆，传统式和边际贡献式对比记忆。

传统式：先画固定成本线，再叠加变动成本得到总成本线。

边际贡献式：先画变动成本线，再叠加固定成本得到总成本线。

种类	坐标轴	图形
边际贡献式本量利关系图	坐标、斜率及盈亏平衡点同上；只不过图中能表示出边际贡献的数值	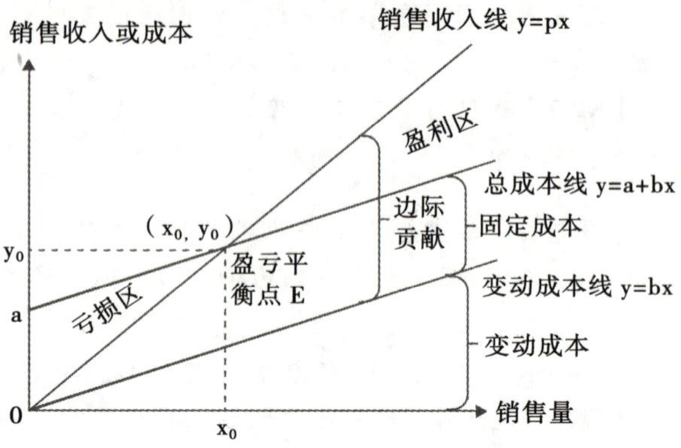
利量式本量利关系图	横轴：销售量 Q 纵轴：利润（亏损） 利润线的斜率：单位边际贡献 盈亏平衡点：利润线与横轴的交点	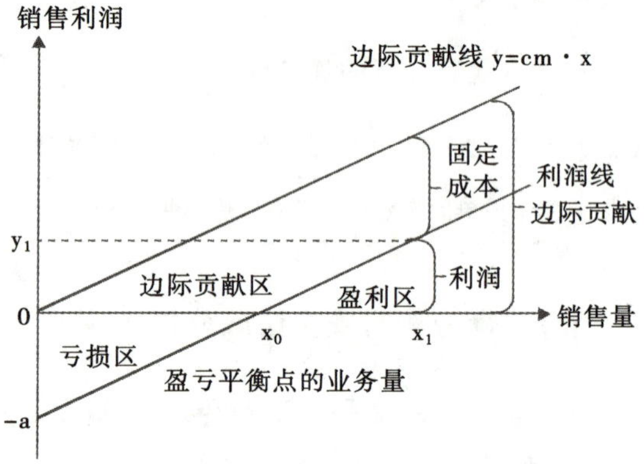

经典题解

【例题10·多选题】下列有关本量利关系图的表述不正确的有（　　）。

A. 利量式本量利关系图的盈亏平衡点是利润线与边际贡献线的交点

B. 传统式本量利关系图的盈亏平衡点是总成本线和销售收入线的交点

C. 边际贡献式本量利关系图的盈亏平衡点是边际贡献线和横轴的交点

D. 利量式本量利关系图下利润线的斜率是单位边际贡献

【解析】边际贡献式本量利关系图的盈亏平衡点与传统式本量利关系图一致也是总成本线和销售收入线的交点；利量式本量利关系图盈亏平衡点是利润线与横轴的交点。

【答案】AC

要点小贴士

销售量（额）处于保本点意味着：EBIT=0；总成本=总收入；边际贡献=F；DOL=∞；安全边际量（额）=0。

3. 盈亏平衡点与安全边际的确定

表示方法		盈亏平衡点（保本点）	安全边际
实物量	指标	盈亏平衡点的业务量（Q_0）	安全边际量（$Q-Q_0$）
	计算公式	$Q_0=\frac{固定成本}{单价-单位变动成本}=\frac{F}{P-V}$	安全边际量＝实际或预计销售量－盈亏平衡点的业务量 $=Q-Q_0$

表示方法		盈亏平衡点（保本点）	安全边际
金额	指标	盈亏平衡点的销售额（S_0）	安全边际额（$S-S_0$）
	计算公式	$S_0=\dfrac{固定成本}{边际贡献率}=\dfrac{F}{(P-V)/P}$	安全边际额 = 实际或预计销售额 − 盈亏平衡点的销售额 = 安全边际量 × 单价 $=S-S_0=(Q-Q_0)\times P$
相对数（率）	指标	盈亏平衡作业率	安全边际率
	计算公式	盈亏平衡作业率 $=\dfrac{Q_0}{Q}$ 或 $\dfrac{S_0}{S}$	安全边际率 = 安全边际量 / 实际或预计销售量 ×100%= 安全边际额 / 实际或预计销售额 ×100%= $\dfrac{Q-Q_0}{Q}$ 或 $\dfrac{S-S_0}{S}$
关系公式		盈亏平衡点的业务量（销售额）+ 安全边际量（额）= 正常销售量（额） 盈亏平衡作业率 + 安全边际率 =1	

【提示 1】正常销售量（额）是指实际或预计销售量（额）。

【提示 2】企业经营安全程度评价标准。

安全边际率	40% 以上	30%~40%	20%~30%	10%~20%	10% 以下
经营安全程度	很安全	安全	较安全	值得注意	危险

经典题解

【真题 11 · 单选题】根据本量利分析原理，下列各项中，能提高安全边际量而不会降低盈亏平衡点销售量的是（　　）。（2021 年卷Ⅲ）

A. 增加产销量　　B. 降低单位变动成本

C. 压缩固定成本　　D. 提高单价

【解析】盈亏平衡点销售量 = 固定成本 /（单价 − 单位变动成本），安全边际量 = 正常销售量 − 盈亏平衡点销售量，由此公式可以看出产销量增加导致安全边际量增加，但不影响盈亏平衡点的销售量。

【答案】A

真题点拨

对于指标影响因素的题目，关键还是掌握指标的计算公式，根据公式进行分析判断。

【真题 12 · 多选题】在边际贡献为正的前提下，某产品单位变动成本和单价均下降 1 元，不考虑其他因素，下列说法正确的有（　　）。（2021 年卷Ⅲ）

A. 盈亏平衡点销售额不变　　B. 盈亏平衡点销售量不变

C. 单位边际贡献不变　　D. 边际贡献率不变

【解析】单位边际贡献 = 单价 − 单位变动成本，单位变动成本和单价均下降 1 元，单位边际贡献不变，选项 C 正确。

盈亏平衡点销售量 = 固定成本 / 单位边际贡献，固定成本和单位边际贡献保持不变，选项 B 正确。

盈亏平衡点销售额 = 单价 × 盈亏平衡点销售量，单价降低，所以盈亏平衡点销售额会变小，选项 A 错误。

边际贡献率＝单位边际贡献／单价，单位边际贡献不变，单价降低，边际贡献率变大，选项D错误。

【答案】BC

【真题13·判断题】基于本量利分析模型，若其他因素不变，目标利润的变动会影响盈亏平衡点的销售额。（ ）（2021年卷Ⅰ）

【解析】盈亏平衡点的销售额只受固定成本、单价和单位变动成本的影响。如果改变销售量，会影响目标利润，但并不影响盈亏平衡点的销售额。

【答案】×

【真题14·单选题】某企业生产并销售A产品，且产销平衡。其销售单价为25元／件，单位变动成本为18元／件，固定成本为2520万元。若A产品的正常销售量为600万件，则安全边际率为（ ）。（2019年卷Ⅰ）

A. 30%　　B. 50%　　C. 60%　　D. 40%

【解析】盈亏平衡点的业务量＝固定成本／（单价－单位变动成本）=2520/（25-18）=360（万件）

安全边际量＝正常销售量－盈亏平衡点的业务量=600-360=240（万件）

安全边际率＝安全边际量／正常销售量×100%=240/600×100%=40%。

【答案】D

【真题15·单选题】根据本量利分析原理，下列各项中，将导致盈亏平衡点的销售额提高的是（ ）。（2019年卷Ⅱ）

A. 降低单位变动成本　　B. 降低变动成本率

C. 降低边际贡献率　　D. 降低固定成本总额

【解析】盈亏平衡点的销售额＝固定成本／边际贡献率，其中，边际贡献率＝单位边际贡献／单价＝（单价－单位变动成本）／单价，降低单位变动成本，边际贡献率提高，盈亏平衡点的销售额降低，选项A错误。

1=边际贡献率＋变动成本率，降低变动成本率，边际贡献率提高，盈亏平衡点的销售额降低，选项B错误。

降低边际贡献率，盈亏平衡点的销售额提高，选项C正确。

降低固定成本总额，盈亏平衡点的销售额降低，选项D错误。

【答案】C

【真题16·判断题】根据本量利分析基本原理，盈亏平衡点越高，企业经营越安全。（ ）（2018年卷Ⅰ）

【解析】盈亏平衡点高说明安全边际率低，企业经营不安全，因此说法错误。

【答案】×

【真题17·单选题】下列各项指标中，能直接体现企业经营风险程度的是（ ）。（2017年卷Ⅱ）

A. 安全边际率　　B. 边际贡献率

C. 净资产收益率　　D. 变动成本率

【解析】通常采用安全边际率这一指标来评价企业经营是否安全，安全边际率越低，说明经营风险越大，因此选项 A 正确。

【答案】A

【例题 18·多选题】当某企业的息税前利润为零时，下列说法中正确的有（　　）。

A. 此时企业的营业收入与总成本（不含利息）相等

B. 此时的经营杠杆系数趋近于无穷小

C. 此时的营业收入等于变动成本与固定成本之和

D. 此时的边际贡献等于固定成本

【解析】若某一企业的经营处于盈亏平衡状态（即息税前利润为零）时，此时的经营杠杆系数趋近于无穷大，选项 B 错误。

【答案】ACD

4. 安全边际与利润的关系

关系	公式
计算利润	利润 = 安全边际额 × 边际贡献率
计算销售利润率	销售利润率 = 安全边际率 × 边际贡献率

【提示】

（1）安全边际体现企业营运的安全程度。它表明销售量、销售额下降多少，企业仍不至于亏损。只有安全边际才能为企业提供利润。

（2）盈亏平衡点所提供的边际贡献等于固定成本［$(P-V)Q_0-F=0$］。

（3）安全边际所提供的边际贡献等于企业利润［单一品种：$(P-V)Q_{安}$ = 利润，多品种：综合边际贡献率 $\times S_{安}$ = 利润］。

要点小贴士

安全边际量（额）> 0，则 EBIT > 0；安全边际量（额）= 0，则 EBIT=0；安全边际量（额）< 0，则 EBIT < 0。

经典题解

【真题 19·单选题】某公司产销一种产品，变动成本率为 60%，盈亏平衡点作业率为 70%，则销售利润率为（　　）。（2021 年卷 Ⅰ）

A. 18%　　B. 28%　　C. 12%　　D. 42%

【解析】销售利润率 = 安全边际率 × 边际贡献率 =（1−70%）×（1−60%）= 12%。

【答案】C

要点小贴士

由于盈亏平衡点的销量所提供的边际贡献已经弥补了全部固定成本，所以安全边际额不需要再弥补固定成本，所以安全边际额只需扣除变动成本就是利润。

【真题 20·多选题】基于本量利分析模式，下列各项中能够提高销售利润额的有（　　）。（2020 年卷 Ⅰ）

A. 提高边际贡献率　　B. 提高盈亏平衡作业率

C. 提高变动成本率　　D. 提高安全边际率

【解析】销售利润额 = 安全边际额 × 边际贡献率 = 边际贡献 × 安全边际率，提高边际贡献率、降低变动成本率会提高销售利润额，选项 A 正确、选项 C 错误；提高安全边际率、降低盈亏平衡作业率会提高销售利润额，选项 B 错误、选项 D 正确。

【答案】AD

【真题 21·多选题】在单一产品盈亏平衡分析中，下列成立的有（　　）。（2019 年卷Ⅱ）

A. 盈亏平衡作业率 + 安全边际率 =1

B. 变动成本率 × 营业毛利率 = 边际贡献率

C. 安全边际率 × 边际贡献率 = 销售利润率

D. 变动成本率 + 边际贡献率 =1

【解析】边际贡献率 =（单价 – 单位变动成本）/ 单价 =1– 单位变动成本 / 单价 =1– 变动成本率，故选项 B 错误、选项 D 正确。

【答案】ACD

【真题 22·多选题】根据单一产品的盈亏平衡分析模式。下列关于利润的计算公式中，正确的有（　　）。（2017 年卷Ⅰ）

A. 利润 = 安全边际量 × 单位边际贡献

B. 利润 = 盈亏平衡点的业务量 × 单位安全边际

C. 利润 = 实际销售额 × 安全边际率

D. 利润 = 安全边际额 × 边际贡献率

【解析】安全边际所提供的边际贡献等于利润，选项 A、D 正确。不存在单位安全边际这一概念，选项 B 不正确；实际销售额 × 安全边际率 = 安全边际额，不是利润，选项 C 不正确。

【答案】AD

【真题 23·单选题】根据本量利分析原理，下列计算利润的公式中，正确的是（　　）。（2016 年）

A. 利润 =（营业收入 – 盈亏平衡点的销售额）× 边际贡献率

B. 利润 = 盈亏平衡点的业务量 × 边际贡献率

C. 利润 = 营业收入 ×（1– 边际贡献率）– 固定成本

D. 利润 = 营业收入 × 变动成本率 – 固定成本

【解析】利润 = 安全边际额 × 边际贡献率，选项 B 错误；利润 = 营业收入 ×（1– 变动成本率）– 固定成本，选项 C 错误；利润 = 营业收入 × 边际贡献率 – 固定成本，选项 D 错误。

【答案】A

要点小贴士

各方法计算结果一致，考试按数据可获得性选择简便算法。Σ（某种产品的边际贡献率 × 该种产品的销售额比重）= $\frac{(P_1-V_1)}{P_1}\times\frac{P_1Q_1}{P_1Q_1+P_2Q_2}+\frac{(P_2-V_2)}{P_2}\times\frac{P_2Q_2}{P_1Q_1+P_2Q_2}=\frac{(P_1-V_1)Q_1+(P_2-V_2)Q_2}{P_1Q_1+P_2Q_2}=$ 总边际贡献 / 总销售收入。

（二）产品组合盈亏平衡分析

1. 加权平均法

含义	指在掌握每种单一产品的边际贡献率的基础上，按各种产品销售额的比重进行加权平均，据以计算综合边际贡献率，从而确定多产品组合的盈亏平衡点
基本计算步骤与公式	（1）综合边际贡献率 = Σ（某种产品的边际贡献率 × 该种产品的销售额比重） 或：= 总边际贡献 / 总销售收入 【提示】综合变动成本率 =1– 综合边际贡献率 （2）综合盈亏平衡点的销售额 = 固定成本 / 综合边际贡献率 （3）某产品盈亏平衡点销售额 = 综合盈亏平衡点的销售额 × 该产品销售额比重 （4）某产品盈亏平衡点销售量 = 该产品盈亏平衡点销售额 / 该产品的单价

经典题解

【真题 24·多选题】如果采用加权平均法计算综合盈亏平衡点，下列各项中，将会影响综合盈亏平衡点大小的有（　　）。（2017 年卷Ⅱ）

A. 固定成本总额

B. 销售结构

C. 单价

D. 单位变动成本

【解析】综合盈亏平衡点的销售额 = 固定成本总额 / 综合边际贡献率。采用加权平均法计算多种产品盈亏平衡点的销售额的关键，是根据各种产品的销售单价、单位变动成本和销售数量计算出一个综合边际贡献率，然后根据固定成本总额和综合边际贡献率计算出盈亏平衡点的销售额。选项 A、B、C、D 正确。

【答案】ABCD

2. 联合单位法

含义	指在事先确定各种产品间产销实物量比例的基础上，将各种产品产销实物量的最小比例作为一个联合单位，确定每一联合单位的单价、单位变动成本，进行本量利分析的一种分析方法
基本计算步骤与公式	（1）各种产品销量的最小比例作为联合单位 （2）联合盈亏平衡点的业务量 $=\dfrac{\text{固定成本总额}}{\text{联合单价}-\text{联合单位变动成本}}$ 其中：联合单价 = 一个联合单位的全部收入 联合单位变动成本 = 一个联合单位的全部变动成本 （3）某产品盈亏平衡点的业务量 = 联合盈亏平衡点的业务量 × 一个联合单位中包含的该产品的数量

经典题解

【例题 25·多选题】某公司生产销售甲、乙、丙三种产品，销售单价分别为 50 元、70 元、90 元；预计销售量分别为 50000 件、30000 件、20000 件；预计各产品的单位变动成本分别为 20 元、35 元、40 元；预计固定成本总额为 400000 元，若企业采用联合单位法，产品销量比取整数，下列表述正确的有（　　）。

A. 联合盈亏平衡点业务量为 1750 联合单位

B. 甲产品盈亏平衡点业务量为 8750 件

C. 乙产品盈亏平衡点业务量为 3381 件

D. 丙产品盈亏平衡点业务量为 2254 件

【解析】产品销量比 = 甲 ∶ 乙 ∶ 丙 =5 ∶ 3 ∶ 2

联合单价 $P_{联}=P_{甲}\times5+P_{乙}\times3+P_{丙}\times2=50\times5+70\times3+90\times2=640$（元）

联合单位变动成本 $V_{联}=V_{甲}\times5+V_{乙}\times3+V_{丙}\times2=20\times5+35\times3+40\times2=285$（元）

联合盈亏平衡点业务量 $Q_{0联}=F/(P_{联}-V_{联})=400000/(640-285)=1127$（联合单位）

各种产品盈亏平衡点业务量计算：

甲产品盈亏平衡点业务量 $Q_{0甲}=Q_{0联}\times5=1127\times5=5635$（件）

乙产品盈亏平衡点业务量 $Q_{0乙}=Q_{0联}\times3=1127\times3=3381$（件）

丙产品盈亏平衡点业务量 $Q_{0丙}=Q_{0联}\times2=1127\times2=2254$（件）。

【答案】CD

3. 分算法

含义	是在一定的条件下，将全部固定成本按一定标准在各种产品之间进行合理分配，确定每种产品应补偿的固定成本数额，然后再对每一种产品按单一品种条件下的情况分别进行本量利分析的方法
基本计算步骤与公式	（1）固定成本分配率=$\frac{固定成本总额}{各产品的分配标准合计}$ （2）某产品应分配的固定成本数额 = 固定成本分配率 × 某产品的分配标准 （3）某产品的盈亏平衡点的业务量=$\frac{该产品应分配的固定成本数额}{单价-单位变动成本}$

经典题解

【真题 26·单选题】对于生产多种产品的企业而言，如果能够将固定成本在各种产品之间进行合理分配，则比较适用的产品组合盈亏平衡分析方法是（　　）。（2017 年卷Ⅰ改编）

A. 联合单位法

B. 主要产品法

C. 分算法

D. 加权平均法

【解析】分算法是在一定的条件下，将全部固定成本按一定标准在各种产品之间进行合理分配，确定每种产品应补偿的固定成本数额，然后再对每一种产品按单一品种条件下的情况分别进行本量利分析的方法，选项 C 正确。

【答案】C

4. 主要产品法

基本原理	在企业产品品种较多的情况下，如果存在一种产品是主要产品，它提供的边际贡献占企业边际贡献总额的比重较大，则可以按该主要品种的有关资料进行本量利分析
计算方法	主要产品法计算方法与单一品种的本量利分析相同 盈亏平衡点销量 =F/（$P_{主}-V_{主}$）

【提示】

（1）确定主要产品应以边际贡献为标志，并只能选择一种主要产品。

（2）主要产品法的依据是：固定成本应主要由该产品负担。

三、目标利润分析 ★★★

计算公式	目标利润销售量 =（固定成本 + 目标利润）/ 单位边际贡献 目标利润销售额 =（固定成本 + 目标利润）/ 边际贡献率 或：目标利润销售额 = 目标利润销售量 × 单价 【提示 1】目标利润一般是指息税前利润，若已知税后目标利润： 目标利润销售量 = [固定成本 + 税后目标利润 /（1– 所得税税率）+ 利息] / 单位边际贡献 目标利润销售额 = [固定成本 + 税后目标利润 /（1– 所得税税率）+ 利息] / 边际贡献率 【提示 2】产品组合的目标利润分析： 实现目标利润的销售额 =（综合目标利润 + 固定成本）/ 综合边际贡献率 实现目标利润率的销售额 = 固定成本 /（1– 综合变动成本率 – 综合目标利润率）
实现目标利润的措施	已知目标利润倒求单价、销售量、固定成本、单位变动成本。实质是本量利基本公式的运用

要点小贴士

相比盈亏平衡点的公式，分子多加了一个目标利润。

经典题解

【真题 27·单选题】某公司生产和销售一种产品，产销平衡，单价为 60 元 / 件，单位变动成本为 20 元 / 件，固定成本总额为 60000 元。假设目标利润为 30000 元，则实现目标利润的销售量为（ ）。（2021 年卷 Ⅰ）

A. 1500 件　　B. 4500 件　　C. 1000 件　　D. 2250 件

【解析】实现目标利润的销售量 =（固定成本 + 目标利润）/（单价 – 单位变动成本）=（60000+30000）/（60–20）=2250（件）。

【答案】D

四、敏感性分析 ★★★

（一）敏感性分析的含义及优缺点

含义	就是研究本量利分析中影响利润的诸因素发生微小变化时，对利润的影响方向和程度
优缺点	优点：简单易行，分析结果易于理解，能为企业的规划、控制和决策提供参考 缺点：敏感性分析对决策模型和预测数据具有依赖性，决策模型的可靠程度和数据的合理性，会影响敏感性分析的可靠性

（二）各因素对利润的影响程度

敏感系数的计算	敏感系数 = 利润变动百分比 / 因素变动百分比
敏感与不敏感因素的区分	按绝对值大小判断敏感性。敏感系数的绝对值大于 1 为敏感因素，绝对值小于 1 为不敏感因素

名师点拨

敏感系数计算是假设只变一个因素，其他因素不变。分母因素变动百分比可以自己随意假设，不影响计算结果，一般不特指我们均假设变动 10%。

经典题解

【真题28·单选题】基于本量利分析模式，各相关因素变动对于利润的影响程度的大小可用敏感系数来表达，其数值等于经营杠杆系数的是（　　）。（2020年卷Ⅱ）

A. 利润对销售量的敏感系数　　B. 利润对单位变动成本的敏感系数

C. 利润对单价的敏感系数　　D. 利润对固定成本的敏感系数

【解析】对销售量进行敏感分析，实质上就是分析经营杠杆现象，利润对销售量的敏感系数其实就是经营杠杆系数。经营杠杆系数 = 息税前利润变动率 / 销售量变动率 = 利润对销售量的敏感系数。

【答案】A

【真题29·单选题】某公司生产和销售单一产品，预计计划年度销售量为10000件，单价为300元，单位变动成本为200元，固定成本为200000元。假设销售单价增长了10%，则销售单价的敏感系数（即息税前利润变化百分比相当于单价变化百分比的倍数）为（　　）。（2019年卷Ⅱ）

A. 0.1　　B. 3.75　　C. 1　　D. 3

【解析】单价上涨前的息税前利润 =10000×（300−200）−200000=800000（元）；单价上涨后的息税前利润 =10000×[300×（1+10%）−200]−200000=1100000（元）；息税前利润增长率 =（1100000−800000）/800000=37.5%。则销售单价的敏感系数 =37.5%/10%=3.75。

【答案】B

【真题30·判断题】在企业盈利状态下进行利润敏感性分析时，固定成本的敏感系数大于销售量的敏感系数。（　　）（2018年卷Ⅰ）

【解析】

$$销售量的敏感系数=\frac{\Delta EBIT/EBIT}{\Delta Q/Q}=\frac{[(Q'P-Q'V-F)-(QP-QV-F)]/EBIT}{\Delta Q/Q}=\frac{\Delta Q(P-V)/EBIT}{\Delta Q/Q}=(P-V)Q/EBIT=边际贡献/EBIT$$

$$固定成本的敏感系数=\frac{\Delta EBIT/EBIT}{\Delta F/F}=\frac{[(QP-QV-F')-(QP-QV-F)]/EBIT}{\Delta F/F}=\frac{(-F'+F)/EBIT}{\Delta F/F}=\frac{-\Delta F/EBIT}{\Delta F/F}=-F/EBIT=-固定成本/EBIT$$

敏感系数的正负号表示的是变动方向，进行排序的时候不考虑正负号。因为分母相同，所以比较分子即可。而在盈利的状态下，销售收入－变动成本－固定成本＞0，边际贡献－固定成本＞0，边际贡献＞固定成本，因此销售量的敏感系数＞固定成本的敏感系数。

【答案】×

> **真题点拨**
>
> 经营杠杆系数＝息税前利润变动百分比/销售量变动百分比，因此销售量的敏感系数亦称经营杠杆系数。

【真题31·单选题】某公司生产和销售单一产品，该产品单位边际贡献为2元，2014年销售量为40万件，利润为50万元。假设成本性态保持不变，则销售量的敏感系数是（　　）。（2015年）

A. 0.60　　B. 0.80　　C. 1.25　　D. 1.60

【解析】本题可以利用与经营杠杆系数的关系公式来计算，销售量的敏感系数＝经营杠杆系数＝基期边际贡献/基期息税前利润＝（2×40）/50=1.60。

或：利润＝（单价－单位变动成本）×销售量－固定成本＝单位边际贡献×销售量－固定成本，固定成本＝单位边际贡献×销售量－利润 $=2\times40-50=30$（万元）。假设销售量上升10%，变化后的销售量 $=40\times$（1+10%）=44（万件），变化后的利润 $=44\times2-30=58$（万元），利润变化的百分比＝（58－50）/50=16%，销售量的敏感系数=16%/10%=1.60，选项D正确。

【答案】D

（三）目标利润要求变化时允许各因素的升降幅度

含义	实质上是各因素对利润影响程度分析的反向推算
计算公式	敏感系数的倒数

经典题解

【例题32·单选题】已知企业目前为盈利状态，利润对单价的敏感系数为2，为了确保下年度企业不亏损，单价下降的最大幅度为（　　）。

A. 50%　　B. 100%　　C. 25%　　D. 40%

【解析】单价的敏感系数＝利润变动率/单价变动率=2，为确保企业不亏损且在单价下降最大幅度的情况下，利润为0，即利润变动率＝（0－原有利润）/原有利润=－100%，则单价变动率=－100%/2=－50%。

【答案】A

五、本量利分析在经营决策中的应用 ★★

经营决策实质是利用本量利的基本模型，找到利润最大的方案为最优方案。

第三节　标准成本控制与分析

使用“会计云课堂”App或“微信”扫码查看本节视频，快速GET知识点。

一、标准成本控制与分析的相关概念 ★★

<table>
<tr><td rowspan="3">标准成本</td><td>含义</td><td colspan="2">指在正常的生产技术水平和有效的经营管理条件下，企业经过努力应达到的产品成本水平</td></tr>
<tr><td rowspan="2">种类</td><td>理想标准成本</td><td>这是一种理论标准，是指在现有条件下所能达到的最优成本水平，即在生产过程无浪费、机器无故障、人员无闲置、产品无废品等假设条件下制定的成本标准</td></tr>
<tr><td>正常标准成本</td><td>指在正常情况下，企业经过努力可以达到的成本标准。这一标准考虑了生产过程中不可避免的损失、故障和偏差等</td></tr>
</table>

标准成本法	含义	指企业以预先制定的标准成本为基础，通过比较标准成本与实际成本，核算和分析成本差异、揭示成本差异动因、实施成本控制、评价成本管理业绩的一种成本管理方法
	主要目标	揭示与分析标准成本与实际成本之间的差异，并按照例外管理的原则，对不利差异予以纠正，以提高工作效率，不断改善产品成本
	优缺点	优点： （1）能够及时反馈各成本项目不同性质的差异，有利于考核相关部门及人员的业绩 （2）标准成本的制定及其差异和动因的信息可以使企业预算编制更为科学和可行，有助于企业的经营决策 缺点： （1）要求企业产品的成本标准比较准确、稳定，在使用条件上存在一定的局限性 （2）对标准管理要求较高，系统维护成本较高 （3）标准成本需要根据市场价格波动频繁更新，导致成本差异可能缺乏可靠性，降低成本控制效果

【提示】

（1）通常来说，正常标准成本大于理想标准成本。

（2）理想标准成本不考虑任何低效率和损耗，一般很难达到，而正常标准成本具有客观性、现实性和激励性等特点，因此正常标准成本在实践中得到广泛应用。

要点小贴士

正常标准成本考虑了难以避免的损耗，所以大于理想标准成本，正常标准成本应低于历史平均水平以体现激励性。

经典题解

【例题33·判断题】理想标准成本考虑了生产过程中不能避免的损失、故障和偏差，属于企业经过努力可以达到的成本标准。（　　）

【解析】正常标准成本考虑了生产过程中不能避免的损失、故障和偏差等，属于企业经过努力可以达到的成本标准。理想标准成本是指在生产过程无浪费、机器无故障、人员无闲置、产品无废品等假设条件下制定的成本标准。

【答案】×

二、标准成本的制定 ★★★

产品的标准成本＝直接材料标准成本＋直接人工标准成本＋制造费用标准成本＝Σ（用量标准 × 价格标准）

成本项目	用量标准	价格标准
直接材料	材料用量标准（单位产品的材料标准用量）	材料价格标准（材料的标准单价）
直接人工	工时用量标准（单位产品的标准工时）	标准工资率（小时标准工资率）
制造费用	工时用量标准（单位产品的标准工时）	标准制造费用分配率（小时标准制造费用分配率）

三、成本差异的计算及分析 ★★★

含义	成本差异是指实际成本与相应标准成本之间的差额 成本总差异 = 实际产量下实际成本 – 实际产量下标准成本	
类型	超支差异	实际成本大于标准成本
	节约差异	实际成本小于标准成本

（一）变动成本差异分析

1. 变动成本差异计算的通用公式

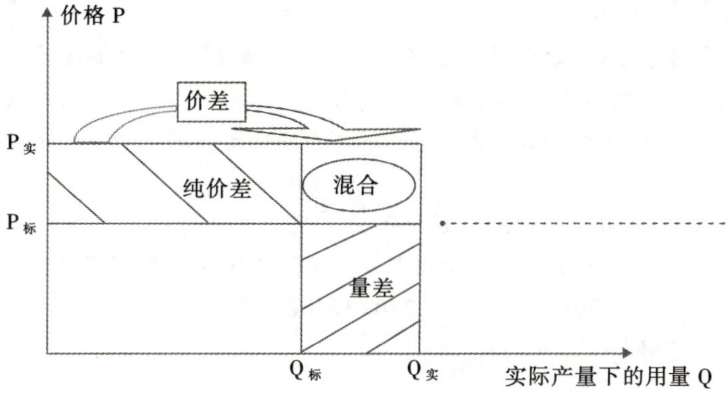

要点小贴士

（1）总差异是大面积减小面积。量差是纯粹的，价差是混合的。

（2）差异为正是不利差异、超支差异；差异为负是有利差异、节约差异。

价差 =（实际价格 – 标准价格）× 实际用量 = $(P_{实}-P_{标})\times Q_{实}$

量差 =（实际用量 – 标准用量）× 标准价格 = $(Q_{实}-Q_{标})\times P_{标}$

2. 不同变动成本项目成本差异计算的具体公式

名师点拨

按照通用公式掌握，记住不同成本项目的量和价分别是什么。

项目	价差（混合差异）：$(P_{实}-P_{标})\times Q_{实}$	量差（纯差异）：$(Q_{实}-Q_{标})\times P_{标}$
直接材料成本差异	直接材料价格差异 =（实际单价 – 标准单价）× 实际用量	直接材料数量差异 =（实际用量 – 标准用量）× 标准单价
直接人工成本差异	直接人工工资率差异 =（实际工资率 – 标准工资率）× 实际工时	直接人工效率差异 =（实际工时 – 标准工时）× 标准工资率
变动制造费用成本差异	变动制造费用耗费差异 =（变动制造费用实际分配率 – 变动制造费用标准分配率）× 实际工时	变动制造费用效率差异 =（实际工时 – 标准工时）× 变动制造费用标准分配率

名师点拨

$Q_{标}$是自己计算出来的：

$Q_{标}$ = 实际产量 × 单位产品的标准用量；

直接材料的标准用量 $Q_{标}$ = 实际产量 × 单位产品的标准耗用量；

直接人工、变动制造费用的标准工时 $Q_{标}$ = 实际产量 × 单位产品的标准工时。

经典题解

【真题 34 · 单选题】 某产品标准工时为 2 小时 / 件，变动制造费用标准分配率为 3 元 / 小时，如果实际产量为 3000 件，实际工时为 6300 小时，实际变动制造费用为 20160 元。则变动制造费用效率差异为（　　）。（2021 年卷 Ⅱ）

A. 1260 元　　　　B. 630 元

C. 2160 元　　　　D. 900 元

【解析】变动制造费用效率差异 =（实际工时 - 标准工时）× 变动制造费用标准分配率 =（6300-3000×2）×3=900（元）（超支）。

【答案】D

【提示】2017年卷Ⅰ试题与此题的考查角度一致。

【真题35·判断题】在标准成本法下，变动制造费用成本差异指的是实际变动制造费用与预算产量下的标准变动制造费用之间的差额。（　　）（2019年卷Ⅰ）

【解析】变动制造费用成本差异指的是实际变动制造费用与实际产量下的标准变动制造费用之间的差额。

【答案】×

【真题36·单选题】某产品本期产量为60套，直接材料标准用量为18千克/套，直接材料标准价格为270元/千克，直接材料实际用量为1200千克，实际价格为210元/千克，则该产品的直接材料数量差异为（　　）元。（2018年卷Ⅱ）

A. 10800　　B. 12000　　C. 32400　　D. 33600

【解析】直接材料数量差异 =（实际用量 - 实际产量下标准用量）× 标准单价 =（1200-60×18）×270=32400（元）（超支）。

【答案】C

3. 变动成本差异形成的原因分析

差异	差异形成的原因举例
直接材料数量差异	如产品设计结构、原料质量、工人的技术熟练程度、废品率的高低等
直接材料价格差异	如市场价格、供货厂商、运输方式、采购批量等的变动
直接人工工资率差异	如工资制度的变动、工人的升降级、加班或临时工的增减等
直接人工及变动制造费用效率差异	如工人技术状况、工作环境和设备条件的好坏等

名师点拨

（1）对于差异形成原因，通常会有多种原因，不用特别记忆。一般来说对于这种考题，把明显有错的排除，其他按常识考虑，只要不是特别不相关基本都选上。

（2）差异形成原因和差异影响因素是两个不同的概念，影响因素可以理解为影响差异金额大小的因素，例如由于数量差异 = 用量差距 × 标准价格，所以标准价格的高低也会影响数量差异的大小。但是差异的形成原因是指针对差距形成的原因，比如对于数量差异的形成原因只是针对实际用量偏离标准用量这个差距的原因，不用考虑价格的问题。

经典题解

【真题37·单选题】下列因素中，一般不会导致直接人工工资率差异的是（　　）。（2016年）

A. 工资制度的变动　　B. 工作环境的好坏

C. 工资级别的升降　　D. 加班或临时工的增减

【解析】工资率差异是价格差异，其形成原因比较复杂，工资制度的变动、工人的升降级、加班或临时工的增减等都将导致工资率差异。

【答案】B

4. 变动成本差异责任归属的分析

项目	价格差异			用量差异		
	直接材料价格差异	直接人工工资率差异	变动制造费用耗费差异	直接材料数量差异	直接人工效率差异	变动制造费用效率差异
主要责任部门	采购部门	劳动人事部门	主要是生产部门责任 【提示】但也不是绝对的，如采购材料质量差导致材料数量差异是采购部门的责任			

经典题解

【真题 38 · 判断题】在标准成本控制与分析中，产品成本所出现的不利或有利差异均应由生产部门负责。(　　)(2020 年卷Ⅲ)

【解析】直接人工工资率差异，一般由劳动人事部门负责。直接材料价格差异，一般由采购部门负责。

【答案】×

(二)固定制造费用成本差异分析

总差异	固定制造费用项目成本差异 = 固定制造费用项目实际成本 − 固定制造费用项目标准成本(预算)	
固定制造费用总差异的分析方法	两差异分析法	耗费差异 = 实际固定制造费用 − 预算产量下标准固定制造费用 = 实际固定制造费用 − 预算产量下标准工时 × 标准分配率 能量差异 = 预算产量下标准固定制造费用 − 实际产量下标准固定制造费用 = (预算产量下标准工时 − 实际产量下标准工时) × 标准分配率
	三差异分析法	耗费差异 = 实际固定制造费用 − 预算产量下标准固定制造费用 = 实际固定制造费用 − 预算产量下标准工时 × 标准分配率 产量差异 = 预算产量下标准固定制造费用 − 实际产量下实际工时 × 标准分配率 = (预算产量下标准工时 − 实际产量下实际工时) × 标准分配率 效率差异 = (实际产量下实际工时 − 实际产量下标准工时) × 标准分配率

要点小贴士

无论是固定成本项目还是变动成本项目，总差异的基本公式是一致的，都是实际成本与实际产量下的标准成本对比。

要点小贴士

所有的效率差异都是量差，计算公式都是一样的，效率差异 = $(Q_{实}-Q_{标}) \times P_{标}$。

【易错易混点】

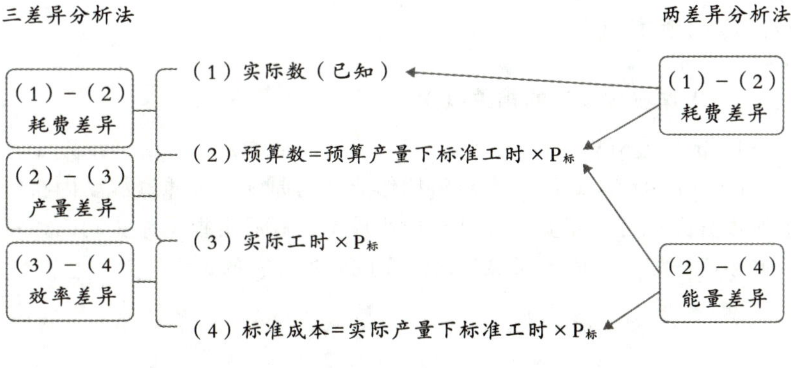

经典题解

【真题39·多选题】在标准成本差异的计算中，下列成本差异属于价格差异的有（　　）。（2019年卷Ⅰ）

A. 直接人工工资率差异　　B. 变动制造费用耗费差异

C. 固定制造费用能量差异　　D. 变动制造费用效率差异

【解析】价格差异=（实际价格－标准价格）×实际用量；用量差异=标准价格×（实际用量－实际产量下标准用量）；直接人工工资率差异、变动制造费用耗费差异均属于价格差异。

【答案】AB

【真题40·单选题】某产品的预算产量为10000件，实际产量为9000件，实际发生固定制造费用180000元，固定制造费用标准分配率为8元/小时，工时标准为1.5小时/件，则固定制造费用成本差异为（　　）。（2018年卷Ⅰ）

A. 超支72000元　　B. 节约60000元

C. 超支60000元　　D. 节约72000元

【解析】固定制造费用成本差异=180000－9000×8×1.5=72000（元）（超支）。

【答案】A

【真题41·判断题】在标准成本法下，固定制造费用成本差异是指固定制造费用的实际金额与固定制造费用预算金额之间的差异。（　　）（2017年卷Ⅱ）

【解析】固定制造费用实际金额与固定制造费用预算金额之间的差额是指固定制造费用耗费差异。固定制造费用成本差异是指固定制造费用的实际金额与实际产量下的标准固定制造费用之间的差额。

【答案】×

第四节　作业成本与责任成本

使用“会计云课堂”App或“微信”扫码查看本节视频，快速GET知识点。

要点小贴士

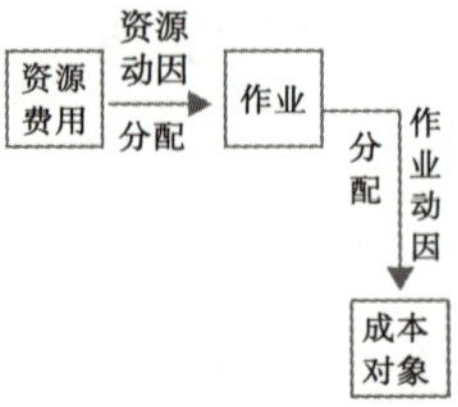

一、作业成本★

（一）作业成本法的相关概念

1. 作业成本法

以“作业消耗资源、产出消耗作业”为原则，按照资源动因将资源费用追溯或分配至各项作业，计算出作业成本，然后再根据作业动因，将作业成本追溯或分配至各成本对象，最终完成成本计算的过程。

经典题解

【真题42·单选题】作业成本法下，产品成本计算的基本程序可以表示为(　　)。（2020年卷Ⅲ）

A. 作业—部门—产品　　　B. 资源—作业—产品

C. 资源—部门—产品　　　D. 资源—产品

【解析】作业成本法以“作业消耗资源、产出消耗作业”为原则，按照资源动因将资源费用追溯或分配至各项作业，计算出作业成本，然后再根据作业动因，将作业成本追溯或分配至各成本对象，最终完成成本计算的过程。

【答案】B

2. 相关概念

<table>
<tr><th>概念</th><th colspan="3">要点</th></tr>
<tr><td rowspan="2">资源及资源费用</td><td>资源</td><td colspan="2">是指在作业进行中被运用或使用的经济要素，所有进入企业作业系统的人力、财力、物力等都属于资源范畴，它是企业生产耗费的最原始形态</td></tr>
<tr><td>资源费用</td><td colspan="2">是指企业在一定期间内开展经济活动所发生的各项资源耗费，也就是计入产品成本的各种费用
【提示】资源费用清单一般应分部门列示当期发生的所有资源费用，其内容要素一般包括发生部门、费用性质、所属类别、受益对象等</td></tr>
<tr><td rowspan="6">作业</td><td>含义</td><td colspan="2">指企业基于特定目的的重复执行的任务或活动，是连接资源和成本对象的桥梁</td></tr>
<tr><td>特征</td><td colspan="2">（1）作业是投入产出因果联动的实体
（2）作业贯穿产品生产经营的全过程，包括企业内部和连接企业外部的各种作业
（3）作业应当可量化</td></tr>
<tr><td rowspan="4">分类</td><td rowspan="2">按消耗对象分</td><td>主要作业：被产品、服务或顾客等最终成本对象消耗的作业</td></tr>
<tr><td>次要作业：被原材料、主要作业等介于中间地位的成本对象消耗的作业</td></tr>
<tr><td>按受益对象、层次和重要性分</td><td>产量级作业、批别级作业、品种级作业、顾客级作业和设施级作业</td></tr>
<tr><td>按对企业价值创造的作用分</td><td>分为增值作业和非增值作业两大类，后者因与价值增值无关而应被企业避免或消除</td></tr>
<tr><td rowspan="2">成本对象</td><td>含义</td><td colspan="2">指企业追溯或分配资源费用、计算成本的对象物</td></tr>
<tr><td>举例</td><td colspan="2">工艺、流程、零部件、产品、服务、分销渠道、客户、作业、作业链等需要计量和分配成本的项目</td></tr>
<tr><td rowspan="4">成本动因</td><td>含义</td><td colspan="2">也称成本驱动因素，是指诱导成本发生的原因</td></tr>
<tr><td>作用</td><td colspan="2">是成本对象与其直接关联的作业和最终关联的资源之间的中介</td></tr>
<tr><td rowspan="2">分类</td><td>资源动因</td><td>是引起作业成本变动的驱动因素。资源动因被用来计量各项作业对资源的耗用，根据资源动因可以将资源成本分配给各有关作业</td></tr>
<tr><td>作业动因</td><td>是引起产品成本变动的驱动因素。作业动因计量各种产品对作业耗用的情况，并被用来作为作业成本的分配基础，是沟通资源消耗与最终产出的中介</td></tr>
</table>

概念	要点
作业认定	是指企业识别由间接或辅助资源执行的作业集，确认每一项作业完成的工作以及执行该作业所耗费的资源费用，并据以编制作业清单的过程 【提示】企业对认定的作业应加以分析和归类，按顺序列出作业清单或编制出作业字典。作业清单或作业字典一般应当包括作业名称、作业内容、作业类别、所属作业中心等内容
作业中心	作业中心又称成本库，是指构成一个业务过程的相互联系的作业集合，用来汇集业务过程及其产出的成本 【提示】一个作业中心可以是某一项具体的作业，也可以是由若干个相互联系的能够实现某种特定功能的作业的集合

【提示】作业按受益对象、层次和重要性的分类：

要点小贴士：服务整个企业的作业，其作业成本多为固定成本。

项目	产量级作业	批别级作业	品种级作业	顾客级作业	设施级作业
含义	指明确地为个别产品(服务)实施的、使单个产品(服务)受益的作业	指为一组（一批）产品（服务）实施的、使该组（该批）产品（服务）受益的作业	指为生产和销售某种产品（服务）实施的、使该种产品（服务）的每个单位都受益的作业	指为服务特定客户所实施的作业	指为提供生产产品（服务）的基本能力而实施的作业
特点	与产品(服务)的数量成正比例变动	与产品（服务）的批量数成正比例变动	与品种的多少成正比例变动	与产品（服务）数量独立	使所有产品(服务)都受益，但与产量或销量无关
举例	产品加工、检验等	设备调试、生产准备等	新产品设计、现有产品质量与功能改进、生产流程监控、工艺变换需要的流程设计、产品广告等	向个别客户提供的技术支持活动、咨询活动、独特包装等	管理作业、针对企业整体的广告活动等

名师点拨：考试很喜欢给出作业举例，判断是哪种作业。因此教材中的举例要熟练掌握。

经典题解

【真题 43·多选题】在作业成本法下，下列属于批别级作业的有（　　）。（2021 年卷Ⅱ）

A. 设备调试　　B. 厂房维护　　C. 生产准备　　D. 新产品设计

【解析】批别级作业，是指为一组（一批）产品（服务）实施的、使该组（该批）产品(服务)受益的作业。该类作业的发生是由生产的批量数而不是单个产品(服务)引起的，其数量与产品（服务）的批量数成正比例变动。选项 A、C 属于批别级作业，选项 B 属于设施级作业，选项 D 属于品种级作业。

【答案】AC

【真题 44·判断题】在作业成本法下，一个作业中心只能包括一种作业。（　　）（2020 年卷Ⅱ）

【解析】作业中心可以是某一项具体的作业，也可以是由若干个相互联系的能够实现某种特定功能的作业集合。

【答案】×

【例题45·多选题】某企业是一个家具制造厂，主要业务是生产书柜、桌子和椅子，则下列作业中属于次要作业的有（　　）。

A. 木材断成木板作业　　B. 切割玻璃作业

C. 书柜加工作业　　D. 桌椅加工作业

【解析】选项C、D属于被最终成本对象消耗的作业，是主要作业，而木材断成木板和切割玻璃均属于次要作业，为后续的生产书柜、桌子和椅子等不同的产品对象做准备工作。

【答案】AB

（二）作业成本法的计算

1. 作业成本归集

> 要点小贴士
>
> 第一次分配环节，即将资源费用分配到作业的过程。

含义	作业成本归集，是指企业根据资源耗用与作业之间的因果关系，将所有的资源成本直接追溯或按资源动因分配至各作业中心，计算各作业总成本的过程
基本原则	（1）对于为执行某种作业直接消耗的资源，应直接追溯至该作业中心 （2）对于为执行两种或两种以上作业共同消耗的资源，应按照各种作业中心的资源动因量比例分配至各作业中心

2. 作业动因选择与计量

（1）含义与原则。

含义	作业动因是引起作业耗用的成本动因，它反映了作业耗用与最终产出的因果关系，是将作业成本分配到流程、产品、分销渠道、客户等成本对象的依据
选择的原则	当作业中心仅包含一种作业的情况下，所选择的作业动因应该是引起该作业耗用的成本动因；当作业中心由若干个作业集合而成的情况下，选择相关性最大的作业动因，即代表性作业动因，作为作业成本分配的基础

（2）作业动因的分类。

> 要点小贴士

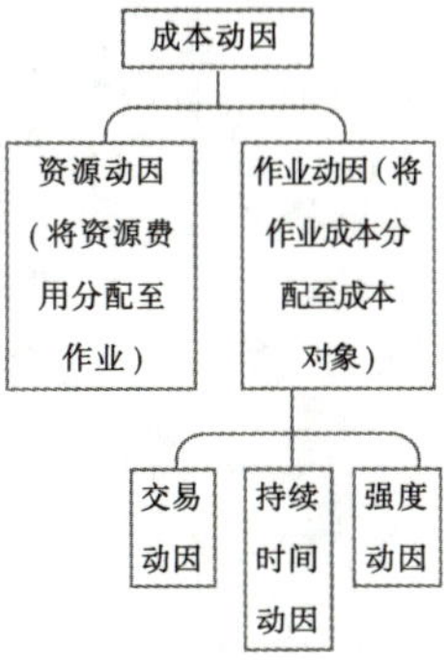

种类	含义	适用情况	教材举例
交易动因	用执行频率或次数计量的成本动因	每次执行所需要的资源数量相同或接近	接受或发出订单数、处理收据数等
持续时间动因	用执行时间计量的成本动因	每次执行所需要的时间存在显著的不同	产品安装时间、检查小时等
强度动因	不易按照频率、次数或执行时间进行分配而需要直接衡量每次执行所需资源的成本动因	作业的执行比较特殊或复杂	特别复杂产品的安装、质量检验等

经典题解

【例题46·单选题】选择作业动因时，如果作业的执行比较特殊或复杂应选择的是（　　）。

A. 交易动因　　B. 持续时间动因

C. 强度动因　　D. 资源动因

【解析】作业动因需要在交易动因、持续时间动因和强度动因间进行选择。企业如果每次执行所需要的资源数量相同或接近，应选择交易动因；如果每次执行所需要的时间存在显著的不同，应选择持续时间动因；如果作业的执行比较特殊或复杂，应选择强度动因。

【答案】C

【例题47·单选题】作业动因中属于用执行频率或次数计量的成本动因是（　　）。

A. 交易动因　　B. 持续时间动因

C. 强度动因　　D. 资源动因

【解析】交易动因，是指用执行频率或次数计量的成本动因，选项A正确，选项B、C错误；选项D不属于作业动因。

【答案】A

要点小贴士

第二次分配环节，即将作业成本分配到成本对象的过程。

3. 作业成本分配

（1）含义。

是指企业将各作业中心的作业成本按作业动因分配至产品等成本对象，并结合直接追溯的资源费用，计算出各成本对象的总成本和单位成本的过程。

要点小贴士

先分配次要作业，再分配主要作业。

（2）基本步骤。

步骤	相关公式
第一步：分配次要作业成本至主要作业，计算主要作业的总成本和单位成本	次要作业成本分配率 = 次要作业总成本 / 该作业动因总量 某主要作业分配的次要作业成本 = 该主要作业耗用的次要作业动因量 × 该次要作业成本分配率 主要作业总成本 = 直接追溯至该作业的资源费用 + 分配至该主要作业的次要作业成本之和 主要作业单位成本 = 主要作业总成本 / 该主要作业动因总量
第二步：分配主要作业成本至成本对象，计算各成本对象的总成本和单位成本	某成本对象分配的主要作业成本 = 该成本对象耗用的主要作业成本动因量 × 主要作业单位成本 某成本对象总成本 = 直接追溯至该成本对象的资源费用 + 分配至该成本对象的主要作业成本之和 某成本对象单位成本 = 该成本对象总成本 / 该成本对象的产出量

4. 作业成本信息报告

目的	通过设计、编制和报送具有特定内容和格式要求的作业成本报表，向企业内部各有关部门和人员提供其所需要的作业成本及其他相关信息
内容和格式	应根据企业内部管理需要确定

一般应包括的内容	（1）企业拥有的资源及其分布以及当期发生的资源费用总额及其具体构成的信息 （2）每一成本对象总成本、单位成本及其消耗的作业类型、数量及单位作业成本的信息，以及产品盈利性分析的信息 （3）每一作业或作业中心的资源消耗及其数量、成本以及作业总成本与单位成本的信息 （4）与资源成本分配所依据的资源动因以及作业成本分配所依据的作业动因相关的信息 （5）资源费用、作业成本以及成本对象成本预算完成情况及其原因分析的信息 （6）有助于作业、流程、作业链（价值链）持续优化的作业效率、时间和质量等方面非财务信息 （7）有助于促进客户价值创造的有关增值作业与非增值作业的成本信息及其他信息 （8）有助于业绩评价与考核的作业成本信息及其他相关信息 （9）上述各类信息的历史或同行业比较信息

（三）作业成本法的适用范围及优缺点

适用范围	作业成本法一般适用于具备以下特征的企业： （1）作业类型较多且作业链较长 （2）同一生产线生产多种产品 （3）企业规模较大且管理层对产品成本准确性要求较高 （4）产品、客户和生产过程多样化程度较高 （5）间接或辅助资源费用所占比重较大等
优缺点	优点： （1）能够提供更加准确的各维度成本信息，有助于企业提高产品定价、作业与流程改进、客户服务等决策的准确性 （2）改善和强化成本控制，促进绩效管理的改进和完善 （3）推进作业基础预算，提高作业、流程、作业链（价值链）管理的能力 缺点：部分作业的识别、划分、合并与认定，成本动因的选择以及成本动因计量方法的选择等均存在较大的主观性，操作较为复杂，开发和维护费用较高

（四）作业成本管理

1. 作业成本管理包含两个维度的含义：成本分配观和流程观

成本分配观	成本分配观说明成本对象引起作业需求，而作业需求又引起资源的需求。成本分配的流程正是作业成本计算的核心：资源费用→作业→成本对象
流程观	流程观为企业提供引起作业的原因（成本动因）以及作业完成情况（业绩计量）的信息。流程价值分析关心的是作业的责任，包括成本动因分析、作业分析和业绩考核三个部分

2. 流程价值分析

（1）成本动因分析：找出导致作业成本发生的动因。

（2）作业分析。

①按照对顾客价值的贡献，作业可以分为增值作业和非增值作业。

项目	增值作业	非增值作业
含义	是那些顾客认为可以增加其购买的产品或服务的有用性，有必要保留在企业中的作业	是指即便消除也不会影响产品对顾客服务的潜能，不必要的或可消除的作业
判定条件	必须同时满足下列三个条件： a. 该作业导致了状态的改变 b. 该状态的变化不能由其他作业来完成 c. 该作业使其他作业得以进行	不能同时满足增值作业的三个条件，就可断定其为非增值作业
举例	产品设计、生产加工、组装等	检验作业（未导致产品状态改变）；次品返工作业（重复作业）；将原材料从集中保管的仓库搬运到生产部门，将某部门生产的零件搬运到下一个生产部门（改变供货方式、改变生产布局就能消除）

名师点拨

注意教材的举例。

【提示】

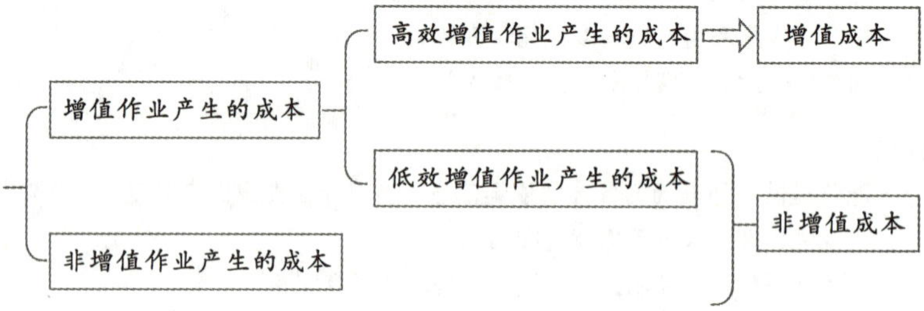

经典题解

【真题48·单选题】在作业成本法下，划分增值作业与非增值作业的主要依据是（　　）。（2020年卷Ⅰ）

A. 是否有助于提高产品质量

B. 是否有助于增加产品功能

C. 是否有助于提升企业产能

D. 是否有助于增加顾客价值

【解析】按照对顾客价值的贡献，作业可分为增值作业和非增值作业。所以选项D正确。

【答案】D

【真题49·单选题】根据作业成本管理原理，某制造企业的下列作业中，属于增值作业的是（　　）。（2017年卷Ⅰ）

A. 产品检验作业　　　　　　　　B. 产品运输作业

C. 零件组装作业　　　　　　　　D. 次品返工作业

【解析】一项作业必须同时满足下列三个条件才可断定为增值作业：第一，该作业导致了状态的改变；第二，该状态的变化不能由其他作业来完成；第三，该作业使其他作业得以进行。如果一项作业不能同时满足增值作业的三个条件，就可断定其为非增值作业。例如，产品检验作业和产品运输作业不能改变其形态，不符合第一个条件，属于非增值作业；次品返工作业是重复作业，不符合第二个条件，也属于非增值作业。因此，只有选项C属于增值作业。

【答案】C

【真题50·多选题】作业成本管理的一个重要内容是寻找非增值作业，将非增值成本降至最低，下列各项中，属于非增值作业的有（　　）。（2016年）

A. 从仓库到车间的材料运输作业

B. 零部件加工作业

C. 零部件组装作业

D. 产成品质量检验作业

【解析】非增值作业，是指即便消除也不会影响产品对顾客服务的潜能，不必要的或可消除的作业，如果一项作业不能同时满足增值作业的三个条件，就可断定其为非增值作业。例如检验作业（选项D），只能说明产品是否符合标准，而不能改变其形态，不符合第一个条件；从仓库到车间的材料运输作业（选项A），可以通过将原料供应商的交货方式改变为直接送达原料使用部门从而消除，故也属于非增值作业。

【答案】AD

②作业成本管理中进行成本节约的途径。

形式	含义
作业消除	消除非增值作业或不必要的作业，降低非增值成本
作业选择	对所有能够达到同样目的的不同作业，选取其中最佳的方案
作业减少	以不断改进的方式降低作业消耗的资源或时间
作业共享	利用规模经济来提高增值作业的效率

经典题解

【真题51·单选题】根据作业成本管理原理，下列关于成本节约途径的表述中，不正确的是（　　）。（2018年卷Ⅰ）

A. 将外购材料交货地点从厂外临时仓库变更为材料耗用车间属于作业选择

B. 将内部货物运输业务由自营转为外包属于作业选择

C. 新产品在设计时尽量考虑利用现有其他产品使用的原件属于作业共享

D. 不断改进技术降低作业消耗时间属于作业减少

【解析】选项A属于作业消除，作业消除是指消除非增值作业或不必要的作业，降低非增值成本。将外购材料交货地点从厂外临时仓库变更为材料耗用车间，就可以缩短运输距离，削减甚至消除非增值作业。

【答案】A

（3）作业业绩考核。

种类	内容
财务指标	主要集中在增值成本和非增值成本上，可以提供增值与非增值报告，以及作业成本趋势报告
非财务指标	主要体现在效率、质量和时间三个方面，如投入产出比、次品率和生产周期等

经典题解

【真题52·判断题】对作业和流程的执行情况进行评价时，使用的考核指标可以是财务指标也可以是非财务指标，其中非财务指标主要用于时间、质量、效率三个方面的考核。（　　）（2015年）

【解析】本题的考点是作业业绩考核的指标。

【答案】√

二、责任成本 ★★★

（一）责任成本管理的含义

责任成本管理，是指将企业内部划分成不同的责任中心，明确责任成本，并根据各责任中心的权、责、利关系来考核其工作业绩的一种成本管理模式。

（二）责任中心及其考核

责任中心，是指企业内部独立提供产品（服务）、资金等的责任主体。责任中心一般可以划分为成本中心、利润中心和投资中心三类。

1. 成本中心

含义	指有权发生并控制成本的单位。成本中心一般不会产生收入，通常只计量考核发生的成本
特点	（1）不考核收入，只考核成本——首要特点 （2）只对可控成本负责，不负责不可控成本 【提示】可控成本应具备的三个条件： ①该成本的发生是成本中心可以预见的；②该成本是成本中心可以计量的；③该成本是成本中心可以调节和控制的 （3）责任成本是成本中心考核和控制的主要内容 【提示】成本中心当期发生的所有可控成本之和就是其责任成本
考核指标	（1）预算成本节约额 = 实际产量预算责任成本 − 实际责任成本 （2）预算成本节约率 = 预算成本节约额 / 实际产量预算责任成本 × 100%

经典题解

【真题 53·单选题】在责任成本管理中，关于成本中心的表述错误的是（　　）。（2021 年卷Ⅱ）

A. 责任成本是成本中心考核和控制的主要内容

B. 成本中心是指有权发生并控制成本的单位

C. 成本中心不考核收入，只考核成本

D. 成本中心需要对本中心的全部成本负责

【解析】成本中心只对可控成本负责，不负责不可控成本。选项 D 表述错误。

【答案】D

【真题 54·单选题】对于成本中心而言，某项成本成为可控成本的条件不包括（　　）。（2020 年卷Ⅱ）

A. 该成本是成本中心可以计量的

B. 该成本的发生是成本中心可以预见的

C. 该成本是成本中心可以调节和控制的

D. 该成本是总部向成本中心分摊的

【解析】可控成本是指成本中心可以控制的各种耗费，它应具备三个条件：第一，该成本的发生是成本中心可以预见的；第二，该成本是成本中心可以计量的；第三，该成本是成本中心可以调节和控制的。

【答案】D

【真题 55·多选题】在责任成本管理体制下，下列关于成本中心的说法错误的有（　　）。（2019 年卷Ⅰ）

A. 成本中心对利润负责

B. 成本中心对可控成本负责

C. 成本中心对边际贡献负责

D. 成本中心对不可控成本负责

【解析】成本中心具有以下特点：（1）成本中心不考核收入，只考核成本。（2）成本中心只对可控成本负责，不负责不可控成本。（3）责任成本是成本中心考核和控制的主要内容。

【答案】ACD

【例题 56·单选题】某车间为成本中心，生产甲产品，预算产量 5000 件，预算单位成本 200 元，实际产量 6000 件，实际单位成本 195 元，则预算成本节约率为（　　）。

> 解题攻略
>
> 注意可比性，是针对实际产量下的成本进行对比。

A. 17%　　B. −2.5%　　C. 2.5%　　D. 6%

【解析】预算成本节约额 = 实际产量预算责任成本 − 实际责任成本 =200×6000−195×6000=30000（元）

预算成本节约率 = 预算成本节约额 / 实际产量预算责任成本 =30000/（200×6000）=2.5%。

【答案】C

2. 利润中心

（1）含义。

利润中心是指既能控制成本，又能控制收入和利润的责任单位。它不但有成本发生，而且还有收入发生。

（2）考核指标。

名师点拨

考试有的时候会考查指标之间的关系，要注意教材上的公式，也要理解倒求的公式。

可控边际贡献＝部门边际贡献＋该中心负责人不可控固定成本

边际贡献＝可控边际贡献＋该中心负责人可控固定成本

考核指标	公式	特点
边际贡献	边际贡献＝营业收入总额－变动成本总额	反映了该利润中心的盈利能力，但它对业绩评价没有太大的作用
可控边际贡献（部门经理边际贡献）	可控边际贡献＝边际贡献－该中心负责人可控固定成本	它衡量了部门经理有效运用其控制下的资源的能力，是评价利润中心管理者业绩的理想指标 可控边际贡献忽略了应追溯但又不可控的生产能力成本，不能全面反映该利润中心对整个公司所做的经济贡献
部门边际贡献（部门毛利）	部门边际贡献＝可控边际贡献－该中心负责人不可控固定成本	它扣除了利润中心管理者不可控的间接成本，因为对于公司最高层来说，所有成本都是可控的 部门边际贡献反映了部门为企业利润和弥补与生产能力有关的成本所做的贡献，它更多地用于评价部门业绩而不是利润中心管理者的业绩

经典题解

【真题57·单选题】在责任绩效评价中，用于评价利润中心管理者业绩的理想指标是（　　）。（2019年卷Ⅱ）

A. 部门税前利润　　B. 边际贡献

C. 可控边际贡献　　D. 部门边际贡献

【解析】可控边际贡献也称部门经理边际贡献，它衡量了部门经理有效运用其控制下的资源的能力，是评价利润中心管理者业绩的理想指标。

【答案】C

【真题58·多选题】下列指标中适用于对利润中心进行业绩考评的有（　　）。（2018年卷Ⅰ）

A. 投资收益率　　B. 部门边际贡献

C. 剩余收益　　D. 可控边际贡献

【解析】选项A、C是投资中心的考核指标，不是利润中心的考核指标。

【答案】BD

【真题59·单选题】某利润中心本期营业收入为7000万元，变动成本总额为3800万元，中心负责人可控的固定成本为1300万元，其不可控但由该中心负担的固定成本为600万元，则该中心的可控边际贡献为（　　）万元。（2017年卷Ⅱ）

A. 1900　　B. 3200

C. 5100　　D. 1300

【解析】该中心的可控边际贡献 = 营业收入总额 − 变动成本总额 − 该中心负责人可控的固定成本 =7000−3800−1300=1900（万元）。

【答案】A

【例题 60 · 单选题】某利润中心可控边际贡献为 2500 万元，该中心负责人可控的固定成本为 1500 万元，其不可控但由该中心负担的固定成本为 800 万元，则该中心的边际贡献为（　　）万元。

A. 1000　B. 1700　C. 3300　D. 4000

【解析】可控边际贡献 = 边际贡献 − 该中心负责人可控固定成本，所以边际贡献 = 可控边际贡献 + 该中心负责人可控固定成本 =2500+1500=4000（万元）。

【答案】D

3. 投资中心

（1）含义。

投资中心是指既能控制成本、收入和利润，又能对投入的资金进行控制的责任中心，如事业部、子公司等。其经理所拥有的自主权不仅包括制定价格、确定产品和生产方法等短期经营决策权，而且还包括投资规模和投资类型等投资决策权。投资中心是最高层次的责任中心，它拥有最大的决策权，也承担最大的责任。

（2）考核指标。

指标	投资收益率	剩余收益
计算公式	投资收益率 = 息税前利润 / 平均经营资产	剩余收益 = 息税前利润 − 平均经营资产 × 最低投资收益率
优点	①根据现有的会计资料计算，比较客观，可用于部门之间，以及不同行业之间的比较 ②可以促使经理人员关注经营资产运用效率 ③有利于资产存量的调整，优化资源配置	剩余收益指标弥补了投资收益率指标会使局部利益与整体利益相冲突的不足
缺点	过于关注投资利润率会引起短期行为的产生，追求局部利益最大化而损害整体利益最大化目标，导致经理人员为眼前利益而牺牲长远利益	①剩余收益是一个绝对数指标，故而难以在不同规模的投资中心之间进行业绩比较 ②剩余收益同样仅反映当期业绩，单纯使用这一指标也会导致投资中心管理者的短视行为

要点小贴士

①息税前利润是指扣减利息和所得税之前的利润。

②平均经营资产 =（期初经营资产 + 期末经营资产）/2。

要点小贴士

以利润为基础的指标都会导致短期行为。

经典题解

【真题 61 · 单选题】下列关于投资中心业绩评价指标的说法中，错误的是（　　）。（2020 年卷Ⅲ）

A. 使用投资收益率和剩余收益指标分别进行决策可能导致结果冲突

B. 计算剩余收益指标所使用的最低投资收益率一般小于资本成本

C. 在不同规模的投资中心之间进行比较时不适合采用剩余收益指标

D. 采用投资收益率指标可能因追求局部利益最大化而损害整体利益

【解析】计算剩余收益指标所使用的最低投资收益率，一般等于或大于资本成本，通常可以采用企业整体的最低期望投资收益率，也可以是企业为该投资中心单独规定的最低投资收益率。

【答案】B

【易错易混点】三类责任中心的比较。

责任中心	应用范围	权利	考核范围	考核办法	组织形式	考核指标
成本中心	最广	最小（可控成本的控制权）	可控的成本、费用	只以货币形式计量投入，不以货币形式计量产出	一般不是法人	预算成本节约额、预算成本节约率
利润中心	较窄	较高（不仅要降低绝对成本，还要寻求收入的增长使之超过成本的增长，即更要强调相对成本的降低）	成本（费用）、收入、利润	不进行投入、产出的比较	一般不是法人	边际贡献、可控边际贡献、部门边际贡献
投资中心	最小（最高层次，拥有投资决策权的中心）	最高（短期经营决策权、投资决策权）	成本（费用）、收入、利润、投资效率（果）	进行投入、产出比较	一般是法人	投资收益率、剩余收益

（三）内部转移价格的制定

1. 内部转移价格的含义及作用

含义	是指企业内部分公司、分厂、车间、分部等责任中心之间相互提供产品（服务）、资金等内部交易时所采用的计价标准
作用	一是防止成本转移引起的责任中心间责任转嫁，使每个责任中心都能作为单独的组织单位进行业绩评价；二是作为一种价格信号引导下级部门采取明智的决策

2. 种类

种类	含义	适用范围
价格型内部转移定价	指以市场价格为基础、由成本和毛利构成的内部转移价格	一般适用于内部利润中心

种类	含义	适用范围
成本型内部转移定价	指以标准成本等相对稳定的成本数据为基础制定的内部转移价格 【提示】采用以成本为基础的转移定价适用于内部转移的产品或劳务没有市价的情况。成本基础可以有四种选择：①完全成本；②完全成本加成；③变动成本；④变动成本加固定制造费用	一般适用于内部成本中心
协商型内部转移定价	指企业内部供求双方为使双方利益相对均衡，通过协商机制制定的内部转移价格 【提示】协商价格的取值范围通常较宽，一般不高于市场价，不低于单位变动成本	主要适用于分权程度较高的企业

要点小贴士

成本基础的选择最起码要包括变动成本，不能只弥补固定成本。

【提示】价格型内部转移价格的具体应用。

应用情况	价格选择
（1）提供的产品（服务）经常外销且外销比例较大的，或所提供的产品（服务）有外部活跃市场可靠报价的	可以外销价格或活跃市场报价作为内部转移价格
（2）一般不对外销售且外部市场没有可靠报价的产品（服务），或企业管理层和有关各方认为不需要频繁变动价格的	可参照外部市场价或预测价格制定模拟市场价作为内部转移价格
（3）没有外部市场但企业出于管理需要设置为模拟利润中心的	可在生产成本基础上加一定比例毛利作为内部转移价格

经典题解

【真题 62 · 单选题】在以成本为基础制定内部转移价格时，下列各项中，不适合作为转移定价基础的是（　　）。（2019 年卷Ⅰ）

A. 变动成本　　B. 变动成本加固定制造费用

C. 固定成本　　D. 完全成本

【解析】在以成本为基础制定内部转移价格时，成本基础可以有四种选择：①完全成本；②完全成本加成；③变动成本；④变动成本加固定制造费用。

【答案】C

【真题 63 · 单选题】公司采用协商价格作为内部转移价格时，协商价格的下限一般为（　　）。（2019 年卷Ⅱ）

A. 完全成本加成　　B. 市场价格

C. 单位完全成本　　D. 单位变动成本

【解析】协商价格的上限是市场价格，下限则是单位变动成本。

【答案】D

本章小结

用“会计云课堂”App扫码学习

您已成功完成“第八章”的学习，本章共14个考点，您都学会了吗？

为了让您对章节有更清晰的理解，加倍巩固。本书作者闫华红老师将通过**“视频导图课”**的方式，带您回顾重要考点。

名师点拨，视听结合，高效提分。

※ 欢迎您扫码，免费观看学习。

历年经典主观题回顾

使用“会计云课堂”App或“微信”扫码快速做题、对答案、看解析、掌握解题思路，开启轻松过关之旅。

计算分析题

1. 甲公司生产某产品，预算产量为10000件，单位标准工时为1.2小时/件，固定制造费用预算总额为36000元。该产品实际产量为9500件，实际工时为15000小时，实际发生固定制造费用38000元。公司采用标准成本法，将固定制造费用成本差异分解为三差异进行计算与分析。

要求：

（1）计算固定制造费用耗费差异。

（2）计算固定制造费用产量差异。

（3）计算固定制造费用效率差异。

（4）计算固定制造费用成本差异，并指出该差异属于有利还是不利差异。（2021年卷Ⅰ）

2. 甲公司生产并销售A产品，产销平衡，目前单价为60元/件，单位变动成本24元/件，固定成本总额72000元，目前销售量水平为10000件。计划期决定降价10%，预计产品销售量将提高20%，计划期单位变动成本和固定成本总额不变。

要求：

（1）计算当前 A 产品的单位边际贡献、边际贡献率和安全边际率。

（2）计算计划期 A 产品的盈亏平衡点的业务量和盈亏平衡作业率。（2020 年卷 Ⅰ）

3. 甲公司生产销售 A、B、C 三种产品，采用联合单位法进行本量利分析，由 2 件 A 产品、1 件 B 产品和 2 件 C 产品构成一个联合单位。已知固定成本总额为 72000 元，产品产销量、单价和单位变动成本数据如下表所示。

项目	A 产品	B 产品	C 产品
产销量（件）	2000	1000	2000
单价（元）	60	90	75
单位变动成本（元）	40	60	50

要求：

（1）计算联合单价。

（2）计算联合单位变动成本。

（3）计算联合盈亏平衡点的业务量。

（4）计算 A 产品盈亏平衡点的业务量。

（5）计算三种产品的综合边际贡献率。（2020 年卷 Ⅱ）

4. 甲公司 2019 年 A 产品产销量为 3 万件，单价为 90 元 / 件，单位变动成本为 40 元 / 件，固定成本总额为 100 万元。预计 2020 年 A 产品的市场需求持续增加，甲公司面临以下两种可能的情形，并从中作出决策。

情形 1：A 产品单价保持不变，产销量将增加 10%。

情形 2：A 产品单价提高 10%，产销量将保持不变。

要求：

（1）根据情形 1，计算：①利润增长百分比；②利润对销售量的敏感系数。

（2）根据情形 2，计算：①利润增长百分比；②利润对单价的敏感系数。

（3）判断甲公司是否应当选择提高 A 产品单价。（2020 年卷 Ⅲ）

5. 甲公司是一家生产经营比较稳定的制造企业，假定只生产一种产品，并采用标准成本法进行成本计算分析。单位产品用料标准为 6 千克 / 件，材料标准单价为 1.5 元 / 千克。2019 年 1 月份实际产量为 500 件，实际用料 2500 千克，直接材料实际成本为 5000 元。另外，直接人工实际成本为 9000 元，实际耗用工时为 2100 小时，经计算，直接人工效率差异为 500 元，直接人工工资率差异为 –1500 元。

要求：

（1）计算单位产品直接材料标准成本。

（2）计算直接材料成本差异、直接材料数量差异和直接材料价格差异。

（3）计算该产品的直接人工单位标准成本。（2019 年卷 Ⅰ）

6. 丙公司只生产 L 产品，计划投产一种新产品，现有 M、N 两个品种可供选择，相关资料如下。

资料一：L 产品单位售价为 600 元，单位变动成本为 450 元，预计年产销量为 2 万件。

资料二：M 产品的预计单价为 1000 元，边际贡献率为 30%，年产销量为 2.2 万件，开发 M 产品需增加一台设备将导致固定成本增加 100 万元。

资料三：N 产品的年边际贡献总额为 630 万元，生产 N 产品需要占用原有 L 产品的生产设备，将导致 L 产品的年产销量减少 10%。

丙公司采用本量利分析法进行生产产品的决策，不考虑增值税及其他因素的影响。

要求：

（1）根据资料二，计算 M 产品边际贡献总额。

（2）根据（1）的计算结果和资料二，计算开发 M 产品对丙公司息税前利润的增加额。

（3）根据资料一和资料三，计算开发 N 产品导致原有 L 产品的边际贡献减少额。

（4）根据（3）的计算结果和资料三，计算开发 N 产品对丙公司息税前利润的增加额。

（5）投产 M 产品或 N 产品之间作出选择并说明理由。（2018 年卷Ⅰ）

7. 丙公司生产并销售 A、B、C 三种产品，固定成本总额为 270000 元，其他有关信息如下表所示。

产品销售信息表

项目	销售量（件）	单价（元）	边际贡献率
A 产品	15000	30	40%
B 产品	10000	45	20%
C 产品	5000	60	30%

要求：

假设运用加权平均法进行本量利分析，计算：①综合边际贡献率；②综合盈亏平衡点的销售额。（2018 年卷Ⅱ改编）

历年经典主观题参考答案及解析

使用“会计云课堂”App 或“微信”扫码对答案、看解析、掌握解题思路，开启轻松过关之旅。

计算分析题

1.【答案】

（1）固定制造费用耗费差异 =38000-36000=2000（元）（超支）

（2）固定制造费用标准分配率 =36000/（10000×1.2）=3（元/小时）
固定制造费用产量差异 =（10000×1.2−15000）×3=−9000（元）（节约）
（3）固定制造费用效率差异 =（15000−9500×1.2）×3=10800（元）（超支）
（4）固定制造费用成本差异 =38000−9500×1.2×3=3800（元）（超支）
该差异属于不利差异。

2.【答案】
（1）当前 A 产品的单位边际贡献 =60−24=36（元/件）
当前 A 产品的边际贡献率 =36/60=60%
当前 A 产品的盈亏平衡点的业务量 =72000/36=2000（件）
安全边际率 =（10000−2000）/10000=80%
（2）计划期 A 产品的单价 =60×（1−10%）=54（元/件）
计划期 A 产品的销售量 =10000×（1+20%）=12000（件）
计划期 A 产品的盈亏平衡点的业务量 =72000/（54−24）=2400（件）
计划期 A 产品的盈亏平衡作业率 =2400/12000=20%。

3.【答案】
（1）联合单价 =60×2+90+75×2=360（元）
（2）联合单位变动成本 =40×2+60+50×2=240（元）
（3）联合盈亏平衡点的业务量 =72000/（360−240）=600（联合单位）
（4）A 产品盈亏平衡点的业务量 =600×2=1200（件）
（5）三种产品的综合边际贡献率 =［2000×（60−40）+1000×（90−60）+2000×（75−50）］/（2000×60+1000×90+2000×75）=33.33%。

4.【答案】
（1）① 2019 年的利润 =3×（90−40）−100=50（万元）
2020 年的利润 =3×（1+10%）×（90−40）−100=65（万元）
利润增长百分比 =（65−50）/50=30%
②利润对销售量的敏感系数 =30%/10%=3
（2）① 2020 年的利润 =3×［90×（1+10%）−40］−100=77（万元）
利润增长百分比 =（77−50）/50=54%
②利润对单价的敏感系数 =54%/10%=5.4
（3）提高 A 产品单价导致的利润增长百分比高于提高产销量导致的利润增长百分比，所以应当选择提高 A 产品单价。

5.【答案】
（1）单位产品直接材料标准成本 =6×1.5=9（元/件）
（2）直接材料成本差异 =5000−500×6×1.5=500（元）（超支）
直接材料数量差异 =（2500−500×6）×1.5=−750（元）（节约）
直接材料价格差异 =2500×（5000/2500−1.5）=1250（元）（超支）
（3）直接人工成本差异 =500+（−1500）=−1000（元）（节约）
9000− 直接人工标准成本 =−1000

直接人工标准成本 =10000（元）

该产品的直接人工单位标准成本 =10000/500=20（元 / 件）。

6.【答案】

（1）M 产品边际贡献总额 =1000 × 2.2 × 30%=660（万元）

（2）息税前利润的增加额 =660−100=560（万元）

（3）边际贡献减少额 =（600−450）× 2 × 10%=30（万元）

（4）息税前利润的增加额 =630−30=600（万元）

（5）生产 M 产品对丙公司息税前利润的增加额 560 万元小于开发 N 产品对丙公司息税前利润的增加额 600 万元，因此，应该投产 N 产品。

7.【答案】

① A 产品销售收入占总收入的比重 =15000 × 30/（15000 × 30+10000 × 45+5000 × 60）=37.5%

B 产品销售收入占总收入的比重 =10000 × 45/（15000 × 30+10000 × 45+5000 × 60）=37.5%

C 产品销售收入占总收入的比重 =5000 × 60/（15000 × 30+10000 × 45+5000 × 60）=25%

综合边际贡献率 =40% × 37.5%+20% × 37.5%+30% × 25%=30%

②综合盈亏平衡点的销售额 =270000/30%=900000（元）。

同步强化练习题

使用“会计云课堂”App 或“微信”扫码快速做题、对答案、看解析、掌握解题思路，开启轻松过关之旅。

一、单项选择题

1. 在企业的日常经营管理工作中，成本管理工作的起点是（　　）。

A. 成本预测　　B. 成本计划

C. 成本控制　　D. 成本分析

2. 下列关于安全边际额和边际贡献的表述中，错误的是（　　）。

A. 边际贡献的大小，与固定成本支出的多少无关

B. 边际贡献率反映产品给企业做出贡献的能力

C. 提高安全边际额或提高边际贡献率，可以提高利润

D. 安全边际额为正的企业说明企业净利润大于 0

3. 若安全边际率为 20%，正常销售量为 1000 件，则盈亏平衡点的业务量为（　　）件。

A. 200　　B. 800

C. 600　　D. 400

4. 边际贡献式本量利关系图的优点是可以表示边际贡献的数值，下列表述正确的是（　　）。
A. 在盈亏平衡点以上的总收入线与总成本线相夹的区域为边际贡献区
B. 在盈亏平衡点以下的总收入线与总成本线相夹的区域为边际贡献区
C. 总收入线与变动成本线相夹的区域为边际贡献区
D. 总收入线与固定成本线相夹的区域为边际贡献区

5. 某企业采用利量式本量利关系图分析盈亏平衡，图示如下，盈亏平衡点是（　　）。

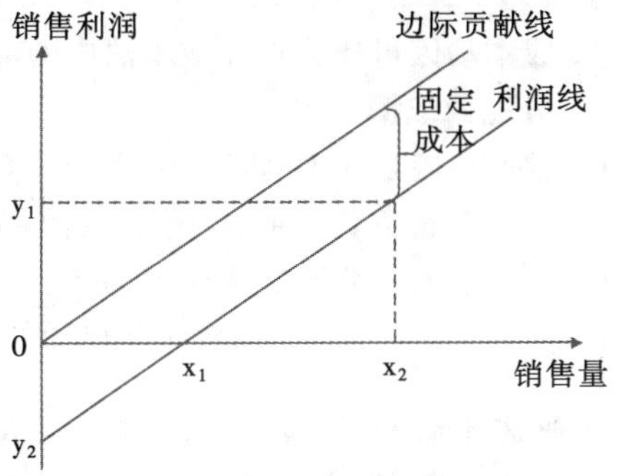

A. x_1 点　　B. x_2 点
C. y_1 点　　D. y_2 点

6. 若销售利润率为60%，变动成本率为40%，则安全边际率应为（　　）。
A. 100%　　B. 150%
C. 24%　　D. 36%

7. 某企业生产甲、乙、丙三种产品，已知三种产品的单价分别为25元、18元和16元，单位变动成本分别为15元、10元和8元，销售量分别为1000件、5000台和300件。固定成本总额为87480元，则加权平均法下综合盈亏平衡点的销售额为（　　）元。
A. 200000　　B. 210000
C. 232000　　D. 241000

8. 某公司生产和销售单一产品，预计计划年度销售量为50000件，单价为200元，单位变动成本为120元，固定成本为120000元。假设单位变动成本增长了10%，则单位变动成本的敏感系数为（　　）。
A. −10%　　B. −1.55
C. −2.13　　D. −3.5

9. 在其他条件不变时，若使利润上升50%，单位变动成本需下降20%；若使利润上升40%，销售量需上升15%，那么（　　）。
A. 利润对销售量比利润对单位变动成本更为敏感
B. 利润对单位变动成本比利润对销售量更为敏感
C. 销售量的敏感系数小于1，所以销售量为不敏感因素
D. 单位变动成本的敏感系数小于0，所以单位变动成本为不敏感因素

10. 下列各项中，将会导致经营杠杆效应最大的情况是（　　）。
A. 实际销售额等于目标销售额
B. 实际销售额大于目标销售额
C. 实际销售额等于盈亏平衡点销售额
D. 实际销售额大于盈亏平衡点销售额

11. 在标准成本管理中，成本总差异是成本控制的重要内容。其计算公式是（　　）。
A. 实际产量下实际成本－实际产量下标准成本
B. 实际产量下标准成本－预算产量下实际成本
C. 实际产量下实际成本－预算产量下标准成本
D. 实际产量下实际成本－最低产量下标准成本

12. 某公司月成本考核例会上，各部门经理正在讨论、认定直接人工效率差异的形成原因。根据你的判断，下列不属于直接人工效率差异的形成原因是（　　）。
A. 工人技术状况

B．工作环境好坏
C．设备条件的好坏
D．工资制度的变动

13. 甲公司采用标准成本法进行成本控制，某种产品的变动制造费用标准分配率为3元/小时，每件产品的标准工时为2小时，2021年9月，该产品的实际产量为100件，实际工时为250小时，实际发生变动制造费用为1000元，变动制造费用耗费差异为（　　）元。
A．150　　B．200
C．250　　D．400

14. 在两差异分析法下，固定制造费用的差异可以分解为（　　）。
A．价格差异和产量差异
B．耗费差异和效率差异
C．能量差异和效率差异
D．耗费差异和能量差异

15. 在三差异分析法下，固定制造费用的产量差异是（　　）。
A．利用预算产量下标准工时与实际产量下实际工时的差额，乘以固定制造费用标准分配率计算得出的
B．利用预算产量下标准工时与实际产量下标准工时的差额，乘以固定制造费用标准分配率计算得出的
C．利用实际产量下实际工时与实际产量下标准工时的差额，乘以固定制造费用标准分配率计算得出的
D．利用实际固定制造费用减去预算产量下标准工时乘以固定制造费用标准分配率计算得出的

16. 下列成本差异中，通常主要责任部门是生产部门的是（　　）。
A．固定制造费用的产量差异
B．变动制造费用的效率差异
C．直接材料价格差异
D．直接人工工资率差异

17. 某服装加工企业的下列各项作业中，属于产量级作业的是（　　）。
A．裁剪作业
B．服装设计
C．分批质检作业
D．服装车间保洁作业

18. 下列作业中是指明确地为个别产品（服务）实施的、使单个产品（服务）受益的作业是（　　）。
A．产量级作业　　B．顾客级作业
C．品种级作业　　D．设施级作业

19. 下列关于成本动因（又称成本驱动因素）的表述中，不正确的是（　　）。
A．成本动因可作为作业成本法中的成本分配的依据
B．成本动因是成本对象与其直接关联的作业和最终关联的资源之间的中介
C．成本动因可分为资源动因和生产动因
D．成本动因是诱导成本发生的原因

20. 作业成本管理中以不断改进的方式降低作业消耗的资源或时间的途径属于（　　）。
A．作业消除　　B．作业选择
C．作业减少　　D．作业共享

21. 对成本中心而言，下列各项中，不属于该类中心特点的是（　　）。
A．只考核本中心的责任成本
B．只对本中心的可控成本负责
C．只对责任成本进行控制
D．只对直接成本进行控制

22. 在责任绩效评价中，用于评价利润中心部门为企业利润和弥补与生产能力有关的成本所做贡献的理想指标是（　　）。
A．部门营业收入
B．边际贡献
C．可控边际贡献
D．部门边际贡献

23. 利润中心某年的营业收入50000元，已销产品的变动生产成本和变动销售费用25000元，可控固定间接费用5000元，不可控固定间接费用7500元，分配来的公司管理费用为6000元。那么可控边际贡献是（ ）元。
A. 25000 B. 20000
C. 3500 D. 2500

24. 在采用价格型内部转移价格时，责任中心没有外部市场但企业出于管理需要设置为模拟利润中心的，其内部转移价格应该采用（ ）。
A. 以标准成本等相对稳定的成本数据为基础制定的内部转移价格
B. 在生产成本基础上加一定比例毛利作为内部转移价格
C. 以外销价格或活跃市场报价作为内部转移价格
D. 可参照外部市场价或预测价制定模拟市场价作为内部转移价格

25. 各责任中心相互提供的产品采用协商型内部转移价格时，其协商定价的最大范围应该是（ ）。
A. 在单位成本和市价之间
B. 在单位变动成本和市价之间
C. 在单位成本加上合理利润以上，市价以下
D. 在单位变动成本加上合理利润以上，市价以下

26. 已知ABC公司加权平均的最低投资收益率为20%，其下设的甲投资中心平均经营资产为200万元，剩余收益为20万元，则该中心的投资收益率为（ ）。
A. 40% B. 30%
C. 20% D. 10%

27. 下列各项中，最适用于评价投资中心业绩的指标是（ ）。
A. 边际贡献 B. 部门毛利
C. 剩余收益 D. 部门净利润

28. 下列各项中不属于作业成本法适用的企业特征是（ ）。
A. 作业类型较多且作业链较长的企业
B. 企业规模较小且管理层对产品成本准确性要求较高的企业
C. 产品、客户和生产过程多样化程度较高的企业
D. 间接或辅助资源费用所占比重较大的企业

二、多项选择题

1. 下列有关成本管理具体目标表述正确的有（ ）。
A. 成本管理具体目标包括成本计算的目标和成本控制的目标
B. 成本计算的目标是为所有内、外部信息使用者提供成本信息
C. 实施成本领先战略的企业的成本控制目标主要表现为对生产成本的控制
D. 实施差异化战略的企业的成本控制目标主要表现为对经营费用的控制

2. 下列有关成本管理内容的相关表述中，正确的有（ ）。
A. 成本核算是进行成本管理的第一步，也是组织成本决策和编制成本计划的前提
B. 成本核算的精度与企业发展战略相关，成本领先战略对成本核算精度的要求比差异化战略要高
C. 管理成本核算应采用历史成本计量
D. 成本分析是成本管理的重要组成部分

3. 下列因素变动会使边际贡献总额提高的有（ ）。
A. 提高销量
B. 提高单价
C. 降低单位变动成本
D. 降低固定成本

4. 下列各项指标中，与盈亏平衡点呈同向变化关系的有（　　）。
A. 单位售价
B. 预计销量
C. 固定成本总额
D. 单位变动成本

5. 下列各项可以视为盈亏平衡状态的有（　　）。
A. 安全边际量等于0
B. 销售收入线与总成本线相交的交点
C. 边际贡献与固定成本相等
D. 变动成本与边际贡献相等

6. 在产品组合盈亏平衡分析法下，下列表述不正确的有（　　）。
A. 如果采用主要产品法，应以边际贡献率最大的产品作为主要产品
B. 如果采用主要产品法，只能选择一种主要产品
C. 如果采用加权平均法，应按照各种产品销售量的比重计算加权平均边际贡献率
D. 如果采用分算法，应将边际贡献按一定标准在各种产品之间进行合理分配

7. 某企业只生产一种产品，单价20元，单位变动成本12元，固定成本为2400元，满负荷运转下的正常销售量为400件。以下说法中，正确的有（　　）。
A. 该企业盈亏平衡点的业务量为250件
B. 在盈亏平衡状态下，该企业生产经营能力的利用程度为75%
C. 安全边际中的边际贡献等于800元
D. 该企业的生产经营较安全

8. 下列有关敏感系数的表述中，正确的有（　　）。
A. 敏感系数为正数，参量值与目标值同方向变化
B. 敏感系数为负数，参量值与目标值同方向变化
C. 敏感系数大于1的参量是敏感因素
D. 敏感系数小于1的参量是不敏感因素

9. 在标准成本差异的计算中，下列成本差异属于数量差异的有（　　）。
A. 直接人工工资率差异
B. 直接人工效率差异
C. 固定制造费用能量差异
D. 固定制造费用效率差异

10. 下列各项关于作业成本法的表述中，正确的有（　　）。
A. 它是一种财务预算的方法
B. 它以“作业消耗资源、产出消耗作业”为原则
C. 它是成本计算与成本管理有机结合的一种方法
D. 它是一种准确无误的成本计算方法

11. 作业成本管理是基于作业成本法，以提高客户价值、增加企业利润为目的的一种新型管理方法，作业成本管理含义包括的维度有（　　）。
A. 成本分配观　　B. 成本流程观
C. 成本预算观　　D. 成本控制观

12. 企业可按照受益对象、层次和重要性，将作业分为五类，下列表述中正确的有（　　）。
A. 产量级作业的数量与产品（服务）的数量成正比例变动
B. 批别级作业的数量与产品（服务）的批量数成正比例变动
C. 品种级作业的数量与产品（服务）的品种数量成正比例变动
D. 顾客级作业与产品（服务）数量正相关

13. 下列作业中属于非增值作业的有（　　）。
A. 零件加工作业　　B. 产品组装作业
C. 检验作业　　D. 次品返工作业

14. 下列有关作业动因选择与计量的表述中正确的有（　　）。
A. 如果每次执行所需要的资源数量相同或接近，应选择交易动因
B. 如果每次执行所需要的时间存在显著的不同，应选择持续时间动因
C. 选择强度动因的作业执行比较特殊或复杂
D. 选择资源动因的作业执行比较特殊或复杂

15. 按消耗对象不同可将作业分为主要作业和次要作业，下列属于主要作业的有（　　）。
A. 被产品消耗的作业
B. 被原材料消耗的作业
C. 被介于中间地位的成本对象消耗的作业
D. 被顾客消耗的作业

16. 下列各项作业中，属于品种级作业的有（　　）。
A. 管理作业
B. 产品工艺设计
C. 针对企业整体的广告活动
D. 生产流程监控

17. 如果一项作业是增值作业，应同时满足的标准有（　　）。
A. 该作业能够使产品价值增值
B. 该作业导致了状态的改变
C. 该状态的变化不能由其他作业来完成
D. 该作业使其他作业得以进行

18. 作业成本管理中进行成本节约的途径主要有（　　）。
A. 作业消除　　B. 作业选择
C. 作业减少　　D. 作业共享

19. 作业成本管理的业绩指标主要包括（　　）。
A. 增值成本　　B. 非增值成本
C. 效率　　D. 质量和时间

20. 在下列各项中，属于可控成本必须同时具备的条件有（　　）。
A. 该成本的发生是成本中心可以预见的
B. 该成本是成本中心可以计量的
C. 该成本是成本中心可以调节的
D. 该成本是成本中心可以控制的

21. 以下关于内部转移价格的表述中，不正确的有（　　）。
A. 协商型内部转移价格一般不高于市场价，不低于单位变动成本
B. 协商型内部转移价格主要适用于集权程度较高的企业
C. 成本型内部转移价格是指以企业基期成本为基础加以调整计算的内部转移价格
D. 价格型内部转移价格一般适用于自然利润中心，不适用于人为利润中心

22. 下列各项中，属于投资中心特点的表述有（　　）。
A. 所处的责任层次最高
B. 具有投资决策权
C. 承担最大的责任
D. 能对投入的资金进行控制

23. 下列有关作业特征表述正确的有（　　）。
A. 作业是投入产出因果联动的实体
B. 作业贯穿产品生产经营的全过程，每个环节、每道工序都可以视为一项作业
C. 作业包括企业内部和连接企业外部的各种作业
D. 作业应当可量化

24. 下列各项中属于作业成本法优点的有（　　）。
A. 有利于改善和强化成本控制，促进绩效管理的改进和完善
B. 操作简单，开发和维护费用低
C. 作业的识别、划分、合并与认定，成

本动因的选择以及成本动因计量方法的选择等具有较强的客观性，提高成本信息准确性

D. 能够提供更加准确的各维度成本信息，有助于企业提高产品定价、作业与流程改进、客户服务等决策的准确性

三、判断题

1. 成本管理的总体目标服从于企业的整体经营目标，成本领先战略中，成本管理的总体目标是追求成本水平的绝对降低；差异化战略中，成本管理的总体目标是追求成本水平的相对降低。（　　）

2. 在其他因素不变的情况下，固定成本的降低额即是利润的增加额。（　　）

3. 在利量式本量利关系图中，横坐标是销售量，纵坐标是收入或成本，利润线与成本线的交点是盈亏平衡点。（　　）

4. 根据传统式本量利关系图，在销售量不变的情况下，盈亏平衡点越低，盈利区越小，亏损区越大。（　　）

5. 所谓盈亏平衡是指企业的边际贡献与固定成本相等的经营状态。（　　）

6. 正常标准成本是指在生产过程无浪费、机器无故障、人员无闲置、产品无废品等假设条件下制定的成本标准。（　　）

7. 通常来说，正常标准成本从数额上看，它应当大于理想标准成本。（　　）

8. 企业采用标准成本法有利于揭示成本差异动因、实施成本控制、评价成本管理业绩。（　　）

9. 非增值成本是指执行非增值作业发生的成本，是需要通过持续改善来消除或逐步降低的成本。（　　）

10. 选择作业动因时，如果每次执行所需要的时间相同或接近，应选择持续时间动因。（　　）

11. 顾客级作业是为了保证企业将产品（服务）销售给个别客户，但作业本身与产品（服务）数量独立。（　　）

12. 为了保证产品质量，企业对产品进行的质量检验作业属于增值作业。（　　）

13. 从作业成本管理的角度看，降低成本的途径中作业消除和作业减少是针对非增值作业而言的。（　　）

14. 企业职工个人不能构成责任实体，因而不能成为责任控制体系中的责任中心。（　　）

15. 对于一个独立企业而言，几乎所有的成本都是可控的。（　　）

16. 在对成本进行分类，以便归集责任中心的成本时，所确定的不可控成本都是固定成本。（　　）

17. 利润中心对成本的控制是联系着收入进行的，它更要强调绝对成本的节约。（　　）

18. 部门边际贡献反映了部门为企业利润和弥补与生产能力有关的成本所做的贡献，它更多地用于评价部门业绩而不是利润中心管理者的业绩。（　　）

19. 以协商价格作为企业内部各组织单位之间相互提供产品的转移价格，需要具备的前提是中间产品有非完全竞争的外部市场可以交易，在该市场内双方有权决定是否买卖这种产品。（　　）

20. 价格型内部转移价格一般适用于自然利润中心，成本型内部转移价格适用于人为利润中心。（　　）

21. 引起个别投资中心的投资收益率提高的投资，不一定会使整个企业的投资收益率提高；但引起个别投资中心的剩余收益增加的投资，则一定会使整个企业的剩余收益增加。（ ）

22. 在其他因素不变的条件下，一个投资中心的剩余收益的大小与企业投资人要求的最低收益率呈反向变动。（ ）

23. 资源费用清单和作业清单一般应分部门列示当期发生的所有资源费用和作业费用。（ ）

四、计算分析题

1. A 电子企业只生产销售甲产品。2021 年甲产品的生产量与销售量均为 10000 件，单位售价为 300 元 / 件，全年变动成本为 1500000 元。预计 2022 年产销量将会增加到 12000 件，总成本将会达到 2300000 元。假定单位售价与成本性态不变。

要求：

（1）计算 A 企业 2022 年下列指标：
①目标利润。
②单位变动成本。
③变动成本率。
④固定成本。
（2）若目标利润为 1750000 元，计算 A 企业 2022 年实现目标利润的销售额。

2. 某企业生产和销售甲、乙两种产品，产品的单位售价分别为 5 元和 10 元，边际贡献率分别是 40% 和 20%，全年固定成本为 49920 元，企业采用加权平均法进行本量利分析。

要求：

（1）假设全年甲、乙两种产品分别销售了 20000 件和 40000 件，试计算下列指标：
①综合盈亏平衡点的销售额；
②甲、乙两种产品的盈亏平衡点的销售量；
③综合安全边际额；
④预计利润。
（2）如果增加促销费 10080 元，可使甲产品销售量增至 40000 件，而乙产品的销售量会减少到 20000 件。试计算此时的综合盈亏平衡点的销售额和综合安全边际额，并说明采取这一促销措施是否合算。

3. 某公司生产销售 A、B、C 三种产品，销售单价分别为 100 元、200 元、250 元；预计销售量分别为 120000 件、80000 件、40000 件；预计各产品的单位变动成本分别为 60 元、140 元、140 元；预计固定成本总额为 10000000 元。（盈亏平衡点的业务量按四舍五入保留整数位）

要求：

（1）按加权平均法进行产品组合盈亏平衡分析，计算各产品的盈亏平衡点的业务量及盈亏平衡点的销售额。
（2）按联合单位法进行产品组合盈亏平衡分析，计算各产品的盈亏平衡点的业务量及盈亏平衡点的销售额。
（3）按分算法进行产品组合盈亏平衡分析，假设固定成本按边际贡献的比重分配，计算各产品的盈亏平衡点的业务量及盈亏平衡点的销售额。

4. 甲企业只生产销售一种产品，2021 年度该产品的销售量为 1000 件，单价为 18 元，单位变动成本为 12 元，固定成本总额为 3600 元。

要求：

（1）计算 2021 年公司实现的息税前利润。
（2）计算 2021 年的盈亏平衡点的业务量及盈亏平衡点的销售额。
（3）计算 2021 年的安全边际量和安全边际率，并评价公司经营安全性。
（4）假设其他因素不变，预计 2022 年销量增长 10%，2022 年销量的敏感系数为多少？

（5）假设其他因素不变，预计2022年单位变动成本增长10%，2022年单位变动成本的敏感系数为多少？

（6）根据（4）、（5）的计算结果，评价销量和单位变动成本哪个更敏感。

5. 某公司原有生产线使用年限到期之后，面临着更换生产线的选择，企业可以选择购买与原来一样的生产线，也可以购买一条自动化程度较高的生产线。原有生产线的价格为150万元，而新的生产线价格为400万元，两条生产线的使用年限均为10年，无残值，假设企业采用直线法计提折旧。两条生产线均用来生产甲产品，假设产品型号、质量完全相同，目前甲产品的销量为10000件，单价为900元，假设企业产销平衡，相关成本资料如下表所示。

项目		原生产线	新生产线
直接材料（元/件）		100	100
直接人工（元/件）		110	80
变动制造费用（元/件）		180	150
固定制造费用（不含折旧）（元）		300000	
年销售费用	固定部分（元）	150000	
	变动部分（元/件）	70	
年管理费用（假设全部为固定费用，且不含折旧）（元）		60000	

要求：

（1）计算新生产线生产甲产品盈亏平衡点的业务量。

（2）计算原来生产线生产甲产品盈亏平衡点的业务量。

（3）计算新生产线和原来生产线利润相等时的销量（计算结果四舍五入取整数），并判断应选择哪条生产线。

6. B公司生产乙产品，乙产品直接人工标准成本相关资料如下表所示。

乙产品直接人工标准成本资料

项目	标准
月标准总工时	21000小时
月标准总工资	420000元
单位产品工时用量标准	2小时/件

假定B公司实际生产乙产品10000件，实际耗用总工时25000小时，实际应付直接人工工资550000元。

要求：

（1）计算乙产品标准工资率和直接人工单位标准成本。

（2）计算乙产品直接人工成本差异、直接人工工资率差异和直接人工效率差异。

7. 甲公司的主要业务是生产服装服饰。该公司的作业包括2个次要作业（备料作业及检验作业）和2个主要作业（女西服加工作业和男西服加工作业）。

作业成本归集如下表所示：

作业中心	消耗的资源费用或次要作业	作业类别
备料作业	面料、人力人工、折旧及水电费	次要作业
检验作业	人力人工、折旧及水电费	次要作业
女西服加工作业	备料、人力人工、折旧及水电费、检验	主要作业
男西服加工作业	备料、人力人工、折旧及水电费、检验	主要作业

本月公司发生人工总成本64000元，材料总成本40000元，折旧及水电费128000元。假设各个作业按人工工时平均分配人工成本和折旧及水电费，备料人工工时40小时，检验人工工时60小时，女西服人工工时1000小时，男西服人工工时500小时。将面料经过备料作业后共获得2000尺用于女西服和男西服的生产，其中800尺用于生产男西服，1200尺用于生产女西服，共生产出100件男西服和200件女西服。该厂的检验成本主要是人工成本和折旧及水电费，假设每件西服需检验1次，共检验了300次。

要求：

（1）以人工工时为分配标准计算人工成本分配率、折旧及水电费分配率；

（2）计算各个次要作业的总成本；

（3）以备料尺数为分配标准，计算备料作业的成本分配率，以检验次数为分配标准计算检验作业的分配率；

（4）计算各个主要作业的总成本；

（5）计算女西服及男西服的单位成本。

8. 某车间为成本中心，四月份的成本预算资料如下：可控成本总额为20万元，其中固定成本为10万元；不可控成本为15万元，全部为固定成本，预算产量为10000件。

四月份的实际成本资料如下：可控成本为20.5万元，其中固定成本为10.5万元；不可控成本为18万元，全部为固定成本，实际产量为11000件。

要求：

（1）计算预算单位变动成本。

（2）计算责任成本的预算成本节约额和预算成本节约率。

9. 甲公司为某企业集团的一个投资中心，X是甲公司下设的一个利润中心，相关资料如下：

资料一：2021年X利润中心的营业收入为120万元，变动成本为72万元，该利润中心负责人可控固定成本为10万元，不可控但应由该利润中心负担的固定成本为8万元。

资料二：甲公司2022年年初已投资700万元，预计可实现息税前利润98万元，现有一个投资额为300万元的投资机会，预计可获息税前利润36万元，该企业集团要求的最低投资收益率为10%。

要求：

（1）根据资料一，计算X利润中心2021年度的部门边际贡献。

（2）根据资料二，计算甲公司接受新投资机会前的投资收益率和剩余收益。

（3）根据资料二，计算甲公司接受新投资机会后的投资收益率和剩余收益。

（4）根据（2），（3）的计算结果，从企业集团整体利益的角度，分析甲公司是否应接受新投资机会，并说明理由。

10. D公司为投资中心，下设甲、乙两个利润中心，相关财务资料如下。

资料一：甲利润中心营业收入为38000

元，变动成本总额为 14000 元，利润中心负责人可控的固定成本为 4000 元，利润中心负责人不可控但应由该中心负担的固定成本为 7000 元。

资料二：乙利润中心负责人可控边际贡献总额为 30000 元，利润中心部门边际贡献总额为 22000 元。

资料三：D 公司息税前利润为 33000 元，投资额为 200000 元，该公司预期的最低投资收益率为 12%。

要求：

（1）根据资料一，计算甲利润中心的下列指标：

①利润中心边际贡献总额；

②利润中心可控边际贡献；

③利润中心部门边际贡献。

（2）根据资料二，计算乙利润中心负责人不可控但应由该利润中心负担的固定成本。

（3）根据资料三，计算 D 公司的剩余收益。

五、综合题

1. E 公司只产销一种甲产品，甲产品只消耗乙材料。2021 年第 4 季度按定期预算法编制 2022 年的企业预算，部分预算资料如下：

资料一：各季度末乙材料的预计结存量按下季度生产需用量的 10% 来安排，每季度乙材料的购货款于当季支付 40%，剩余 60% 于下一个季度支付；2022 年年初的预计应付账款余额为 80000 元。该公司 2022 年度乙材料的采购预算如下表所示。

2022 年度乙材料的采购预算

项目	第一季度	第二季度	第三季度	第四季度	全年
预计甲产品生产量（件）	3200	3200	3600	4000	14000
材料定额单耗（千克 / 件）	5	*	*	*	*
预计生产需要量（千克）	*	16000	*	*	70000
加：期末结存量（千克）	A	1800	*	1300	B
预计需要量合计（千克）	17600	C	20000	21300	D
减：期初结存量（千克）	*	1600	E	*	*
预计材料采购量（千克）	F	*	*	19300	G
材料计划单价（元 / 千克）	10	*	*	*	*
预计采购金额（元）	160000	162000	182000	193000	697000

注：表内“材料定额单耗”是指在现有生产技术条件下，生产单位产品所需要的材料数量；全年乙材料的材料定额单耗和材料计划单价不变；表内的“*”为省略的数值。

资料二：E 公司 2022 年第一季度实际生产甲产品 3400 件，耗用乙材料 20400 千克，乙材料的实际单价为 9 元 / 千克。

要求：

（1）确定 E 公司乙材料采购预算表中用字母表示的项目数值（不需要列示计算过程）。

（2）计算 E 公司第一季度预计采购现金支出和第四季度末预计应付账款金额。

（3）计算乙材料单位标准成本。

（4）计算E公司第一季度甲产品消耗乙材料的成本差异、价格差异和数量差异。

（5）根据上述计算结果，指出E公司进一步降低甲产品消耗乙材料成本的主要措施。

2. 某公司运用标准成本系统控制甲产品的成本。甲产品每月正常生产量为500件，每件产品直接材料的标准用量为6千克，每千克的标准价格为1.5元；每件产品标准耗用工时为4小时，每小时标准工资率为4元；制造费用预算总额为10000元，其中变动制造费用为6000元，固定制造费用为4000元，制造费用均按人工工时分配。

本月实际生产了440件甲产品，实际材料价格1.6元/千克，全月实际耗用3250千克；本月实际耗用直接人工2100小时，支付工资8820元，实际支付变动制造费用6480元，支付固定制造费用3900元。

要求：

（1）编制甲产品标准成本表。

项目	用量标准	价格标准	单位标准成本
直接材料			
直接人工			
变动制造费用			
固定制造费用			
单位标准成本	—	—	

（2）计算下列成本差异：

①直接材料成本差异、直接材料价格差异和直接材料数量差异；

②直接人工成本差异、直接人工工资率差异和直接人工效率差异；

③变动制造费用成本差异、变动制造费用耗费差异和变动制造费用效率差异；

④固定制造费用项目成本差异、固定制造费用耗费差异、固定制造费用产量差异和固定制造费用效率差异。

同步强化练习题参考答案及解析

使用“会计云课堂”App或“微信”扫码对答案、看解析、掌握解题思路，开启轻松过关之旅。

一、单项选择题

1.【答案】A

【解析】成本预测是进行成本管理的第一步，也是组织成本决策和编制成本计划的前提，选项A正确。

2.【答案】D

【解析】安全边际额为正，说明企业的销售额超过盈亏平衡点的销售额，所以企业息税前利润为正，但是净利润 =（息税前利润 – 利息）×（1– 所得税税率），只有当息税前利润大于利息，企业净利润才为正，故选项 D 不正确。

3.【答案】B

【解析】因为安全边际率与盈亏平衡作业率二者之和为 1，故盈亏平衡作业率为 80%，而盈亏平衡作业率 = 盈亏平衡点的业务量 / 正常销售量，故盈亏平衡点的业务量 =1000×80%=800（件）。

4.【答案】C

【解析】在盈亏平衡点以上的总收入线与总成本线相夹的区域为盈利区，反映利润额，选项 A 错误；在盈亏平衡点以下的总收入线与总成本线相夹的区域为亏损区，选项 B 错误；总收入线与变动成本线相夹的区域为边际贡献区，选项 C 正确、选项 D 错误。

5.【答案】A

【解析】利量式本量利关系图的盈亏平衡点是利润线与横轴的交点。

6.【答案】A

【解析】因为销售利润率 = 安全边际率 × 边际贡献率，而边际贡献率 =1– 变动成本率，故安全边际率 = 销售利润率 / 边际贡献率 =60%/（1–40%）=100%。

7.【答案】A

【解析】综合边际贡献率 =［1000×（25–15）+5000×（18–10）+300×（16–8）］/（25×1000+18×5000+16×300）=43.74%；综合盈亏平衡点的销售额 =87480/43.74%=200000（元）。

8.【答案】B

【解析】原息税前利润 =50000×（200–120）–120000=3880000（元）；单位变动成本上涨 10% 后的息税前利润 =50000×（200–120×1.1）–120000=3280000（元）；息税前利润变动率 =（3280000–3880000）/3880000=–15.46%。则单位变动成本的敏感系数 =–15.46%/10%=–1.55。

或：单位变动成本的敏感系数 =– 基期变动成本总额 / 基期息税前利润 =–120×50000/3880000=–1.55。

9.【答案】A

【解析】敏感系数 = 利润变动百分比 / 因素变动百分比，计算可知，利润对销售量的敏感系数 =40%/15%=2.67，利润对单位变动成本的敏感系数 =50%/（–20%）=–2.5，敏感系数绝对值越大，说明利润对该因素越敏感，因此选项 A 正确。

10.【答案】C

【解析】由于 $DOL=M_0/EBIT_0$，因此当实际销售额等于盈亏平衡点销售额时，企业的息税前利润为 0，则可使经营杠杆系数趋近于无穷大，这种情况下经营杠杆效应最大，因此选项 C 正确。

11.【答案】A

【解析】成本总差异 = 实际产量下实际成本 – 实际产量下标准成本，选项 A 正确。

12.【答案】D

【解析】直接人工效率差异形成的原因是多方面的，工人技术状况、工作环境和设备条件的好坏等，都会影响效率的高低，但其主要责任还是在生产部门。选项 D 属于直接人工工资率差异的形成原因。

13.【答案】C

【解析】变动制造费用的耗费差异 =（变动制造费用实际分配率 – 变动制造费用标准分配率）× 实际工时 =（1000/250–3）×250=250（元）（超支）。

14.【答案】D

【解析】在固定制造费用成本差异的两差异分析法下，把固定制造费用成本差异分为耗费差异和能量差异两个部分。

15.【答案】A

【解析】选项 B 是两差异分析法下的能量差异，选项 C 是三差异分析法下的效率差异，选项 D 是固定制造费用的耗费差异。

16.【答案】B

【解析】变动制造费用效率差异的形成原因与直接人工效率差异的形成原因基本相同。其形成原因是多方面的，工人技术状况、工作环境和设备条件的好坏等，都会影响效率的高低，但其主要责任还是在生产部门。

17.【答案】A

【解析】选项 B 属于品种级作业，选项 C 属于批别级作业，选项 D 属于设施级作业。

18.【答案】A

【解析】产量级作业是指明确地为个别产品（服务）实施的、使单个产品（服务）受益的作业。顾客级作业是指为服务特定客户所实施的作业；品种级作业是指为生产和销售某种产品（服务）实施的、使该种产品（服务）的每个单位都受益的作业；设施级作业是指为提供生产产品（服务）的基本能力而实施的作业。

19.【答案】C

【解析】成本动因是指诱导成本发生的原因，是成本对象与其直接关联的作业和最终关联的资源之间的中介，选项 B、D 正确；在作业成本法下，成本动因是成本分配的依据，选项 A 正确；成本动因可以分为资源动因和作业动因，选项 C 不正确。

20.【答案】C

【解析】本题考点是作业成本管理中各种成本节约途径的含义。题目的表述符合作业减少的含义，因此本题应选择选项 C。

21.【答案】D

【解析】成本中心只对可控成本承担责任。所谓责任成本是指成本中心当期发生的所有可控成本之和。一般情况下，直接成本大多是可控成本，间接成本大多是不可控成本，但也不是绝对的。某些情况下间接成本也可能是可控成本，因此选项 D 不正确。

22.【答案】D

【解析】可控边际贡献也称部门经理边际贡献，它衡量了部门经理有效运用其控制下的资源的能力，是评价利润中心管理者业绩的理想指标。部门边际贡献反映了部门为企业利润和弥补与生产能力有关的成本所做的贡献，它更多地用于评价部门业绩而不是利润中心管理者的业绩。

23.【答案】B

【解析】可控边际贡献 = 部门营业收入 − 变动成本 − 该中心负责人可控固定成本 =50000−25000−5000=20000（元）。

24.【答案】B

【解析】选项 A 是成本型内部转移价格；选项 C 适用于提供的产品（服务）经常外销且外销比例较大的，或提供的产品（服务）有外部活跃市场可靠报价的责任中心；选项 D 适用于一般不对外销售且外部市场没有可靠报价的产品（服务），或企业管理层和有关各方认为不需要频繁变动价格的责任中心。

25.【答案】B

【解析】协商价格的上限是市价，下限是单位变动成本，具体价格由各相关责任中心在这一范围内协商决定。

26.【答案】B

【解析】剩余收益 = 息税前利润 − 平均经营资产 × 最低投资收益率 = 平均经营资产 ×（投资收益率 − 最低投资收益率），因此：20=200×（投资收益率 −20%），投资收益率 =30%。

27.【答案】C

【解析】对投资中心的业绩进行评价时，不仅要使用利润指标，还需要计算、分析利润与投资的关系，主要有投资收益率和剩余收益等指标。

28.【答案】B

【解析】企业规模较大且管理层对产品成本准确性要求较高的企业是作业成本法适用的企业特征之一。

二、多项选择题

1.【答案】AB

【解析】实施成本领先战略的企业中，成本控制的目标，不仅要对生产成本进行控制，还要对经营费用进行控制，选项C错误；实施差异化战略的企业中，成本控制的目标表现为对产品所处生命周期不同阶段发生成本的控制，如对研发成本、供应商成本和消费成本等的控制，选项D错误。

2.【答案】BD

【解析】成本预测是进行成本管理的第一步，也是组织成本决策和编制成本计划的前提，选项A错误；管理成本核算不仅可以用历史成本，也可以用现在成本或未来成本，选项C错误。

3.【答案】ABC

【解析】边际贡献总额 =（单价 − 单位变动成本）× 销量，故提高单价、提高销量、降低单位变动成本均会使边际贡献提高，选项A、B、C均正确，而选项D不影响边际贡献。

4.【答案】CD

【解析】盈亏平衡点的业务量 = 固定成本 /（单价 − 单位变动成本），可以看出，固定成本总额和单位变动成本与盈亏平衡点的业务量同向变化，单价与盈亏平衡点的业务量反向变化，预计销售量与盈亏平衡点的业务量无关，因此本题选择选项C、D。

5.【答案】ABC

【解析】盈亏平衡状态，是指能使企业不盈不亏、利润为零的状态。安全边际量为0，说明企业销售量等于盈亏平衡点销售量，选项A正确；当销售收入总额与成本总额相等，销售收入线与总成本线相交，边际贡献与固定成本相等时，都能使利润为零，选项B、C正确。

6.【答案】ACD

【解析】如果采用主要产品法，应以边际贡献最大的产品作为主要产品，而不是边际贡献率，选项A错误；如果采用主要产品法，确定主要产品应以边际贡献为标志，并只能选择一种主要产品，选项B正确；如果采用加权平均法，应按照各种产品销售额的比重计算加权平均边际贡献率，选项C错误；分算法是指在一定的条件下，将全部固定成本按一定标准在各种产品之间进行合理分配，不需要分配边际贡献，选项D错误。

7.【答案】BCD

【解析】在盈亏平衡状态下，盈亏平衡点的业务量 = 固定成本 / 单位边际贡献 = 2400/（20−12）=300（件），则盈亏平衡作业率 =300/400=75%，即该企业生产经营能力的利用程度为75%，安全边际率 = 1− 盈亏平衡作业率 =25%，表明企业经营较安全。安全边际额 =（正常销售量 − 盈亏平衡点的业务量）× 单价 =（400−300）×20=2000（元），则安全边际中的边际贡献 = 安全边际额 × 边际贡献率 =

2000×（1-12/20）=800（元）。

8.【答案】AC

【解析】敏感系数为负数，参量值与目标值反向变化，选项 B 错误；敏感系数的绝对值小于 1 的参量是不敏感因素，选项 D 错误。

9.【答案】BCD

【解析】直接人工工资率差异属于价格差异。

【提示】固定制造费用差异分析与变动成本差异分析是不一样的角度，因为固定制造费用总额与产量无关，所以对其差异的分析采取的是不同的方法。固定制造费用耗费差异是固定制造费用差异分析下的价格差异，固定制造费用能量差异是固定制造费用差异分析下的数量差异，且能量差异可以进一步分解为产量差异和效率差异，所以产量差异和效率差异均属于固定制造费用的数量差异。

10.【答案】BC

【解析】作业成本法不仅是一种成本计算方法，更是成本计算与成本管理的有机结合，选项 A 不正确、选项 C 正确；作业成本法是以“作业消耗资源、产出消耗作业”为原则，选项 B 正确；作业成本法是一种相对精确的成本计算方法，但是并非准确无误，选项 D 不正确。

11.【答案】AB

【解析】作业成本管理是基于作业成本法，以提高客户价值、增加企业利润为目的的一种新型集中化管理方法。选项 A、B 是作业成本管理所包含的两个维度。

12.【答案】ABC

【解析】顾客级作业，是指为服务特定客户所实施的作业。该类作业保证企业将产品（服务）销售给个别客户，但作业本身与产品（服务）数量独立，选项 D 错误。

13.【答案】CD

【解析】非增值作业，是指即便消除也不会影响产品对顾客服务的潜能，不必要的或可消除的作业。如果一项作业不能同时满足增值作业的三个条件（①该作业导致了状态的改变；②该状态的变化不能由其他作业来完成；③该作业使其他作业得以进行），就可断定其为非增值作业。检验作业并没有改变产品的形态，选项 C 为非增值作业。次品返工作业为重复作业，选项 D 为非增值作业。

14.【答案】ABC

【解析】交易动因，是指用执行频率或次数计量的成本动因。企业如果每次执行所需要的资源数量相同或接近，应选择交易动因；持续时间动因，是指用执行时间计量的成本动因。如果每次执行所需要的时间存在显著的不同，应选择持续时间动因；强度动因，是指不易按照频率、次数或执行时间进行分配而需要直接衡量每次执行所需资源的成本动因。如果作业的执行比较特殊或复杂，应选择强度动因。选项 A、B、C 正确。作业动因进一步分为交易动因、持续时间动因和强度动因，选项 D 不属于作业动因的进一步分类，选项 D 错误。

15.【答案】AD

【解析】主要作业是指被产品、服务或顾客等最终成本对象消耗的作业；次要作业是指被原材料、主要作业等介于中间地位的成本对象消耗的作业。选项 B、C 属于次要作业。

16.【答案】BD

【解析】品种级作业包括新产品设计、现有产品质量与功能改进、生产流程监控、工艺变换需要的流程设计、产品广告等，选项 A、C 属于设施级作业。

17.【答案】BCD

【解析】增值作业是指那些顾客认为可以增加其购买的产品或服务的有用性，有必要保留在企业中的作业。一项作业必须同时满足选项B、C、D所述三条标准才是增值作业，否则，为非增值作业。

18.【答案】ABCD

【解析】以上选项均为作业成本管理中进行成本节约的途径。

19.【答案】ABCD

【解析】作业成本管理的业绩指标，可以是财务指标，也可以是非财务指标。选项A、B是财务指标。而选项C、D是非财务指标，非财务指标主要体现在效率、质量和时间三个方面，如投入产出比、次品率和生产周期等。

20.【答案】ABCD

【解析】可控成本必须同时具备三个条件：

第一，该成本的发生是成本中心可以预见的；

第二，该成本是成本中心可以计量的；

第三，该成本是成本中心可以调节和控制的。

21.【答案】BCD

【解析】协商型内部转移价格主要适用于分权程度较高的企业，选项B错误；成本型内部转移价格是指以标准成本等相对稳定的成本数据为基础制定的内部转移价格，选项C错误；价格型内部转移价格一般适用于内部利润中心，无论人为利润中心还是自然利润中心都适用，选项D错误。

22.【答案】ABCD

【解析】投资中心是指既能控制成本、收入和利润，又能对投入的资金进行控制的责任中心，而且它拥有最大程度的决策权，同时承担最大程度的责任，属于企业中最高层次的责任中心。

23.【答案】ABCD

【解析】作业具有以下特征：作业是投入产出因果联动的实体；作业贯穿产品生产经营的全过程，从产品设计、原材料采购、生产加工，直至产品的发运销售。在这一过程中，每个环节、每道工序都可以视为一项作业，包括企业内部和连接企业外部的各种作业；作业应当可量化。

24.【答案】AD

【解析】部分作业的识别、划分、合并与认定，成本动因的选择以及成本动因计量方法的选择等均存在较大的主观性，操作较为复杂，开发和维护费用较高。选项B、C错误。

三、判断题

1.【答案】×

【解析】成本管理的总体目标主要依据企业竞争战略制定：成本领先战略中，成本管理的总体目标是追求成本水平的绝对降低；差异化战略中，成本管理的总体目标则是在保证实现产品、服务等方面差异化的前提下，对产品全生命周期成本进行管理，实现成本的持续降低。

2.【答案】√

【解析】利润=(单价－单位变动成本)×销售量－固定成本，由该公式可知固定成本的降低额即是利润的增加额。

3.【答案】×

【解析】在利量式本量利关系图中，横坐标是销售量，纵坐标是利润，利润线与横坐标轴的交点是盈亏平衡点。

4.【答案】×

【解析】在传统式本量利关系图中，横坐

标代表销售量，纵坐标代表收入或成本，则总收入线和总成本线的交点就是盈亏平衡点，在盈亏平衡点左边两条直线之间的区域表示亏损区，在盈亏平衡点右边两条直线之间的区域表示盈利区，因此盈亏平衡点越低，亏损区会越小，盈利区会越大。

5.【答案】√

【解析】所谓盈亏平衡是指企业收入和成本相等的经营状态，即企业处于既不盈利又不亏损的状态。以公式表达：营业收入－变动成本－固定成本=0，即：营业收入－变动成本=固定成本，边际贡献=固定成本。

6.【答案】×

【解析】正常标准成本是指在正常情况下，企业经过努力可以达到的成本标准，这一标准考虑了生产过程中不可避免的损失、故障和偏差等。理想标准成本是指在现有条件下所能达到的最优成本水平，即在生产过程无浪费、机器无故障、人员无闲置、产品无废品等假设条件下制定的成本标准。

7.【答案】√

【解析】通常来说，正常标准成本考虑了难以避免的损失、故障、偏差等，因此大于理想标准成本。

8.【答案】√

【解析】标准成本法是指企业以预先制定的标准成本为基础，通过比较标准成本与实际成本，核算和分析成本差异、揭示成本差异动因、实施成本控制、评价成本管理业绩的一种成本管理方法。

9.【答案】×

【解析】非增值成本不仅包括执行非增值作业发生的成本，还包括增值作业中因为低效率所发生的成本。

10.【答案】×

【解析】如果每次执行所需要的时间存在显著的不同，才应选择持续时间动因。

11.【答案】√

【解析】顾客级作业，是指为服务特定客户所实施的作业。该类作业保证企业将产品（服务）销售给个别客户，但作业本身与产品（服务）数量独立。

12.【答案】×

【解析】检验作业并没有改变产品的形态，属于非增值作业。

13.【答案】×

【解析】作业消除主要是针对非增值作业而言的，但作业减少是指降低作业的需求，包括增值作业和非增值作业的需求。

14.【答案】×

【解析】成本中心的应用范围非常广，只要是对成本的发生负有责任的单位或个人都可以成为成本中心。

15.【答案】√

【解析】可控成本和不可控成本的划分是相对的。它们与成本中心所处的管理层级别、管理权限与控制范围大小有关。对于一个独立企业而言，几乎所有的成本都是可控的。

16.【答案】×

【解析】变动成本大多是可控的，固定成本大多是不可控的，但也不是绝对的。

17.【答案】×

【解析】利润中心是指既对成本负责，又对收入和利润负责的责任中心，它不仅要降低绝对成本，而且更要寻求相对成本节约，即寻求收入的增长，并使之超过成本的增长。换言之，利润中心对成本的控制是联系着收入进行的，它更要强调相对成本的节约。

18.【答案】√

【解析】本题的考点是部门边际贡献的作用。

19.【答案】√

【解析】本题的考点是协商型内部转移定价适用的前提条件。

20.【答案】×

【解析】价格型内部转移价格是指以市场价格为基础制定的、由成本和毛利构成的内部转移价格，一般适用于内部利润中心。成本型内部转移定价，是指以标准成本等相对稳定的成本数据为基础，制定内部转移价格的方法，一般适用于内部成本中心。

21.【答案】√

【解析】投资收益率的决策结果与总公司的目标不一定一致，但剩余收益可以保持部门获利目标与总公司的目标一致。

22.【答案】√

【解析】根据剩余收益＝息税前利润－平均经营资产×最低投资收益率，可以看出剩余收益与最低投资收益率反向变动，所以本题说法正确。

23.【答案】×

【解析】资源费用清单一般应分部门列示当期发生的所有资源费用，其内容要素一般包括发生部门、费用性质、所属类别、受益对象等。作业清单或作业字典一般应当包括作业名称、作业内容、作业类别、所属作业中心等内容。

四、计算分析题

1.【答案】

（1）①目标利润＝12000×300－2300000＝1300000（元）

②单位变动成本＝1500000/10000＝150（元）

③变动成本率＝150/300×100%＝50%

④固定成本＝2300000－150×12000＝500000（元）

（2）销售额×（1－50%）－500000＝1750000

则：销售额＝4500000（元）。

2.【答案】

（1）甲、乙两种产品的综合边际贡献率＝（5×20000×40%+10×40000×20%）/（20000×5+40000×10）＝24%

①综合盈亏平衡点的销售额＝49920/24%＝208000（元）

②甲产品销售额所占比重＝20000×5/（20000×5+40000×10）＝20%

乙产品销售额所占比重＝40000×10/（20000×5+40000×10）＝80%

因此：甲产品的盈亏平衡点的销售量＝208000×20%/5＝8320（件）

乙产品的盈亏平衡点的销售量＝208000×80%/10＝16640（件）

③综合安全边际额＝实际销售额－综合盈亏平衡点的销售额＝（20000×5+40000×10）－208000＝292000（元）

④预计利润＝营业收入×综合边际贡献率－固定成本＝（20000×5+40000×10）×24%－49920＝70080（元）

（2）增加促销费后的综合边际贡献率＝

$$\frac{40000\times5\times40\%+20000\times10\times20\%}{40000\times5+20000\times10}=30\%$$

因此：综合盈亏平衡点的销售额＝

$$\frac{49920+10080}{30\%}=200000\text{（元）}$$

综合安全边际额＝（40000×5+20000×10）－200000＝200000（元）

利润＝（40000×5+20000×10）×30%－（49920+10080）＝60000（元）

增加促销费后虽然综合盈亏平衡点的销售额下降，但固定成本上升幅度大于盈亏平衡点下降幅度，导致企业利润降低，因此采取这一措施是不合算的。

3.【答案】

（1）加权平均法

综合边际贡献率=［120000×（100-60）+80000×（200-140）+40000×（250-140）］/（120000×100+80000×200+40000×250）=36.84%

综合盈亏平衡点的销售额=10000000/36.84%=27144408.25（元）

营业收入合计=120000×100+80000×200+40000×250=38000000（元）

A产品盈亏平衡点的销售额=27144408.25×120000×100/38000000=8571918.40(元)

B产品盈亏平衡点的销售额=27144408.25×80000×200/38000000=11429224.53(元)

C产品盈亏平衡点的销售额=27144408.25×40000×250/38000000=7143265.33（元）

A产品盈亏平衡点的业务量=8571918.40/100=85719（件）

B产品盈亏平衡点的业务量=11429224.53/200=57146（件）

C产品盈亏平衡点的业务量=7143265.33/250=28573（件）

（2）联合单位法

产品销量比=A：B：C=120000：80000：40000=3：2：1

联合单价=3×100+2×200+1×250=950（元）

联合单位变动成本=3×60+2×140+1×140=600（元）

联合盈亏平衡点的业务量=10000000/（950-600）=28571（联合单位）

A产品盈亏平衡点的业务量=28571×3=85713（件）

B产品盈亏平衡点的业务量=28571×2=57142（件）

C产品盈亏平衡点的业务量=28571×1=28571（件）

A产品盈亏平衡点的销售额=85713×100=8571300（元）

B产品盈亏平衡点的销售额=57142×200=11428400（元）

C产品盈亏平衡点的销售额=28571×250=7142750（元）

（3）分算法

A产品边际贡献=（100-60）×120000=4800000（元）

B产品边际贡献=（200-140）×80000=4800000（元）

C产品边际贡献=（250-140）×40000=4400000（元）

边际贡献总额=4800000+4800000+4400000=14000000（元）

分配给A产品的固定成本=4800000×10000000/14000000=3428571.43（元）

分配给B产品的固定成本=4800000×10000000/14000000=3428571.43（元）

分配给C产品的固定成本=4400000×10000000/14000000=3142857.14（元）

A产品的盈亏平衡点的业务量=3428571.43/（100-60）=85714（件）

A产品的盈亏平衡点的销售额=85714×100=8571400（元）

B产品的盈亏平衡点的业务量=3428571.43/（200-140）=57143（件）

B产品的盈亏平衡点的销售额=57143×200=11428600（元）

C产品的盈亏平衡点的业务量=3142857.14/（250-140）=28571（件）

C产品的盈亏平衡点的销售额=28571×250=7142750（元）

4.【答案】

（1）2021年度息税前利润=1000×（18-12）-3600=2400（元）

（2）2021年盈亏平衡点的业务量=3600/（18-12）=600（件）

盈亏平衡点的销售额=600×18=10800（元）

（3）安全边际量=1000-600=400（件）

安全边际率=400/1000=40%

公司经营处于安全范畴

（4）2022年息税前利润=1000×（1+10%）×（18-12）-3600=3000（元）

2022年息税前利润增长率=（3000-2400）/2400=25%

销量的敏感系数=25%/10%=2.5

或：销量的敏感系数=经营杠杆系数=[（18-12）×1000]/2400=2.5

【提示】利用简化公式计算经营杠杆系数的时候，使用的是基期的数据。

（5）2022年息税前利润=1000×[18-12×（1+10%）]-3600=1200（元）

2022年息税前利润增长率=（1200-2400）/2400=-50%

单位变动成本的敏感系数=-50%/10%=-5

或：单位变动成本敏感系数=（ΔEBIT/EBIT）/（ΔV/V）=[Q×（-ΔV）/EBIT]/（ΔV/V）=-Q×V/EBIT=-基期变动成本总额/基期息税前利润

基期变动成本总额=1000×12=12000（元）

单位变动成本敏感系数=-12000/2400=-5

（6）因为单位变动成本敏感系数的绝对值大于销量敏感系数的绝对值，所以单位变动成本对利润的影响更敏感。

【提示】敏感系数的正负号代表的是变动方向，比较敏感性大小的时候比较的是敏感系数绝对值的大小。

5.【答案】

（1）甲产品单价=900元

新生产线单位变动成本=100+80+150+70=400（元）

不含折旧的固定成本=300000+150000+60000=510000（元）

新生产线的固定成本总额=510000+4000000/10=910000（元）

新生产线生产甲产品的盈亏平衡点的业务量=910000/（900-400）=1820（件）

（2）甲产品单价=900元

原来生产线单位变动成本=100+110+180+70=460（元）

原来生产线的固定成本总额=510000+1500000/10=660000（元）

原来生产线生产甲产品的盈亏平衡点的业务量=660000/（900-460）=1500（件）

（3）设利润相等时的销量为X件，则（900-400）X-910000=（900-460）X-660000，解得：X=4167（件）

当销量大于4167件时应采用新生产线，当销量小于4167件时应采用原生产线。目前甲产品的销量为10000件，应选择新生产线。

6.【答案】

（1）乙产品的标准工资率=420000/21000=20（元/小时）

乙产品直接人工单位标准成本=20×2=40（元/件）

（2）乙产品直接人工成本差异=550000-40×10000=150000（元）（超支）

乙产品直接人工工资率差异=（550000/25000-20）×25000=50000（元）（超支）

乙产品直接人工效率差异=（25000-2×10000）×20=100000（元）（超支）。

7.【答案】

（1）人工成本分配率=64000/（40+60+1000+500）=40（元/小时）

折旧及水电费分配率=128000/（40+60+1000+500）=80（元/小时）

（2）备料作业成本=40000+40×40+80×40=44800（元）

检验作业成本=40×60+80×60=7200（元）

（3）备料作业成本分配率=44800/2000=22.4（元/尺）

检验作业成本分配率=7200/300=24（元/次）

（4）女西服加工的作业成本=40×1000+80×1000+22.4×1200+24×200=151680（元）

男西服加工的作业成本=40×500+80×500+22.4×800+24×100=80320（元）

（5）女西服的单位成本=151680/200=

758.4（元/件）

男西服的单位成本 =80320/100=803.2（元/件）。

8.【答案】

（1）预算单位变动成本 =（200000−100000）/10000=10（元/件）

（2）实际产量预算责任成本 =100000+10×11000=210000（元）

预算成本节约额 =210000−20.5×10000=5000（元）

预算成本节约率 =5000/210000×100%=2.38%。

【提示】本题其实是成本差异的计算及分析知识点的进一步运用，通过实际责任成本和实际产量下的预算责任成本相比较，得到预算成本的节约额和节约率指标。

9.【答案】

（1）部门边际贡献 =120−72−10−8=30（万元）

（2）接受新投资机会前：

投资收益率 =98/700×100%=14%

剩余收益 =98−700×10%=28（万元）

（3）接受新投资机会后：

投资收益率 =（98+36）/（700+300）×100%=13.4%

剩余收益 =（98+36）−（700+300）×10%=34（万元）

（4）从企业集团整体利益角度来看，甲公司应该接受新投资机会。因为接受新投资机会后，甲公司的剩余收益增加了。

10.【答案】

（1）①甲利润中心边际贡献总额 =38000−14000=24000（元）

②甲利润中心可控边际贡献 =24000−4000=20000（元）

③甲利润中心部门边际贡献 =20000−7000=13000（元）

（2）乙利润中心负责人不可控但应由该利润中心负担的固定成本 =30000−22000=8000（元）

（3）D公司的剩余收益 =33000−200000×12%=9000（元）。

五、综合题

1.【答案】

（1）A= 第二季度生产需用量 ×10%=16000×10%=1600（千克）

年末结存量 B= 第4季度季末结存量 =1300（千克）

C= 本期预计生产需要量 + 期末结存量 =16000+1800=17800（千克）

D= 预计年生产需要量 + 年末结存量 =70000+1300=71300（千克）

E= 上期期末结存量 =1800 千克

F= 材料采购金额/单价 =160000/10=16000（千克）

G= 预计年需要量 − 年初结存量 =71300−（17600−16000）=69700（千克）

或：G=697000/10=69700（千克）

【提示】需要注意的是，本题对于全年预计需用量合计数的确认中，全年的年初数就是第一季度的期初数，同理，全年的期末数就是第四季度的期末数。

（2）预计第一季度采购现金支出 =160000×40%+80000=144000（元）

预计第四季度末应付账款 =193000×60%=115800（元）

（3）用量标准 =5 千克/件

价格标准 =10 元/千克

所以乙材料的单位标准成本 =5×10=50（元/件）

【提示】直接材料的标准成本，是由材料的用量标准和价格标准来确定的。因为本题要求计算乙材料的单位标准成本，所以要考虑甲产品所耗费的乙材料的用量标准和价格标准。

（4）实际单价 =9 元/千克

实际产量下实际耗用量 =20400 千克

标准单价 =10 元/千克

实际产量下标准耗用量 =3400×5=17000（千克）

甲产品消耗乙材料的成本差异 =20400×9-17000×10=13600（元）（超支）

甲产品消耗乙材料价格差异 =（9-10）×20400=-20400（元）（节约）

甲产品消耗乙材料数量差异 =10×（20400-17000）=34000（元）（超支）

（5）材料成本差异的主要原因是材料耗用量超支所致，所以企业应该主要是降低材料的耗用量。

2.【答案】

（1）

项目	用量标准	价格标准	单位标准成本
直接材料	6 千克 / 件	1.5 元 / 千克	9 元 / 件
直接人工	4 小时 / 件	4 元 / 小时	16 元 / 件
变动制造费用	4 小时 / 件	6000/（500×4）=3（元 / 小时）	12 元 / 件
固定制造费用	4 小时 / 件	4000/（500×4）=2（元 / 小时）	8 元 / 件
单位标准成本	—	—	45 元 / 件

（2）①直接材料成本差异 =3250×1.6-440×6×1.5=1240（元）（超支）

直接材料价格差异 =（1.6-1.5）×3250=325（元）（超支）

直接材料数量差异 =（3250-440×6）×1.5=915（元）（超支）

②直接人工成本差异 =8820-440×4×4=1780（元）（超支）

直接人工工资率差异 =（8820/2100-4）×2100=420（元）（超支）

直接人工效率差异 =（2100-440×4）×4=1360（元）（超支）

③变动制造费用成本差异 =6480-440×4×3=1200（元）（超支）

变动制造费用耗费差异 =（6480/2100-3）×2100=180（元）（超支）

变动制造费用效率差异 =（2100-440×4）×3=1020（元）（超支）

④固定制造费用项目成本差异 =3900-440×4×2=380（元）（超支）

固定制造费用耗费差异 =3900-4000=-100（元）（节约）

固定制造费用产量差异 =（500×4-2100）×2=-200（元）（节约）

固定制造费用效率差异 =（2100-440×4）×2=680（元）（超支）。

附　录

考点清单

第五章　筹资管理（下）

第六章　投资管理

第七章　营运资金管理

◇湖南天闻新华印务有限公司